Roman Fantastique

幻想と怪奇

15

霊魂の不滅

心霊小説傑作選

新紀元社

欧米心霊学略年譜（一八四八～一九二六）

『幻想と怪奇』編集室

一八四八年
イギリスの小説家**キャサリン・クロウ**[*1]、実際に起きたとされる心霊現象をまとめた著書『自然の夜の側』*The Night-Side of Nature* を上梓。
三月、ニューヨーク州の農村ハイズヴィル在、フォックス家でポルターガイスト現象が発生、同家の三姉妹のうち次女と三女が霊と交信。「ハイズヴィル事件」として世界に広まる。

一八五二年
霊能者**ダニエル・ダングラス・ヒューム**[*2]、アメリカ各地で降霊、空中浮揚などを行い、注目を集める。彼の存在はアメリカとヨーロッパでの心霊主義流行の一因となる。

一八五三年
英〈タイムズ〉紙、交霊会の娯楽的な流行を批判する投書を掲載。投書者は科学者・物理学者のマイクル・ファラデー。

一八五四年
ヒューム渡英、多くの名士の前で降霊術などを行う。フランスではナポレオン三世に、オランダではソフィア王妃に謁見し、霊能を披露する。

マムラー撮影の心霊写真（1870年前後）

D.D.ヒュームの空中浮揚（1860年代）

フォックス姉妹（1852）

一八五七年
心霊主義者《スピリティスト》**アラン・カルデック**[3]、霊魂の不滅や転生を論じた著書『霊の書』をパリで上梓。
一八六一年
ボストンの写真家**ウィリアム・H・マムラー**[4]、心霊写真を撮影。
一八七五年
ヘレナ・P・ブラヴァツキー[5]、ニューヨーク市に神智学協会を設立。
一八八二年
哲学者**ヘンリー・シジウィック**[6]と詩人**フレデリック・マイヤーズ**[7]、心霊研究家**エドマンド・ガーニー**[8]の三人、ロンドンに心霊現象研究協会（SPR）を創設。初代会長にシジウィック。
一八八五年
SPRの心霊研究者**リチャード・ホジスン**[9]、前年のマドラスでの調査に基づき、ブラヴァツキーの霊能が詐術であるとする報告書を提出。
アメリカ心霊研究協会（ASPR）設立。SPR会員の物理学者**ウィリアム・バレット**[10]の提案による。初代会長に**サイモン・ニューカム**[11]。
一八八六年
ガーニーとマイヤーズ、**フランク・ポドモア**[12]を共著者に招き、大冊の心霊現象研究書『生者の幻影』*Phantasms of the Living* を上梓。
一八八七年
霊媒**レオノーラ・パイパー**[13]、リチャード・ホジスンの調査を受ける。懐疑的だったホジスンは、一八九二年に霊能を確信するまで調査を続けた。

レオノーラ・パイパー

H.P.ブラヴァツキー

THE BOSTON
PLANCHETTE
From the Original Pattern, first made in Boston in 1860.
降霊会用自動筆記具の広告（1860）

一八八八年
十月、ハイズヴィル事件の長姉マーガレット・フォックス、事件は自分たちの狂言だったと新聞に告白するも、翌年に撤回。真偽は謎のまま。
一八九〇年
降霊術用具の霊応盤《ウィジャ・ボード》、アメリカで商品化。
一八九三年
六月、SPRを辞職したミス・レーン、ロンドンの探偵ジェスパーソンの助手に。（リサ・タトル『夢遊病者と消えた霊能者の奇妙な事件』）
一八九四年
シャルル・リシエ[*14]らSPR会員たち、イタリアの霊媒**エウサピア・パラディーノ**[*15]を前年よりフランスで調査するが、霊能の真偽は確認できず。
一九一八年
コナン・ドイル、心霊主義に関する初の著作『新たなる啓示』*The New Revelation*を上梓。（邦題『コナン・ドイルの心霊学』）
一九一九年
シャルル・リシエら、英米のSPRに並ぶ研究機関、国際メタサイキック研究所をパリに設立。
一九二四年
奇術師**ハリー・フーディーニ**[*16]、偽霊媒を暴露する著書『霊たちの中の奇術師』*A Magician Among the Spirits*を上梓。
一九二六年
ドイル、降霊会を題材にした小説『霧の国』を上梓。

Planche. II — Lévitation de la table, à Milan, en 1892, d'après une photographie instantanée.
Medium : Eusapia.
Contrôleurs : les professeurs Lombroso et Richet.

調査を受けるパラディーノ（1892）

ドイルとフーディーニ（1924）

【参考文献】カステラン　田中義廣訳『心霊主義』白水社／オッペンハイム　和田芳久訳『英国心霊主義の抬頭』工作舎／吉村正和『心霊の文化史』河出書房新社／大野英士『オカルティズム』講談社／Wikipedia

1　**キャサリン・クロウ**（一八〇三―七六）小説家。社会小説や児童文学等を手がける。邦訳に探偵小説『スーザン・ホープリー』など。

2　**ダニエル・ダングラス・ヒューム**（一八三三―八六）エディンバラ出身の霊媒。交霊や多様な超常現象を起こし世界的に有名になる。

3　**アラン・カルデック**（一八〇四―六九）リヨン出身の哲学者。親友の霊能ある娘たちの協力を得て心霊学の研究を深めた。

4　**ウィリアム・H・マムラー**（一八三二―八四）ボストンの宝石職人、のちに写真家。世界初の心霊写真撮影者。妻ハンナは霊媒だった。

5　**ヘレナ・P・ブラヴァツキー**（一八三一―九一）ウクライナ出身の神智学者。独自の思想は後にスピリチュアリズムにも影響を与えた。

6　**ヘンリー・シジウィック**（一八三八―一九〇〇）哲学者・経済学者。ケンブリッジ大学の運営にも関わる。宗教的には無神論の立場を取った。

7　**フレデリック・マイヤーズ**（一八四三―一九〇一）詩人・心霊研究者。テレパシーの概念を定義づけた。

8　**エドマンド・ガーニー**（一八四七―八八）心理学者。主に催眠術を研究。SPRでは会報編集を担当。

9　**リチャード・ホジスン**（一八五五―一九〇五）メルボルン出身の心霊研究者。多くの霊媒を調査し、晩年は自身も交霊を試みた。

10　**ウィリアム・バレット**（一八四四―一九二五）ジャマイカ出身の物理学者。英米双方のSPR設立に貢献した。ダウジングの研究で著名。

11　**サイモン・ニューカム**（一八三五―一九〇九）カナダの天文学者・応用数学者。心霊現象には懐疑的だった。黒岩涙香『暗黒星』の原作者。

12　**フランク・ポドモア**（一八五六―一九一〇）著述家。社会主義団体「フェビアン協会」の創設メンバー。心霊現象に深い関心を持ちつつ、科学的な見地を保持した。

13　**レオノーラ・パイパー**（一八五九―一九五〇）八四年、先住民の霊と交信し霊能を得る。彼女の降霊会への参加が、ウィリアム・ジェイムズの心霊研究のきっかけとなった。

14　**シャルル・リシェ**（一八五〇―一九三五）パリ出身の生理学者。一九〇五年にSPR会長を務める。アレルギーの研究で一九一三年にノーベル生理学・医学賞を受賞。

15　**エウサピア・パラディーノ**（一八五四―一九一八）霊媒。トリックを用いたこともあり霊能を疑問視されたが、「犯罪学の父」チェザーレ・ロンブローゾら信奉者も多かった。

16　**ハリー・フーディーニ**（一八七四―一九二六）ブダペスト出身の奇術師。母の死を機に降霊術に接し、偽霊媒のトリック暴露に尽力した。

幻想と怪奇15
霊魂の不滅　心霊小説傑作選

表紙：ひらいたかこ（Pen Studio）
装丁：YOUCHAN（トゴルアートワークス）
『幻想と怪奇』題字：原田治

降霊会の物語

モレル夫人の最後の降霊会

Mrs. Morrel's Last Seance

エドガー・ジェプスン Edgar Jepson

髙橋まり子 訳

まずは、降霊会が流行のさなかにあった時代の小説をご紹介しましょう。*The London Magazine* の一九二二年二月号に発表された本作には、降霊会がどのように行われたかが、最中に起きる無気味な出来事とともに、臨場感をもって描かれています。本作のあと、アガサ・クリスティーの「最後の降霊会」（一九二六）をお読みになると、さらに興味深いことでしょう。作者エドガー・ジェプスン（一八六三―一九三八）は、日本では探偵小説「茶の葉」で有名ですが、怪奇小説も数多く手がけており、アーサー・マッケンやリチャード・ミドルトンとも親交がありました。

二年前の冬、わたしはホワキン・モレル夫人の降霊会にすべて出席した。これまで多くの霊媒師の降霊会に参加していたが、夫人の右に出る者は、国内はもちろん、ヨーロッパ中を探してもいなかった。もっとも、夫人の気持ちが乗らなかったり、体調が優れなかったり、なんらかの事情があると、大した心霊現象は起こらなかった。そうしたときは、なんともお粗末なごまかしで終わることもあった。大勢の前でも内輪だけのときでも、本物の心霊現象が起こらないと、夫人は多くの霊媒師のように、霊が降りてきたふりをするのに躍起になっていたのだ。自身の能力を駆使したあとに疲労や吐き気で苦しむぐらいなら、いっそのこと、ごまかしたほうがいいと思っていたのかもしれない。

とはいえ、夫人の降霊会では、ごまかしたとは思えないような現象を、目の当たりにしたこともあった。どう考えても、説明がつかないことが起きていたのだ。断っておくが、わたしは死者の霊との関連をかなり疑問視していた。それよりも、潜在意識の未知にして神秘的な作用によって生み出されたのではないか。いや、むしろ意識下での作用と言うべきか。いずれにせよ、原因はなんであれ、これこそ本物の心霊現象だと思うものを、わたしはこの目で見た。そうした降霊術を行ったあと、夫人は疲労困憊していた。命を削るどころか、本当に出血しているのではないかと思ってしまったほどだ。何しろ、衰弱して顔が青ざめ、体が縮こまっていたのだから。

昨年十二月四日、わたしは大して期待もせずに、降霊会に参加した。ただならぬ心霊現象が起こるのか、概《おおむ》ねごまかしただけで終わるのか確かめるのに、めったにない機会だったからだ。しかも、その晩はかなり厳しく冷えこみ、体に堪える寒さで、夫人が能力を発揮するには申し分のない状態とは言いがたかった。しかし、部屋に入った途端、夫人がいつになく上機嫌なことに気がついた。これなら参加しがいのある降霊会になりそうだと心が躍った。

会場に一番乗りしていたので、少しのあいだ、夫人と話をした。最後に参加した降霊会のあと、夫人がどう過ごしていたのか、今夜の集会には誰が参加するのか訊いた。夫人が上機嫌なのは、黒の波柄のシルクで仕立てた新しい服を着ていたせいでもあった。わたしが服を褒めると、夫人は生地を触らせながら、素材が上質で、厚手の丈夫なシルクなのだと言った。わたしがもう一度センスの良さを褒め、自分にぴったり合うものを選んだことに感心すると言うと、夫人は素直に誇らしげな表情を浮かべた。本当に服はよく似合っていた。日焼けした肌に黒髪、体つきは大柄でふくよか、体重は十一ストーン(約七十キログラム)以上ありそうだ。肉づきのよい顔を上げているのは、わたしの誉め言葉に気をよくしたからだろう。

そうこうするうちに、集会の他の参加者が次々に到着した。ひとりで訪れる者もいれば、ふたり連れもいた。まずやってきたのはエリック・マグナス。わたし以上に心霊現象を疑っていた男だ。もっとも、昨年の夫人の降霊会で、どうにも説明がつかない正真正銘の心霊現象を目の当たりにしてからは、以前のように確信に満ちた口調で否定するのをやめていた。そのあと会場に着いたのは、ハロルド・ビヴァレッジと数学教授のウォルターズ。ふたりとも心霊現象に対して、非常に慎重で、厳しい目で見ていた。続いてパターソン博士夫妻、そしてグラント夫人、ノートン提督が到着した。トンプソンという男もやってきたが、降霊会に参加するようになったのはわりと最近で、どんな人物かまだよくわからない。あとから来たこの五人は目にしたもの、その場で見せられたものを信じてしまうタイプで、霊がどうこうということについては、あまり気にしていなかった。

言うまでもなく、集会としてはいささか人数が多すぎた。最高の心霊現象が見られるのは、きまって参加者が男性三人、女性二人のときなのだ。

最後に、見覚えのないふたり連れが到着した。おそらく、夫人や他のメンバーも降霊会で一緒になったことはないはずだ——このロングリッジ夫妻には。夫のほうは四十五歳ぐらいだろうか。背こそ低いものの、がっしりしていて、恰幅がよく、きれいにひげを剃っている。威圧感たっぷりの厳《いか》つい顎、薄い唇、黒々とした鋭い目、濃く太い眉毛、彫りの深い顔立ち。いかにも、かなりのやり手といった風貌だ。頼むから、今夜だけは、モレル夫人にはごまかすのをやめてほしいと言いたい。この男がなかなかの人物だとして、もしごまかしを見破ったら、ひと悶着起きそうだ。そう言えば、雑誌に掲載されていた実業界のリーダーの写真で、この男の顔を見た気がするのだが。

妻は非常に愛らしく、かなりの美人だ。年齢は二十八歳ぐらい、大きな瞳も髪も濃い茶色だった。頬は青白く、どこかもろい感じがする。大きな悩みを抱えて心を痛めているような印象だ。とてつもなく緊張しているのが、はっきりわかる。目が泳いでいて、気持ちが高ぶっているのか、唇がずっと引きつっている。夫はやけに退屈そうなのに。

モレル夫人はふたりを丁重に出迎えた。ロングリッジ夫人は黒のイブニングドレスにクロテンの毛皮の外套を羽織ったまま、部屋に入った。集会の参加者はウォルター教授以外、全員金持ちだが、だからといって、二千ポンドもするクロテンの毛皮の外套にぽんと金を出せるほどではなかった。ロングリッジは億万長者に違いない。ロングリッジ夫人は室内がかなり暖かいとわかると、夫に外套を渡した。夫はそれをドア近くにある壁際の机に置いた。

八時四十五分、参加者全員が揃った。わたしはロングリッジ夫妻に降霊会での注意事項を伝えた。特に、何があっても、隣の人とつないだ手を離して輪を壊さないようにと念を押した。それから小部屋の前に半円を描くように並べられた椅子に全員座った。小部屋の端に渡した竿には、間仕切り用のカーテンがかけられていた。カーテンは開いていて、小部屋には、誰も座っていない夫人の椅子しかなく、がらんとしていた。

モレル夫人が小部屋に入り、カーテンを閉めた。マグナスはシャンデリアのガスの噴き出し口を二か所閉めた。噴き出し口はもうひとつあったが、そちらは閉めなかったので、部屋は四分の三インチほどの炎で照らされた。蠟燭一本の明かりよりも薄暗くなった。

全員が手をつなぐと、グラント夫人がピアノに向かい、静かに弾きはじめた。わたしたちは小声で話をした。わたしはロングリッジ夫妻のあいだに座った。マグナスはロングリッジの隣の席についている。ロングリッジ夫人は異様なほど緊張していた。ときどきわたしが話しかけると、強張《こわば》った口調で答えた。手は固く、冷たくなっていたので、わたしの手も凍りそうだ。もっと気楽にと声をかけてはみたものの直らなかった。

時折、ロングリッジ夫人の身震いがわたしにも伝わってきた。かたや、夫のほうは実にリラックスしていた。椅子に寄りかかり、手は温かく柔らかかった。じれったいのか、何度もため息をついている。ここに来たのは妻を喜ばせるためで、本人は何も期待していないのがよくわかる。

わたしたちは『導きゆかせたまえ』を歌い、そのあとまた話し出した。席についてから三十分ほどして、小部屋から何かをひっかくような音が聞こえてきた。モレル夫人がトランス状態に入るといつも聞こえる音だ。

話し声は一瞬にして止んだ。グラント夫人はピアノから離れ、半円上に並べられた椅子の列に向かい、いちばん近い席に座った。ロングリッジ夫人は消え入りそうな声でささやいた。

「始まるんですか？」

「もうすぐです」ロングリッジ夫人の震えが伝わってきた。正確には、すさまじい勢いで体を揺らしていたと言ったほうがいいかもしれない。そのあとも、体の揺れはしばらく止まらなかった。

最初に光の玉が現れた。小部屋を仕切っているカーテンの手前の床から三フィートほどの高さで、かすかな光を放っている。しだいに光が強くなり、緑色がかった燐《りん》光《こう》が直径六インチほどの球状となって輝いていた。その強さはヒトデなど小さな海洋生物が放つ光ぐらい。ツチボタルの光ほどの明るさではない。ロングリッジは座ったまま姿勢を正した。

ふいに光の玉が消えると、半円状に並んだ席の端から話し声が聞こえてきた。トンプソンの声だ。これには、もうみんな慣れていた。トンプソンはこんなふうに声を上げ、部屋を歩き出してしまうのだ。おとぎ話の小人のようにちょこまかと。トンプソンの声しか聴こえないときもある。ロングリッジ夫人はじっとしている。さすがに震えはおさまったものの、呼吸は速かった。

いよいよ、ここからが降霊会の山場だ。もっとも、今回はこれまでとは様子が違う。緊迫していて、妙に重苦しく、不安をかきたてられる。ロングリッジ夫人の感情に影響されているせいに違いない。

いくつかの明かりが部屋を漂っては薄れていく。光のひとつが通り過ぎたとき、トンプソンのいたずらっぽい顔が見えた——見えたのは顔だけだった。

トンプソンはいつものようにまだぐだぐだと話し続けていた。中身がなく、どうでもいい話ばかりだ。主に相手をしているノートン提督は、世間をにぎわせている海軍のスキャンダルの結末について知りたがっている。対するトンプソンの意見は十四歳の学生と変わらない。

ふいに、トンプソンが声を上げた。「シスター・シルヴィアのお出ましだ」

小部屋から、修道女の恰好をした人が現れた。モレル夫人の会では、おなじみの姿だ。夫人はシスター・シルヴィアの名で降霊術を行っていた。今はわたしたちひとりひとりと言葉を交わしている。もっとも、トンプソンの話と大差はない。ロングリッジ夫人は静かに呼吸をしながら、わたしの手を強く握った。ロングリッジも手に力をこめ、前のめりになった。

冷気が入ってきた（降霊会ではいたってよくある現象だ）。それからシスター・シルヴィアは口を開いた。「ここに小さな女の子がいます。この子の望みは——」

ロングリッジ夫人がはっと息をのんだのがわかった。シスター・シルヴィアは話の途中、目を見張るほどの速さで小部屋の奥に向かった。なんというか、こう、部屋の奥に吸いこまれたのかと思ったほどだ。

別の光が部屋を漂い、薄らいでいく。ふいに、カーテンリングが竿をかすかに擦る音がしたかと思うと、小部屋から子どもが現れた。幼い女の子だ。このとき、わたしはカーテンが半分ほど開いているのに気づいた。今までのモレル夫人の降霊会で、カーテンが開いたことはなかった。おかげで、小部屋の椅子に座っている夫人の姿がぼんやり見えた。

子どもはロングリッジ夫人にまっすぐ近づいた。ロングリッジ夫人は椅子に深く座ったまま、苦しそうに息をのんだ。わたしがしっかりつかんでいなければ、感覚のなくなった手を離してしまいそうだ。

子どもはロングリッジ夫人の前に立つと、かぼそく、甲高い声で言った。「ママ！」

ロングリッジ夫人は泣き出し、わたしの手を離そうともがいた。「ああ、メイジー！　メイジー！」

モレル夫人が足を引きずりながら、小部屋を歩く音がする。すると、出し抜けに、ロングリッジが手に力をこめた。憎しみをこめてわたしの手を握りつぶそうとでもいうように。そしてしゃがれ声で言った。「行っちゃだめだ、メイジー！　一緒にいなさい——こっちに来るんだ——言うことを聞きなさい！」それから上ずった声を出した。「あの子を行かせるな、グレース！　捕まえろ！　行かせちゃだめだ！」

　ロングリッジは前かがみになった。視線はモレル夫人のおぼろげな姿をとらえている。

　ロングリッジ夫人と子どもは短く声を切って、途切れ途切れにささやいていた。ただひたすら、おたがいに呼び合っている。ロングリッジが口を開くと、妻は黙った。体を強張らせているのだろうか、呼吸は遅くなり、ゆっくり息を吐いた。どうにかして気持ちを集中させようとしているのがよくわかる。

　わたしの手はロングリッジに握りつぶされかけていた。骨が砕けそうだ。痛くて、頭が混乱する。子どもはロングリッジ夫人の首に両腕を巻きつけているのだろうか。

　少しのあいだ、その場は張りつめた静寂に包まれた。部屋は緊迫した雰囲気と無言のざわめきで、次第に重苦しくなっていった。そんなふうに思ったのは、ロングリッジに手を強く握られた痛みのせいかもしれない。やがて、子どもが小部屋に引きずられていくのが見えた。見えたというより、そう感じたのだ。ロングリッジは必死に前のめりになった。椅子から立ち上がらず、わたしの手を握った力を緩めずに。

　グラント夫人がいきなり泣き出した。マグナスは興奮気味に、耳障りな声でささやいている。「動かないで！　じっとして！　輪を壊さないで！」と。提督が口汚い言葉を叫んでいる。モレル夫人はと言えば、椅子に座ったまま体を揺らしている。

　どうやら、子どもはロングリッジ夫人のすぐ近くにいて、前かがみになっているらしい。夫人の首に両腕を巻きつけているとでもいうように。そして、夫人はその腕をつかんでいるとでもいうように。

　出し抜けに、モレル夫人は椅子から立ち上がると、体を揺らしながら腕をねじるようにして、空《くう》をつかもうとした。ふいに、前に倒れた。小部屋から体が半分出ている。

　モレル夫人が倒れると、子どもはこれまでとは、まるっきり違う声で叫んだ。太く、耳障りな声で。

「戻れない！」

わたしたちは全員一斉に立ち上がった。

ロングリッジは叫んだ。「ほら、こっちに来るんだ！」

そしてわたしの手を振りほどき、子どもを捕まえた。

マグナスはシャンデリアのガスをつけようとしたが、動揺していたのか消してしまった。部屋は真っ暗になった。ドアが開き、廊下から一筋の光が差しこんだ。ロングリッジの顔はまっさおで、汗で光っていた。子どもを抱きかかえ、妻のクロテンの外套で覆うと、急いで部屋から出て行った。妻もそのあとを慌てて追いかけ、部屋のドアを閉めた。

わたしはドアに向かったが、椅子に当たり、ウォルター教授にもぶつかった。壁に手をついたとき、玄関扉が閉まる音がした。

提督がマッチで火をつけた。わたしは部屋を出て廊下を走り、玄関扉を開けた。大型の車がドアを閉め、すばやく通りを走り去っていった。

わたしはすぐに部屋に戻った。ガスがついて明かりが灯ると、みんな一気に勢いよく口々に話し出した。わたしは倒れたままのモレル夫人に駆け寄り、体を抱き起こした。そのまま持ち上げたが十二歳の子どもを抱えている気がして啞然とした。夫人をソファに運んで横たわらせた拍子にカフスが夫人の服にひっかかり、あれほど丈夫だと言っていた真新しいシルクの服が、ティッシュペーパーのようにあっさり破れてしまった。ボディスは手袋のように夫人の体をぴったりと締めつけ、皺だらけのしなびた胸を覆っている。顔は血の気がなく、頬がこけていた。不思議なことに、黒かったはずの髪も眉も、艶のない白髪になっていた。何よりも奇妙なのは目で、虹彩も黒い瞳孔も灰色になっている。まるで色がすっかり抜けてしまったかのように。

グラント夫人が強い気付け薬を持ってきた。提督は使用人にブランデーを取りに行かせた。わたしたちは夫人を助けようと手を尽くした。だが力及ばず。モレル夫人は死んでしまった。

医者を呼んだが、どうにもできなかった。医者は死因を心臓発作によるものと診断し、全身が白茶けているのは、夫人が生まれつき体の色素が足りない状態だったからだと確信しているようだ。

最後に家を出たマグナスとわたしは一緒に帰った。

通りまで出ると、マグナスが口を開いた。

「隙間風に気づいたのはよかった。子どもが中に入れるように、部屋のドアを開けたんだろうな」

「冷気が入ったのはわたしも気づいていた。正直に言うと、降霊会の夜にはよくあることだと思っていたんだが」わたしは言った。「でも、ドアが開いたのに、なぜ廊下のランプの光が部屋に漏れなかったんだ？　明かりが煌々とついていたのに」

「ああ、それなら一度消えて、再びついたからだ」マグナスは自信満々に言った。

「なるほど」わたしがそう言うと、マグナスはしばらく黙って歩いていた。

ふいにマグナスが口を開いた。

「まんまとだまされたな――まんまと！　これほど見事にだまされるとは！　それにあの共犯！　迫真の演技だったじゃないか――迫真なんてものじゃない！」

「そうか、あの御婦人の手が冷たくなったのも演技だったってことか。待てよ、共犯？　二千ポンドもするクロテンの毛皮の外套の持ち主がモレル夫人の共犯なのか！　いったいどういうことだ」わたしは言った。

「雇われたんだよ――金で」マグナスは自信たっぷりだった。

「なるほど」わたしは言った。「金で雇われた外套の女。そして肌が浅黒かったはずなのに、心臓発作で体から色素がすっかり抜け落ちた女」

「本当に奇妙だ。だが、そういうことがあっても、不思議じゃない」

「かもな」わたしは言った。

通りの突きあたりでわたしたちは別れた。マグナスがいなくなって、ほっとした。今夜のことを落ちついて考えたかったのだ。だが、だめだった。心がかき乱され、ずっともやもやしていた。

翌日、ロングリッジ夫妻について調べたが無駄だった。ふたりに関する情報は全くなかったのだ。降霊会をいろいろと当たってみたものの、ふたりの名前を知る人は誰もいなかった。知り合いの霊媒師にも夫妻の風貌などを伝えたが、わからなかった。しかも、雑誌に掲載された実業界のリーダーに関する記事に、ロングリッジの名前はなかった。となると、他の大勢の人々と同様、あの夫妻も偽名を使って降霊会に来ていたと考えざるを得ない。要するに、多くの人々が心霊術に関心があることを恥じているというわけだ。

降霊会の物語

我が墓を見よ

They Found My Grave

マージョリー・ボウエン Marjorie Bowen

伊東晶子訳

マージョリー・ボウエン（一八八五—一九五二）は複数のペンネームを使い、約半世紀にわたり百五十冊を超える著書を上梓しました。多彩な作品の中には怪奇小説も多く、『幻想と怪奇』ではこれまでに、魔道書ものの「ひとり残る者」（第8巻『魔女の祝祭』）と、結婚をめぐる恐怖譚「擦り切れた絹布」（第12巻『イギリス女性作家怪談集』）を収録しています。本作は、ジョゼフ・シアリング名義の短編集 *Orange Blossoms*（一九三八）に収録された唯一の怪奇小説。降霊会に現れた尊大な霊が正体を暴かれていく過程をお楽しみください。

エイダ・トリンブルは、霊視相談《シッティング》にうんざりしていた。ぜひにと誘われて仕方なく何度か受けたのだが、ブルームズベリーにある煤《すす》けた大きな建物には気が滅入り、げんなりさせられた。ここの空気にはスピリチュアルなところなどこれっぽっちもない。いつも饐《す》えた油の匂いがたちこめている。

霊媒はアストラ・デスティニー（アストラは「星」を意味するラテン語astrumの複数形）と名乗っていた。背が高く、締まりのない体つきの女で、丸く大きな顔には活力と抜け目なさが表れている。椅子やカーテンに使う生地で仕立てた服を着て、短く切った黄色っぽい巻き毛の頭にピカピカ光るヘアバンドを巻いている。肥大した足の肉が安っぽい金色の靴のストラップの脇からはみ出ていた。

霊媒は、〝奥義を究める〟本を山ほど書いており、たった三十分で、エイダがこれまでの人生で聞いた分を上回るばかばかしい話をしてのけた。それでいて、鋭い嗅覚と浅からぬ経験の持ち主だという印象を与える。小さな灰色の目から覗く侮《あなど》りがたく容赦のない精神が、この身を包む戯言《たわごと》の煙幕に穴を開けられるものならやってみろと挑んでいた。

「感じの悪い女《ひと》ね」とエイダは言った。だが、ブルームズベリーの〈大神殿〉を紹介したヘレン・トレントは、あそこには胡散《うさん》くさいところもあるけれど、不思議なことが本当に起こるのよ、と力説した。

「めんどりがぺちゃくちゃやってるみたいじゃない」とエイダは言った。「でも降霊会よりはましね」

「笑いものにするのは簡単よ。確かに鼻持ちならないところはあるわ。でも、まるきり説明のつかないことが起こるの。それが気になって。あなたの意見を聞かせてほしいのよ」

「まだ何も見ていないんだから意見も何もないわ。あの女は詐欺師よ。騙《だま》されやすい人たちを食い物にしている。わたしたちを怪しんでいやがらせをしてくるかもしれないわね」

それでもヘレンはこう言った。「そうかしら。あなたもわたしくらい何度も通って、気をつけて見ていれば……」

「ヘレンたら――どうしてこんなばかげたことに首を突っこんでいるの?」

年下の友人は真剣に答えた。「何かがあると思うからよ」

エイダは友人の判断を尊重した。二人とも知的で快活な中年女性で、働かなくても暮らしていけるだけの収入があるという意味で自立していた。ミス・トリンブルは人生の一瞬一瞬を楽しんでいたから、ナイツブリッジの高級マンションから離れた、薄汚いブルームズベリー神殿にいる時間をもったいないと思っていた。ヘレンからどんなに誘われても、金も時間も無駄になる霊視相談をこれ以上続けたいとは思わなかった。それに、風通しが悪く殺風景な部屋に閉じこめられるのがいやでたまらなかった。そこではマダム・デスティニーがトランス状態になり、〈紫の小川〉という名のアメリカ・インディアンの支配霊が、〈ニュー・アトランティス〉(哲学者フランシス・ベーコンによるユートピア小説の題名)や〈人類の兄弟愛〉、その他そこらの安っぽい哲学や宗教の入門書に載っている決まり文句を植民地英語で、ただしマダムの声で、べらべらまくしたてるのだ。

だが、ヘレンはエイダを説きふせ、マダムと常連の参加者のみで行う〈霊妙なる音と気づきの会〉というデモンストレーションに参加させた。出てみればなんのことはない、エイダの若い頃には〈テーブル・ターニング〉と呼んだものだ。エイダとマダムの他に五人が参加した。テーブルが動き、叩音《ラップ》が鳴ると、さまざまな霊との対話が交わされた。ある種の符号を使ったやりとりで、叩音の数がアルファベットに対応している。aは一回、zは二十六回というわけだ。だらだらと単調で、これより退屈なものはないわとエイダは思った。ありとあらゆる種類のいかがわしい霊がやってきた。十二世紀のフランドル人、十九世紀末の南米にある共和国の大統領、トンキン駐在事務官で数年前に虎に殺されたイギリス人、デボンシャーで列車の前に身を投げた若い男性教師、「断頭台の露と消えた」と古風な言い回しで告げた人殺し、マンチェスターで酒に溺れて死んだ工員、「逝った」ばかりの引退した女性教師などだ。

霊媒曰《いわ》く「育ちが悪いので汚い言葉を使う」郵便配達員や娘の霊とも叩音を使って対話した。こういう霊は、自分たちが何者で、どのように死んだか、今どういう状況にあるのかを、漠然としたありきたりな言葉で手短に伝えた。「私は幸せです」「僕は不幸だ」「ここは素敵よ」「神は死なず」「まだキリスト教徒です」「初めて死んだときはびっくりしたが、もう慣れた――」等々。

ダービーの勝ち馬や次の選挙の結果といった、未来に関する質問は全くなかった。「だって、そんなのずるいでしょう？」とマダムはにこやかに言った。「それに、あの人たち、知らないんじゃないかしら」

そういう連中より有名な霊が現れたときは、英国人ならば『英国人名事典』を、外国人ならば『ラルース百科事典』をいそいそと参照して特定した。神殿にはこうした事典の簡易版が用意されていた。これらの大きくて頼りになる本のおかげで、霊が語った経歴や死にまつわる事実を確かめることができた。無名の霊が年月日や地名を示した場合は、市役所の事務係や登録係に問い合わせて確認した。この方法もたいていうまくいった。

マダム・デスティニーは、時として手紙を見せてくれることもあり、それによってマダムのお粗末な引用による〈所在地と名前〉（シェイクスピア『真夏の夜の夢』五幕一場「無なるものに所在地と名前を与える」）を霊たちがかつて持っていたことが証明された。

「なぜあなたが熱心になるのかわからないわ」一緒に帰る車の中でエイダはヘレンに言った。「よくある詐欺じゃなくて？　そりゃあ、巧くやってはいるけど、ああいう情報をすべて頭に入れてあるってだけよ」

「あらかじめ調べてるってこと？」

「あたりまえよ」ヘレンがそんな初歩的なことを訊いたのが少し意外だった。「それに、郵便配達員や若い女中なんていくらでもでっち上げられる」

「調べる費用がかかるじゃない。マダムの料金はたいしたことないのに」

「あの人はあれで生計を立てることができているわ」エイダはきっぱり言った。「講義、ヒーリング、礼拝、霊視相談、図書の貸出、それに九ペニー（現在の貨幣価値に換算すると約千三百円）のお茶とかね。〈東洋霊体生理学神殿〉はけっこう巧くやってるんじゃないかしら……」エイダはさっと友人のほうを見ると、声の調子を変えて訊いた。「あなた……まさか、のめりこんだり……していないわよね、ヘレン？」

「まさか！　少なくとも、自分ではそんなふうに感じていないわ。でも、去年、あなたがフランスに行っているあいだに、目を瞠《みは》るようなことがあって――〈直接《ダイレクト・》談話《ヴォイス》〉でね。またあれをやってくれないかしら。あなたの考えを聞きたいわ……」ヘレンの声が掠れて消えた。寒い夜だったので、彼女は襟とマフラーをやさしく上品な顔に寄せた。乗り心地のいい洒落た小型車は橋を渡っていた。二人の婦人は、外の通りやインクブルーの模様のように見えるサーペンタイン池、川岸の葉を落とした木々、その向こうに密集する建物が、朱とオレンジの光線に貫かれるのを見ていた。十一月の冷たい風がエイダの顔を打った。

「わたしったら、窓を閉め忘れるなんて」急いで閉めながらエイダは言った。「マダム・デスティニーとは距離を置いたほうがいいわ。あの手のことはよくないと思うの。神経に悪い影響を与えかねないわ」

「そうね」と言ってから、ヘレンは見当違いな答えを返した。「夢ってなんなのかしら、ねえ？」

エイダは、このエレガントで洗練された友人の過去についてほんのわずかしか知らないことに気がついた。それに、自分が若かった頃、あれほど夢中になったり、大切に思ったり、ひどく恐れたりした経験のほとんどを忘れてしまっていたことも思い出した。

「せめて来週の火曜日には来て」ヘレンは、濡れた舗道に足をおろし、車を降りながら頼んだ。「〈直接談話〉をするってマダムが約束してくれたの」

「行かなくちゃ、ヘレンのために」とエイダは思った。「あの人、あんなでたらめに騙されかけてる。あの悪党連中は、彼女がお金持ちだとわかっているのよ」

そういうわけで、火曜日、優雅な二人の婦人は、金のかかった上品な服に趣味のいいベールやハンドバッグ、毛皮の襟巻を合わせ、スミレとクチナシのコサージュをつけて、ブルームズベリー神殿の階上の部屋で、マダム・デスティニーの取り巻きであるにぎやかしの参加者《サクラ》たちと席につくことになった。

　エイダは椅子に腰を落ち着けた。神殿内のどの椅子もそうだが、座り心地がいい。興味津々で部屋を見回した。ヴィクトリア朝風の壁紙は、不器用に画鋲で留めた黒っぽいサージの布で隠されている。高い窓は、くすんだ赤のシュニール織のカーテンで覆われている。床のリノリウムはすりへっている。部屋の中央にテーブルがあり、古めかしい小さな蓄音機が載っていた。トランペット形のホーン（レコードから再生された音を拡大する装置）がついている。その脇には小さな赤いランプが置かれ、この灯りとガス・ストーブの陽気な炎だけが部屋を照らしていた。

　マントルピースの上の真鍮の花瓶に挿した線香から煙が流れていたが、その甘ったるい香りをもってしても、いつも神殿内に漂っているシチューとタマネギの匂いを消すことはできなかった。

「ここの住人は煮こみ料理ばかり食べているのかしら」エイダは集まった人々を見回しながら、ぼんやりと考えた。

　霊媒は一番大きな椅子に手足を投げ出して座っていた。すでにトランス状態に入っているようだ。うなだれた頭が大きな胸に沈み、鼻息が金襴《きんらん》のローブを縁取る毛皮を揺らしている。頭に巻いた安っぽいヘアバンドと、これまた安っぽい金ぴかの靴が、今回もエイダを苛立たせた。

「感性が売り物の女性としてこのセンスはどうなの――」

　霊媒の近くに、ルモワンヌという名の夫がいた。カブのような顔色をした、これといった特徴のない男で、汚れた付け衿《カラー》と室内履きを身につけている。彼の態度はばつが悪そうかと思うと横柄にもなり、どちらが本来の性格なのかわからなかった。あまり姿を見せないが、エイダは時おり、ここにいる連中のリーダーは彼なのではないかと感じた。

　初めてのことではないが、このおぞましい夫婦の私生活を想像して身震いをした。二人きりだとどんなふうなのだろう。わけのわからない無意味な言葉やそれらしい見せかけを脱ぎ捨てたとき、何を話すのだろう。それなりに誠実だったり、率直だったりするのだろうか。夫妻はこの建物の最上階のフラットに住んでいると聞いたことがある。寒々としたヴィクトリア朝時代の浴室を台所に改造したこと、使用人たちとうまくいっていないことも聞いていた。

　ルモワンヌ氏の隣には、痩せて筋ばった、陽気なエッシー・クラークがいた。マダム・デスティニーの秘書で、エイダの見立てでは雑役女中でもある。彼女が階段を掃除しているところを見てしまったのだ。いつも匂いがするシチューは彼女が作っているのだろうとエイダは考えていた。

ミス・クラークの好みは、壊れた時計のように子供時代で止まっていた。五十年前なら、郊外で暮らす満たされない未婚婦人たちから「芸術的」と呼ばれたであろう、褪せた緑色のすとんとしたワンピースを着て、木の実や革でできた玩具のようなアクセサリーやコサージュをたくさんつけていた。

参加者の残り二人はエイダがよく知る人たちだった。着飾りすぎの庶民的で小柄な婦人は、スピリチュアリズムを「趣味」だと言い、亡き夫の霊と親密な関係にあった。精気がなく陰気くさいメイプル氏は、自分のことはほとんど語らず、たまに「研究中で、まだなんとも言えません」とだけ口にした。

小柄なペンフリート夫人がうれしそうに言った。「今日はきっとアーサーが来るわ。ゆうべ、彼の夢を見たの」そしてはにかむようにトランペット形のホーンを見た。

「誰が来るかはわからないんですよ、そもそも来るとしてですが」メイプル氏が憂鬱そうに言い返した。「私たちは常に白紙の状態でいなければ」

ルモワンヌ氏が「お静かに」と言うと、ミス・クラークがレコードを蓄音機に載せ、「千歳の岩よ」（イギリスの四大讃美歌の一つ）を流した。

エイダの脳裏に、この讃美歌を作詞した肺病やみのカルヴァン主義者の姿が浮かび、少しいやな気分になってヘレンのほうをちらりと見た。夢見るように、エレガントに、黒いベルベットの襟に顔を埋めている。

エイダはホーンを眺め、霊媒を眺め、ハンカチを落とし、かがみこんでそれを拾い上げながら「腹話術ね」とヘレンに囁《ささや》きかけた。だが、ヘレンは「待ってて」と囁き返した。

ミス・クラークがレコードを外し、期待に満ちた楽しげな笑顔を浮かべて自分の椅子に戻った。こうしたことはすべて、彼女にとっては日々の仕事の一部だった。ポートベロー・ロード市場の屋台で食料品を値切って買うのと同じだ。エイダはストーブの炎とランプにちらちら目をやっていた。そうしていないと、心地よくうとうとして催眠術にかけられ、幻覚を見てしまいそうだったからだ。「でもまあ、ここでそうなるとは思えない」とエイダは思った。「こんなみすぼらしい環境では」

一瞬の間《ま》が開《あ》いた。明らかにこれから始まる芝居を盛り上げるための前振りだ。マダム・デスティニーは意識がないように見えた。「本当かどうか確かめるために医者を用意するべきだわ」とエイダは思った。金属製の花のそり返った花びらを思わせる金メッキのホーンから、ぶんぶんという音が聞こえてきた。「アーサー！」とペンフリート夫人が叫び、メイプル氏が「しーっ！」と言った。エイダはやれやれと思った。ちゃちで情けない詐欺一味だこと。「よくもまあこんな、人をばかにしたことを」と憤慨した。「死者が本当に戻ってきたら――」そこで蓄音機が、ぶんぶん、ふうふうという支離滅裂な騒音を発した。

「霊界が現前しています」ルモワンヌ氏が決まり文句をうやうやしく囁いた。

　また一瞬の間が開いた。エイダの視線はとりとめなく移っていった。ランプの赤い光に照らされて鈍い黄色に見えるマダム・デスティニーのうつむいた頭、その頭をぐるりと巻いたヘアバンドの模様、トランス状態にあるはずなのにノートと鉛筆をしっかり握っている指といった細部が目についた。

　突然、男の太い声が聞こえた。

「BEATUS《ベイアータス》 QUI《クイ》 INTELLIGIT《インテレギット》 SUPER《スーペル》 EGENUM《エグナム》 ET《エ》 PAUPEREM《パウペレム》」（旧約聖書〈詩篇第四十一篇〉「よわき人をかへりみる者はさいはひなり」）

　エイダはぎょっとした。参加者とは別の人物が部屋にいるようだ。椅子から身を乗り出し、あたりを見回した。ヘレンの冷たい指がエイダの指をぎゅっと摑んでいる。ラテン語は半分も理解できなかった。他の人々も同様のようだ。ルモワンヌ氏だけが冷静で、無関心にすら見えた。彼は前かがみになり、蓄音機に向かってこう言った。

「それは格言ですか？　それとも引用ですか？」

　深い〈声〉が答えた。

「儂《わし》の墓碑銘だ」

「それは、あなたの墓石に刻まれているのでしょうね？」ルモワンヌ氏が慇懃《いんぎん》に訊ねた。

「そうだ」

「あなたの墓はどこにあるんですか？」

「明らかにはすまい」〈声〉にはそれとわかる訛りがあった。次にフランス語でこう言った。「儂の言葉を話す者はおらんのか？」

「います」エイダは、自分でも気づかないうちに口に出していた。フランス語にはかなり馴染みがあるので、訊かれたのに答えずにいることはできなかった。

「よろしい《エ・ビャン》！」これまでずっと傲慢で人を見下した調子だった〈声〉が、満足そうに言い、すぐにフランス語で話を続けた。「儂には非常に立派な墓がある。むしろ記念碑と言ったほうがいいだろう。栗の木陰にある。毎年、儂の命日には花輪で覆われる」

「あなたはどなた?」エイダが小さな声で尋ねたが、ルモワンヌ氏が穏やかに遮《さえぎ》った。

「他の方々はフランス語を話されませんので」と蓄音機に向かって言った。「英語で話していただけますか?」

「いかなる言語も儂にはたやすい」〈声〉が英語で得意そうに言った。「母国語のほうが好ましいというだけだ」

「ありがとうございます」とルモワンヌ氏が言った。「こちらのご婦人が、あなたはどなたかとお尋ねです。教えていただけますか?」

「ガブリエル・ルトルノー」

「墓碑銘を英語に訳していただけますか?」

「貧者に寄り添い、不幸な者を憐れむ人は幸いである」

「何をなさっていた方ですか?」

「いろいろだ」

「亡くなられたのはいつですか?」

「百年前。一八三七年五月十二日」

「あなたについてもっと教えていただけませんか?」

〈声〉は辛辣で侮蔑的だった。

「儂の功績を語るには長い時間がかかる。大学教授であり、貴族であり、哲学者であり、有言実行の男だった。数多《あまた》の著作を残した」

「本の題名を教えてください」いつも目立たず、何の役にも立たないように見えていたルモワンヌ氏が、〈声〉との質疑応答では冷静で巧みだった。

「多すぎる」

「教え子はいましたか?」

「有名になった者は数知れず」

「名前を挙げていただけませんか?」

「お前は規則破りな質問ばかりする」〈声〉が叱責した。

「どんな規則です?」

「霊が従わねばならぬ規則だ」

「あなたはキリスト教徒ですか?」

「そう名乗って恥じるところはない」

「どこ……福音書のどこに……あなたの言う規則は書かれているのですか?」ルモワンヌ氏が切りこんだ。「霊が従わなくてはならない特別な規則があるのですか?」

「そうだ」

こんなふうにやりとりは続いた。多かれ少なかれ月並みな話ばかりだったが、エイダは〈声〉の調子とアクセントに興味をそそられた。ぶっきらぼうで、辛辣で、非常に男性的で、明らかなフランス訛りがあった。我慢できないくらい偉そうで傲慢な口調だった。エイダはこの尊大で偏執的な人物に嫌悪の念を抱いた。違和感を覚え、いささかあっけにとられ、混乱した。ガス・ストーブのオレンジ色の光、ランプの赤い光、ホーンの金属的な輝きが目の前で溶け合って燃え立つような模様を描いた。〈声〉の他には何も存在しない虚空に吸いこまれていくような気がした。

低く轟くような〈声〉に比べると、ルモワンヌ氏の弱々しく質問するかぼそい声は、遠いところから聞こえる音のつらなりにしか聞こえなかった。対話は、滞りなく行き来するボールのようだった。ルモワンヌ氏が尋ねた。「信仰はどういうものだとお考えですか?」すると〈声〉がどんどん大きくなり、しまいにはわめき声に近くなった。「福音書に示されているものが信仰だ」

「福音書にあるのは教義《ドグマ》ではなく、道徳的な教えではないのですか?」

「なぜそんなことを言う?」

「狭量な、あるいは幼稚な行動は、教条主義的な考えから生まれるからです」

「曇りなき心は行動の先を見通す」

「あなたは信じる者なのですね」ルモワンヌ氏が落ち着いた声で言った。「あなたの現在のお立場はいかがですか?」

「どういう意味だ!」〈声〉が怒鳴った。

「あなたがいるのは天国か、地獄か、煉獄か?」ルモワンヌ氏が尋問するように訊いた。

「儂は天国におる!」

「天国にいながら、同時にここにおられるというのはどういうことですか?」

「愚か者め」〈声〉が耳ざわりな声で言った。「我が墓を訪れよ。さすれば我を能《よ》く識《し》るであろう」

「もう一度訊きます。あなたの墓はどこにあるのですか?」

ホーンが嘲《あざけ》るような唸り声をあげてから沈黙した。ルモワンヌ氏は質問を繰り返した。答えはなかった。すると彼は額を手でぬぐい、妻のほうを見た。苦しそうに息を吐きながら意識を取り戻しつつある。

「今日はこれで終わりです」ルモワンヌ氏は小さな集まりを笑顔で見回した。エイダとヘレン以外は皆、今の出来事を何とも思っていないようだった。メイプル氏は陰気くさく不信感にあふれたことを一言二言口にし、ペンフリート夫人はアーサーが話さなかったことで文句を言っていた。ミス・クラークは我関せずと、蓄音機やレコードをてきぱき片付けていた。

赤いランプが消され、電灯のスイッチが入ると、エイダはマダム・デスティニーをじっと見た。目をこすりながら、癪《しゃく》にさわるほど隙がなく、何くわぬ顔で微笑んでいる。

「ガブリエル・ルトルノーだったよ」と彼女の夫がやさしく話しかけた。「何か月か前に彼が現れた話をしただろう?」ルモワンヌ氏はエイダを見やった。「霊媒には、どんな霊が話をしたのかわからないんですよ」

エイダは、黙ってうつむいているヘレンをさっと見てから、機械的に手袋とハンドバッグを引き寄せた。

「今の方、ラルースに載ってました?」エイダは訊いた。

「いや。他の資料も調べてみましたが、何も見つけられませんでした。ただの嘘つきである可能性も高いですね。そういう霊はかなり多いんです。私はいつも、同じ質問をしているのですが、あなたもお聞きになったように、満足のいく答えを得られたためしがありません」

「あいつは自慢ばかりするんだ」メイプル氏が不満そうに言った。「それも自分の墓のね」

「まあ」ルモワンヌ氏は微笑み、会が終わったことを示すように立ち上がりながら言った。「よくいるタイプですよ。気取り屋です。生きていた頃は称号や地位、宮廷訪問といったことを自慢していたんでしょう。そして死んだ今では神を見たこと、天国にいること、自分の墓の立派さを自慢しているんです」

風の吹きすさぶ夕方の通りに出ていくと、ヘレンがエイダの腕をぎゅっと摑んだ。

「さあ、あれをどう思って? 腹話術だと思う? あれは実在の人物よ」

「不思議ね、確かに。わたし、あの女《ひと》をずっと見ていたの。唇は動いていなかった――たまに鼻を鳴らしたり唸ったりしたとき以外は」

「やってやれないことはないと思うわ」ヘレンがじれったそうに言った。「でも、あれはペテンじゃないと思う。そんなふうには思えないのよ。あなたはどう? あなたに聞いてほしかったのはあれなの。他にも奇妙なことはあったけど、あれがいちばん不思議だわ。どう思って?」

「ああ、ヘレンたら、わたし、わからないわ!」エイダはかすかに震えていた。「ああいうものに自分が動揺させられるなんて考えたこともなかった」

「それよ、ね?」ヘレンが口を挟み、エイダにしがみついた。そのまま二人は冷え冷えとした街路を歩いていく。

「動揺させられた――で、何に?」

「激しい嫌悪感――あの男にはむかむかする!」

「ほら! あなた、男って言ったわ。ただの〈声〉だけなのに」

「ああ、ヘレン！」

二人は待たせてあった車まで黙って歩き、乗りこむと体を寄せ合い、低い声でまた話し始めた。だが、納得のいくような説明は見つからなかった。身動きのできない泥沼に落ちたようなものだった。

「彼、わたしに話しかけたわ」エイダは溜め息をついた。「わたしったら、あの人があそこにはいないってことを忘れてしまった――ずっと話していられたらよかったのに。もっとしつこく訊けばよかった――」

「訊くって――何を？」

「あの人自身についての紛れもない事実を言わせて――」

「もうやめて、エイダ！　恐ろしい考えがあれこれ浮かんできちゃう。あの人、今、ここにいるかもしれない。一緒に車に乗っているかも」

「まあ、あのトランペットなしでは話せないけどね」二人の婦人は不安げに笑った。

「いやだ、わたしたちったらばかみたい」とヘレンが言うと、エイダが返した。「そうよ。どっちにしてもばかみたい。詐欺だと思っているのにこんな話をすることも、詐欺じゃないと思っているのに茶化すのもね」

だが、こうしたジレンマに陥ったときに人がよくするように、二人は静観することにした。話し合った末、もう少し試してみようということになったのだ。

二人はブルームズベリー神殿を頻繁に訪れるようになり、自分たち二人だけが参加する〈直接談話〉に金をつぎこむようになった。

忙しいとは言いながら、マダム・デスティニーとルモワンヌ氏はかなりの数を予定に入れてくれ、たいていはガブリエル・ルトルノーと名乗るあの辛辣な〈声〉が現れた。とはいえ、ペルシャの賢人やポーランドの革命家、おつむの弱い国籍不明の娘たちがつまらない話をくどくど続けようとするのに苛立つこともあった。

春になる頃には、エイダとヘレンによるガブリエル・ルトルノーの人物像が完成していた。彼自身が口にしたこまごました情報と、二人の心もとない想像力を寄せ集めて作り上げたのだ。彼は生前――今もそうなのかもしれないが、二人には現在の彼の容姿を想像する勇気はなかった――背が高く、髪は黒く、痩せ形のフランス人男性で、もみあげを伸ばし、あごはきれいに剃り、「刺すように鋭い」と言われるたぐいの茶色の目をもち、狂信的で険しい顔つきの人物だった。

エイダはよくフランス語で話しかけたが、彼の正体を見破ることはできなかった。大学教授で、ルイ・フィリップ王治世下の貴族なのだろうか？　これほどとらえどころのない人物の履歴をたどろうとするのは無理な話だ。初めのうちエイダは、そんなことをしようとはしなかった。他にすることがたくさんあるのだからと自分に言い聞かせ、〈声〉について考えないようにした。少なくとも適切と思える程度に抑えようとした。だが、すぐに、それは無理だとわかった。分別があり、感じがよく、偏見を持たないエイダ・トリンブルは、ついに自分が強迫観念に強くとらわれていることを自覚した。

〈声〉と、それに対する憎しみにとらわれていた。あの〈声〉はアストラ・デスティニーと名乗る女の声にすぎず、実在の人物などでは全くないのだと自分に言い聞かせても――頻繁にそうしていたのだが――無駄だった。どうしようもなかった。エイダはガブリエル・ルトルノーの存在を信じた。彼がエイダやヘレンに悪影響を与えていることは間違いない。だが、正反対の影響だ。ヘレンは無気力になり、放心状態で、神経を尖らせ、「取り憑かれた」話をとりとめもなくするようになったのに対して、エイダは自分の魂が貪欲で邪悪な霊に汚されているかのように感じた。

なぜ、あの〈声〉を憎むのだろう？　エイダはずっと憎しみというものを恐れていた。破滅するのは憎まれた人でなく憎む人だとわかっていた。人あるいは物を嫌いになったときはいつも、その対象を避けるようにしてきた。ただし、残酷な行為と狂信は別だ。そういうものに対しては、控えめな性質の彼女にしては珍しく、憎しみを表に出すことを自分に許した。そして今、ガブリエル・ルトルノーへの憎しみが、毒物のように彼女を蝕んでいる。彼もまたエイダを憎んでいた。彼女が話しかけると、ヘレンにはついてこられない早口のフランス語で、エイダを侮辱する言葉をぶつけた。「老いぼれ女」と呼んだ。「儂は天国にいる」と言ったその口で、エイダを、見栄っ張り、軽薄、間抜けでちっぽけな無神論者と言った。

〈声〉はエイダを痛烈に批判した。選び抜いた服装やきちんと整えた髪にも、ウィットと教養というささやかな武装にも、はかない幻想やぼんやりとしたロマンチックな望みにも辛辣だった。対話の主導権をとることができなかった〈直接談話〉のあとはいつも、丸裸にされ、恥をかかされた気分になった。時には自分を叱って「こんなばかげたこと」から抜け出そうとした。目を皿のようにしてトランス状態にあるマダム・デスティニーを観察した。これまでも、マダムの能力を過小評価するような過ちを犯したことはない。ガブリエル・ルトルノーの話しぶりには女性特有の意地の悪さがあるのではないか？

　外の通りに出ると、エイダはよくヘレンにこう言った。「わたしたち、本当にばかだわ。ただの時代遅れの蓄音機を相手に」

「そう？」ヘレンが沈んだ調子で言った。「それに腹話術？」それから、こうつけ加えた。「どこで彼女は――あの気味の悪い女は――あんな流暢《りゅうちょう》なフランス語を身につけたのかしら」

「あら、あなたも疑問を口にするようになったのね！」エイダが大きな声を出した。

　エイダはこの問題をあらゆる角度から検討してみた。「物知り」と思える人たちを訪ねてみたが、満足できる答えは得られなかった。有識者が最も疎《うと》い問題だったからだ。

「自慢ばかりしなければいいのに」とエイダはヘレンに愚痴をこぼした。「あの人のお墓、あれがね。いくら立派な記念碑で、いつも花輪があって、みんながお墓参りにくるからって。ねえ、ヘレン、どうしてわたし、気にくわないのかしら？　あの人がご満悦なら喜んであげるべきよね。そこまでは無理でも、知らんふりしていればいい。なのにわたしはそうできない」

「だって、あの人、ずっとあなたに、意地悪だったじゃない。わたしにもね」ヘレンがあっさりと言った。「わたしだっていやでたまらない。ねえ、あの人から逃げちゃいましょうよ」

「できないわ」

　ヘレンは去った。吹き流されたようにエイダの人生から姿を消した。エイダを残していくのは忍びないけれど、ガブリエル・ルトルノーによって引き起こされたこの状況に、正面きって立ち向かうことはどうしてもできないと言っていた。カイロから手紙をよこしたが、今ではもう音信不通だ。エイダは、自らの強迫観念とともに一人残され、もはや抗うことはやめた。むしろ、あえて〈声〉と対峙しようとした。ブルームズベリー神殿に出入りしていると、時々、ルモワンヌ氏のどんよりした目や、マダム・デスティニーの冷ややかな瞳がきらりと光るのが見えたような気がして、これまでに何ギニー彼らに払っただろうと考えることもあった。だが、そういう、自分は最低最悪な愚か者だという確信が閃いたにしても、もうエイダを救うことはできなかった。運命に手綱を委《ゆだ》ねるしかない段階に達していたのだ。

　九月、エイダはフランスに行った。多くの友人たちが、公文書館での探索を手伝ってくれた。ルイ・フィリップ王時代の貴族院にルトルノーという名の議員はいなかった。幾つもの有名な墓地の管理人たちに手紙を書き、そうした忌まわしい場所に自ら足を運びもした。少なからぬ数の〈ルトルノー〉の墓があったが、どれもガブリエルではなかったし、〈声〉が言った墓碑銘が刻まれているものもなかった。どこを探しても、一八三七年に没した大学教授の貴族を偲《しの》んで人々が巡礼のように訪れる花輪に埋もれた記念碑はなかった。

「ペテンだわ」エイダはずっと自分にそう言い続けていた。「あの浅ましい夫婦が、とても巧妙な手口でわたしをひっかけたんだわ。でも、どうして？　ああいう人たちがでっち上げるにしては妙な人物じゃない？　それにあの深く男性的な声といかにもそれらしいフランス語ときたら、〝功妙〟どころじゃないわ。材料は『ラルース』から拾ったんじゃないかしら」親切な友人たちは、ソルボンヌ大学への照会も手伝ってくれた。そういう名前の教授はソルボンヌにはいなかったし、他の大きな大学でも同様だった。

エイダは、これでようやく〈おめでたい自分〉と〈憎しみ〉という重荷から解放されると思った。おそらく、このままブルームズベリー神殿から距離を置いていれば、この問題は脳裏から消えていくだろう。そんな気分でいたところに、ソー墓地の管理人に出した手紙の返事が届いた。役人宛ての手紙は山ほど出したうえに、ソー墓地に出してからかなり経っており、問い合わせの結果にさほど期待していなかったので、何も思わずに開封した。

手紙にはこう書かれていた。

前略　十一月三十日付書状への返信を差し上げます。ルトルノーという名の墓を探したところ、運よく見つかりましたのでお知らせします。墓石に刻まれている墓碑銘を書き写してきましたので、ここに記します。

ガブリエル・ルトルノー
文学者
一八五八年六月十日　ソーにて没す
BEATUS QUI INTELLIGIT
SUPER EGENUM ET PAUPEREM

この墓は放置され、雑草だらけでひどい有様でした。右に書いた情報をあなたにお知らせするためには、一時間かけて掃除をしなくてはなりませんでした。それも、この碑文のあるところを見やすくするためだけにです。登録簿によれば、このルトルノーなる人物は貧しい家庭教師でした。奇矯な性癖があったため、地域の住人は今でも彼の名を覚えています。ある種の格言のように使われており、自慢ばかりする人を表現する際に「ガブリエル・ルトルノーみたいなうぬぼれ屋だ」とよく言われるそうです。子孫は残さず、誰も墓参りに来ません。彼は、墓碑銘料として少額の金を残しました。

草々

ソー墓地管理人　ロベール拝

オー・ド・セーヌ県ソー市

ルイ・ル・グラン通り二三一番地

エイダはすぐにソーへ向かった。墓地に着いたときには、ブルームズベリー神殿で初めて〈声〉を聞いた日と同じような、冷たい小雨が降っていた。だだっ広く陰気な墓地には、葉を落とした背の高い栗の木が塀に沿って立ち並び、門には凝った装飾がほどこされていた。親切な管理人、ムッシュー・ロベールは、広い墓地の隅にある放置された墓にエイダを案内した。長年伸び放題だった雑草は枯れて黒っぽい堆積物となり、エイダが一年前にブルームズベリー神殿で初めて耳にした墓碑銘のところだけ刈り取られていた。

エイダはその光景を見つめ、立ち去った。異様な恐怖に襲われていた。この惨め極まりない成果をどう解釈すればいいのだろう？　ルモワンヌ夫妻がソーの貧しい家庭教師について聞き知る機会は幾通りもあるだろう。だが、何十年ものあいだ、蔦《つた》や茨《いばら》や苔《こけ》に隠されていた墓碑銘をどうやって知ることができただろう。正直を絵に描いたようなムッシュー・ロベールは、ルトルノーの墓について誰かが問い合わせてきたことはないと明言した。その彼はもう長いあいだこの墓地の管理人をしているのだ。エキセントリックなルトルノーの名前を格言として使っている人たちでさえ、彼の墓がここにあることを知っているとは思えない、とも言った。それに、年号のごまかしの件もある。一八五八年を一八三七年と偽っていた。墓の状態や生前の地位に関する嘘もある。

エイダはめまいと吐き気を覚えた。ずっと感じていた、ちょっとネジの外れた自己中心的なうぬぼれ屋という彼の性格にぴったりあてはまるではないか。貴族の称号も、ソルボンヌ大学も、記念碑も、すべて嘘だったのか。

エイダはイギリスに戻ると、マダム・デスティニーに〈直接談話〉のための会を開いてくれるよう頼んだ。さらに、過去にガブリエル・ルトルノーの〈声〉を聞いたことのある人たちをできるだけたくさん招いてほしいとつけ加えた。

「あら、すごく大勢になってしまうわ」マダムはすかさず言った。「よく現れる霊ですもの」

「かまわなくてよ。広いお部屋をお願い。費用はすべてもつわ。あの紳士について、ある程度のことがわかったと思うの」

「まあ、面白そう」マダムは中身の伴わない愛想の良さで答えた。

「あの女、わたしがどこに行っていたのか知ってるのかしら?」とエイダは思った。だが、そう考えるのは理屈に合わない。かつかつの暮らしをやり繰り算段している二人に、スパイや探偵を雇う余裕があるはずはない。会の開催が決まると、参加無料とあって部屋は満席になった。


一段高くなった台の上にテーブルが置かれ、その上に蓄音機が載せてあった。テーブルの右側にマダム・デスティニー、左側に夫のルモワンヌ氏が座った。赤いランプもしかるべき位置にある。画鋲で不器用に留められた暗い色のカーテンが背景布になっている。ガス・ストーブの炎を除けば、会場——ヴィクトリア朝式の大広間——は暗かった。エイダは最前列の曲げ木の椅子の一つに座った。「彼は来ない」と思った。「もう二度とあの〈声〉を聴くことはない。ばかげたことはすべて終わる」


だが、霊媒がトランス状態に入って体をぴくぴくさせるやいなや、待ってましたとばかりに〈声〉が金属製のホーンから聞こえてきた。エイダに直接語りかけてきた。そのへつらうような声音を聞くと、激しい憎しみで心臓が切り裂かれるような気がした。

「こんばんは、マダム。今宵は実に魅力的だ。旅がよい効果をもたらしたようですな——覚えておられるかな、儂のちょっとした冗談、軽口を。あれは、貴女《あなた》の機知を試そうとしただけなのだ。貴女には常々敬服しておるので——」


エイダは何も言えなかった。一つの思いが頭の中でがんがん響き、体が痺れて思うように動かなかった。「わたしが何を見つけたか知っている。暴露されないように機嫌をとっている」

〈声〉がフランス語で始めたので、ルモワンヌ氏がこれを注意し、いつもの論戦がそれに続いた。ルモワンヌ氏が霊に身元を証明するよう迫り、霊は傲慢な態度で秘密を守った。ルモワンヌ氏とルトルノーの言い争いを過去に何度も聞いてきた参加者たちは興味を示さず、エイダも全く聞いていなかった。怯え、うろたえて、それどころではなかったのだ。その時、〈声〉が激しい口論を苛立たしげに打ち切り、エイダに向かっておもねるような、おだてるような調子で話しかけた。

「貴女と再会できるとは望外の喜び。実に素晴らしい。前にお会いしてからずいぶん経ちましたな」

エイダは自分を奮い立たせ、自分のものとは思えない嗄《しわが》れた声で話し始めた。

「ええ。人は、嫌いなものと同じくらい、憎んでいるものにも引き寄せられます。わたしはあなたに関わりすぎました。もう自由になろうと思います」

「ミス・トリンブル」ルモワンヌ氏が抗議した。「他の方々もいらっしゃるのです。どうぞ英語で話してください。この霊の身元を正確に特定できたとおっしゃってましたね」

蓄音機がフランス語で語気荒く囁いた。「用心しろ」

「さて」ルモワンヌ氏がそっけなく言った。「こちらのご婦人は、あなたの墓を見つけたとおっしゃっています。それについてはいかがですか?」

「そのご婦人には儂の個人的な問題を口にせぬようお願いしたい」声もアクセントも動揺のため不明瞭になっていた。あるいは絶望のためだったかもしれない。

「しかし、あなたは墓のこと、花輪のこと、詣《もう》でる人たちのことをよく話してくれましたよね。貴族だったこと、大学教授だったこと、教え子がたくさんいたことも。それでいて、そうした事実を証明する詳しい話は決してしなかった。こちらのご婦人がわざわざ調べてきてくださったのですよ」

「その婦人とは話そう」〈声〉は言った。「二人きりで――儂とその婦人だけになったらだ!」

「そんなことをしても意味ないじゃないですか」ルモワンヌ氏が言った。「ここにいる人たちはみんなあなたのことをよく知っているし、関心を抱いているんですよ――さあ、ミス・トリンブル」

「あなたのお墓をソー墓地で見つけました」エイダは話し始めた。

〈声〉は激しい勢いで遮った。「お前は実に愚かなことをしている!」

「なるほど」ルモワンヌ氏が冷ややかに言った。「あなたは、いまだ地に縛られし霊なんですね。恐れているんだ。あなたのうぬぼれを傷つける何かが明らかになることを。

物質世界の幻想から自由になるべきです。私たちは」とカブ顔の男はもったいぶった態度で続けた。「高貴な生まれではありませんし、学識があるわけでもありません。あなたが法螺《ほら》を吹いていたとわかっても、見下したりしませんよ」

「儂は法螺吹きではない！」〈声〉が怒鳴った。

「あなたのお墓はソー墓地にあります」エイダは早口で言った。「あなたが亡くなったのは一八五八年です。一八三七年ではありません。あなたは貴族でも大学教授でもない。誰もあなたのお墓を訪れない。お墓は惨めな状態です。放置され、雑草に覆われています。墓碑銘が見えるように、管理人が枯草を刈り取るだけで一時間かかりました」

「そういうことだったんですね」ルモワンヌ氏が如才なく言った。「あなたがそうした地上の鎖から解き放たれるようお手伝いしましょう」

「全部嘘だ」〈声〉が高くなり、コマが回るぶんぶんという音に近づいた。「嘘だ――」

「本当のことよ」エイダが大きな声で言った。「あなたは嘘をついていた。神を見たことだってないのよ」

「そういえば」とルモワンヌ氏が口を挟んだ。「輝く光に包まれた朧《おぼろ》な人影を見たとおっしゃってましたね。でも、それが確かに神だったと言いきれますか？」

ぶんぶんという音がさらに大きくなり、トランペット形のホーンが引きちぎられたかのように弾け飛んでテーブルの上に落下し、それから床に落ちた。ルモワンヌ氏は演壇を横切り、電灯のスイッチを入れた。

「悪い霊です」ルモワンヌ氏はいつも通りの声で言った。「まあ、正体がばれたことですし、あの霊が私たちを悩ますことはもうないでしょう」それから、エイダの賢明かつ丹念な調査を称賛したが、眼鏡の奥からじっとエイダを見つめてくる目には、どうしてそこまで手間をかけたのかという軽い驚きが浮かんでいるように見えた。会は解散となり、選ばれた数人だけが、オカルト関係の本が並んだ階上の部屋でコーヒーをふるまわれた。今しがたの会から強い印象を受けた者はいないようだった。みんな別の話をしていた。エイダだけがひどく動揺していた。

エイダがこの毒にも薬にもならないコーヒーの集まりに参加したのは初めてだった。自分が何をしているのかよくわからないまま、不思議なほど落ち着きはらった人たち、どうやら自分にはない何かを持っている人たちと上がってきていた。彼らは強迫観念にとらわれてもいず、怖がってもいなかった。わたしは怖がっているの？　ガブリエル・ルトルノーは永遠に姿を消したんじゃないの？　ここの人たちと交信する道具を自ら破壊したんじゃないの？　疑いもなく、エイダが彼を除霊したのだ。エイダはもう、あの惨めで、屈辱的で、高くつく強迫観念から自由になったのだ。勝利を喜び、解放感を味わおうとしたが、気持ちは晴れなかった。心の奥底に自分を蔑む気持ちが渦巻いていた。「なぜあんなことをしたのだろう? そんな必要などなかったのに。あの人の嘘は誰も傷つけてはいない。ここの人たちを感心させることだけがあの人の唯一の楽しみだった――もしかしたらあの人は地獄にいて、ああして現れることが苦しみから逃れる唯一の方法だったのかもしれない――だめだめ、分別を持たなくちゃ」

だが、それをするのは簡単ではなかった。意志も判断力も失ってしまったようだ。「ヘレンが逃げずにいてくれたらよかったのに」エイダは「逃げ」という言葉を無意識に使った。厚手のカップを包むように持つ指が冷たく、暖炉の上の煤けた鏡に映った自分の顔がぼやけて奇妙に見えた。心を鎮めようと、崇拝者の輪の中で優雅に孤高を保っているマダム・デスティニーの満足げな顔をじっと見た。それからエイダは、話しかけやすいルモワンヌ氏に声をかけた。この男の無関心な態度は実に気持ちを落ち着かせてくれる。「ああ、そうですね」彼は礼を失しないように答えた。「ああいうものはけっこう来るんです。悪意のある霊――邪悪な力といったものがね――」

「怖くはないんですの?」エイダは消え入りそうな声で訊いた。

「怖い?」ルモワンヌ氏は、言葉の意味がわからないかのように尋ねた。「ああ、いやいや、きわめて安全ですよ――」と答えてから、さらにつけ加えた。「もちろん、恐れていたり、本気で信じていなかったりすると、危険があるかもしれません。その人自身のどんな弱点も、霊にある種の力を与えますからね――」

こんなものはすべて、単なる「常套句」に過ぎないとエイダにはわかっていた。いやというほど耳にしたことがあるし、ありふれた話だ。気にしたことなどなかった。だが、今、そうしたものが意識の内側に冷たい水の流れのようにちょろちょろと浸みこんできた。彼女は恐れていた。彼女は本気で信じてはいなかった。それにしても、どうしてあんなふうに考えたのだろう? 今や、信じないわけにはいかなかった。アストラ・デスティニーがガブリエル・ルトルノーのふりをすることなどできたはずがない。すると、彼は本物の人物――本物の霊なのか? かつては冷静沈着で整然としていたエイダの頭は、今、混乱の極みに達し、ずきずき疼《うず》いていた。

「どこに行くの?」エイダは子供のように訊いた。「そういう悪霊は。つまり……今日の……あの人はまた来るかしら?」

「そうは思いませんね。少なくともここには。どこか別の場所で、やれるだけのことをやろうとするでしょう。別の人たちを騙そうとするでしょう。彼のせいで私たちの時間がむだに費やされたことが残念です」

「『むだに費やされた』なんてどうして言えるの?」エイダは沈痛な面持ちで囁いた。「あの人は死者がこの世に戻ってくることを証明したじゃありませんか」

「そんな証明なんて必要ないんですよ」ルモワンヌ氏が穏やかだがきっぱりと言い、うっすら微笑んだ。

「もう帰ったほうがよさそうね」とエイダは言った。逃げ出したいと思いながらも、この暖かさ、明るさ、人々の輪から離れるのが怖かった。おそらく、この人たちは守られているのだ。だから、締め出されてうろつきまわる忌まわしい霊から危害を加えられることはないのだ。

エイダはマダム・デスティニーに別れの挨拶をした。いつものように感じがよかったが、仰々しさは控えめだった。他の人たちにも別れを告げた。だが、ミス・クラークにはこう訊かずにいられなかった。「わたしがしたことは正しかったと思う?」

「正しかった?」働きすぎのミス・クラークは、注ぎ口の欠けた緑色のコーヒーポットを手に持ったまま、意味なく微笑んだ。

「正体を明らかにしたでしょう――〈声〉――あの霊の」

「ああ、あれね! もちろんですよ。他にどうしようもなかったじゃありませんか」ミス・クラークはコーヒーをカップに注ぐと、おざなりのお愛想を言いながら、その場でただ一人、品のいい身なりをしている長身のインド人に手渡した。エイダは踊り場に出た。シチューのために具を炒める匂いが殺風景な階段室に充満していた。どうやら臨時雇いの使用人の一人はここに住みこんでいるようだ。あとにしてきた部屋の半開きのドアから、がやがやした話し声が聞こえた。それから別の、太く辛辣な声がエイダの耳元で囁いた。「根性曲がり《カネイユ》!」

エイダは前に進もうとして足を踏み外し、落ちた。

いつでも役に立つルモワンヌ氏が、真っ先に階段の下に着いた。エイダの首の骨は折れていた。

「全くの事故だわ」青ざめてはいたが、アストラ・デスティニーはその場を掌握していた。「落ちたとき、あの人が一人きりだったのはみんな見てるし。あの人、ここのところずっとピリピリしてたでしょう。それにあんなヒールの高い靴……」

輪廻転生の物語

世界で一番すばらしい物語

"The Finest Story in the World"

ラドヤード・キプリング　Rudyard Kipling
植草昌実 訳

フランスの心霊主義者アラン・カルデックは、独自の思想「スピリティズム」を提唱し、その著書『霊の書』（一八五七）で「転生」を述べました。キリスト教文化の中でどこまで理解されたかはさておき、「転生」は小説の題材として多くの作家の興味を惹いています。インドに生まれたイギリスの文豪、キプリング（一八六五―一九三六）の本作もその一例といえるでしょう。前世の記憶を書き留めようとする若い友人に振りまわされる文学者は、彼自身なのかもしれません。本作は *The Contemporary Review* の一八九一年七月号に発表されました。

雄々しき時代は今や遠く
旧《ふる》き世界も葬り去られた。
彼《か》の時、我は巴比崙《バビロン》の王であり
汝は奴隷の基督《キリスト》教徒であった。
W・E・ヘンリー[*1]

その青年の名はチャーリー・ミアーズといった。寡婦の一人息子で、ロンドンの北部に住み、毎日中心街《シティ》の銀行に通勤していた。歳は二十歳《はたち》で、その胸の内は夢と希望に満ちていた。私が知り合ったのは公営ビリヤード場で、彼は採点係からチャーリーと呼ばれ、彼は「牛の目《ブルズアイ》」と呼び返していた。ビリヤード場に立ち寄ってもただ見るだけにしている、自分のような若僧がやるには贅沢なゲームだからと、彼はやや気遣わしげに言った。道草を食っていないで母親の待つ家に帰るよう、私は言った。

　親しくなったきっかけは、このときのやりとりだった。以来、チャーリーは仕事の引け時になると、同僚と付き合うのでなく、私の家に立ち寄るようになった。ほどなくして、若者らしいことだが、彼は文学への思いばかりを語るようになった。自動販売機で買える雑誌に愛や死をめぐる小説を売りこんでみたこともないのに、歴史に名を残す詩人になる夢を抱いていた。彼が朗読する何百行にもおよぶ詩や、いつか世界中を感動させるであろう戯曲の台詞の数々を、じっと座ったまま聞くのが私の役割で、得られるのは無条件の信頼だけだった。青年の自己顕示欲や悩みは、少女のものと同じように、繊細にあつかうべきものだ。チャーリーがまだ恋をしたことがないのは、機会に恵まれないだけだった。彼はあらゆる良いもの、誇るべきものを信奉していたが、その一方で、週給二十五シリングの銀行員にふさわしく、世の中がどういうものかは心得ているのだと、妙に神妙な口調で言った。「鳩《ダヴ》」と「愛《ラヴ》」、「月魄《ムーン》」と「水無月《ジューン》」が韻《いん》を踏むことに気づき、これはまだ誰も詩に詠《よ》んではいないと思いこんでいた。書きかけの戯曲のまだできていない箇所を、早口で謝りながら、そこはどう書くつもりか説明してつないだ。もっとも、そのつもりはほどなく「書きあげたつもり」に変わり、彼は私に称賛や感想を求めるばかりになった。

　彼の母親は息子の夢に理解がない。自宅には机がなく、原稿は洗面台で書いている——知り合って間もない頃、彼はぼやいた。来るたびに本棚にある本を読みふけり、どうすれば傑作が書けるか教えてくれと懇願してきたこともある。励ましもほどほどにすべきだったようだ。ある夕方に訪ねてきたとき、彼は目を輝かせ、息を切らせてこう言った。「お願いがあります。お宅に泊めてください。一晩、集中して書きたいんです。もちろんお邪魔はいたしません。母と一緒だと、書きたいものも書けないんです」

「いったい、どうしたんだね」と尋ねはしたが、何がどうしたのかは彼の顔を見ただけでわかった。

「これまで誰も書いたことのない、すばらしい物語が浮かんできたんです。消えてしまう前に書きたいんです！」

　そう言われては断れない。テーブルをあてがってやると、彼は礼もそこそこに原稿を書きはじめた。半時間のあいだ、ペンは止まることがなかった。チャーリーは一息つき、髪を掻きあげた。そのあと、ペンの動きは速度を落とした。消しては書き直し、やがて手が止まった。世界で一番すばらしい物語は中断した。

「駄目だったようです」彼は沈んだ口調で言った。「ひらめいたときには、こんなにすばらしいものはない、と思ったのですが。何が悪いのでしょう」

　本当のことを言って、彼を落胆させたくはなかった。だから、こう答えることにした。「気が乗らないときはあるものだよ」

「そうですね。書けると思ったんだけどなあ。あーあ」

「どこまで書けたか、聞かせてくれないか」

　彼は朗読したが、なんともお粗末なものだった。物語は先に進むほど退屈になっていき、やがて彼も口を閉ざした。つまらないものを書いた自分が許せなかったのだろう。

「短くしたら良くなるかもしれない」私は控えめに提案した。

「文章を削りたくはありません。削れば文意が損なわれますから。声に出してみて、書いているあいだに思っていたより良くなっているのがわかりました」

「チャーリー、書けなくなるのは誰もがかかる病気のようなものだよ。一度寝かせておいて、今週のうちに続きを書けばいいだけだよ」

「すぐに書いてしまいたいんです。あなたはどうお思いになりましたか」

「完成してもいないのに、どう思うもないよ。どんな物語なのか、きみの構想を聞かせてくれないか」

　チャーリーが語ったことから、彼が書けないのは知識が足りないからだとわかった。彼は自分のもつ独創性や発想力に気づいていないのだろうか？　私は訝《いぶか》しみつつ彼に目を向けた。彼の話には、飛び抜けて非凡な発想があった。世間では、文学の発想など有益だとも良いものだとも思われていないようだが。チャーリーは穏やかな口調で続けたが、ときどき自分が書くつもりの拙《つたな》い文章を交えるので、筋はたびたび中断された。だが、私は最後まで聞いた。書けもしない者に持たせてはおけないすばらしい構想で、自分のものであればふさわしい形にするところだ。もっとも、そうはいかないが。

「いかがですか」語り終えて、彼は尋ねた。「ぼくはこれを『ある船の物語』と題するつもりです」

「構想はすばらしいが、今のように長くは書かないほうがよさそうだ。もし私が――」

「世に出す価値がありそうですか？　お力を貸していただけますか？　だとしたら、光栄の至りです」彼は最後まで言わせてくれなかった。

　若い人からの、率直かつ無遠慮で、大袈裟だが飾らない称賛ほど、耳に心地よいものはない。たとえ恋人に身も心も捧げたつもりでいる女性でも、彼と歩幅を合わせたり、彼の帽子と同じ角度に自分のボンネットを傾《かし》げたり、彼が囁いた愛の言葉をそのまま口にしたりはしないものだ。だが、チャーリーは私にそのすべてをしてみせた。彼の構想を代わって手がける前に、私は自分の良心を鎮めなくてはならない。

「どうだろう、その構想を私に五ポンドで売ってくれないか」私は言った。

チャーリーは銀行員に戻った。

「いや、それは無理というものです。友達としてはもちろん、あなたの文学者としての立場からしても、それは認められません。あなたが気に入ったのなら、形にしてください。ぼくには他にもまだ書きたいものがたくさんありますから」

彼が書こうとしている他のものは――私にはわかっていたが――すでに誰かが書いているようなものだった。

「これを仕事として考えようじゃないか」私は答えた。「五ポンドあれば、きみは好きなだけ詩集を買える。私の仕事から考えて、これは妥当な金額だよ」

「なるほど、たしかにおっしゃるとおりですね」本を買うことを考えたか、チャーリーはこう言った。彼が定期的に私を訪問し、構想を語り、私が用意した机に向かって原稿を書き、書いたものはすべて私に扱いを一任する、ということで合意した。そのあと、私は尋ねた。「この構想の元は何だったのだね」

「自然に湧いてきたんです」彼は目を少し見開いた。

「それはそうだろうが、さっき語ってくれた物語の主人公は、これまでに読んだものから創りだしたのでは？」

「本を読む時間はほとんどありません。こちらにお邪魔したときに読ませてもらうくらいで。日曜日は自転車に乗っているか、ボートで川下りをしているかですし。主人公について想像したこともありません」

「もう少し教えてくれないか。主人公は海賊だったね。彼はどこで暮らしている？」

「お話ししたとおり、船の上で」

「どんな船？」

「何本もの櫂で漕ぐ船です。櫂の穴から海水が流れこんできて、漕ぎ手たちは座っているので、膝まで浸かっています。漕ぎ手は二列に並び、そのあいだには横木が一本渡してあり、その上を鞭を手にした監督が行き来して、漕ぎ手たちを見張っています」

「なぜ知っているのだね」

「そういう物語だからです。上甲板から伸びる綱が漕ぎ手の頭上に張り渡され、船が揺れたときに監督が摑まれるようにしてあります。一度、監督が綱を摑みそこねて漕ぎ手のあいだに落ちたとき、主人公が大笑いし、監督に殴られました。そして当然、櫂に鎖で括《くく》りつけられました」

「どんなふうに?」

「漕ぎ手は座席に鉄の輪でつながれているのですが、彼はさらに左手に鎖つきの手錠のようなものをはめられ、鎖は櫂に結びつけられました。彼がいるのは重罪人がつながれる最下層の下甲板で、光が差すのは艙口《そうこう》が開くときの他は、櫂の穴からだけです。日の光が櫂と穴の隙間からしか差さず、船の揺れとともに揺れるさまを想像できますか?」

「できるが、きみの想像と同じかはわからないな」

「誰が想像しても同じです。聞いていてください。上甲板の長い櫂は四人が、中甲板では三人、下甲板では二人が操ります。真っ暗な下甲板につながれた男たちはみな、頭がおかしくなってしまいます。死ねばそのまま海に投げ出されるのではなく、鎖につながれたまま切り刻まれ、櫂の穴から海に捨てられます」

「なぜまた、そんなことを」話の内容より、断定するような彼の口調に、私は驚いた。

「生き残った者が怖れ、反抗しなくなるように。死んだ漕ぎ手を上甲板まで運び出すには監督が二人がかりで、監督の目がなくなれば漕ぎ手たちは櫂から手を離し、鎖につながれたまま座席ごと立ち上がろうとするでしょうから」

「実にすばらしい想像力だ。ガレー船と漕ぎ手の奴隷について、どれだけ本を読んだのだね?」

「覚えていません。ボートを漕ぐことはたまにありますが。たぶん、何も読んだことはないと思います」

そのあと間もなく、彼は書店に行った。この二十歳そこそこの銀行員がなぜ、かくも詳細に、かつ自信をもって、どことも知れない海での冒険や暴動、海賊や死の、殺伐としていながら絢爛《けんらん》たる物語を語ることができるのだろう。主人公は船上で叛乱を起こすや、船を乗っ取って我がものとし、「海のどこかにある島」に王国を打ち立てた。一方チャーリーは五ポンドを受け取るや、他の書き手たちから創作や詩作を学ぶために、本を買いにいった。そして私は、代金を払った以上この構想は私のものである、と自分に言い聞かせ、それを形にすることを考えた。

次に訪れたとき、彼はかなり酔っていた――酒ではなく、初めて触れた詩人たちの作品に酔っていたのだ。瞳孔は開き、ものを言おうにも言葉がぶつかりあって口から出ず、聞き取れるのは引用ばかりだが、乞食が皇帝の紫の衣をまとったかのように身についていなかった。ことロングフェローは相当に回っているようだ。

「すばらしいでしょう? そうはお思いになりませんか?」短い挨拶のあと、彼は声高に言った。「お聞きください――」

『知りたいというのか』舵取りは答えた
『海の神秘を?
その危険に立ち向かう強者だけが
海の神秘を知り得るのだ』*2

「まさに神の御業だ!」

私がいるのを忘れたかのように、彼は部屋の中を歩きまわりながら、「その危険に立ち向かう強者だけが、海の神秘を知り得るのだ」と二十回も繰り返した。それから独り言のように「恩に着ますよ」と言った。「あの五ポンドにどれだけ感謝すればいいいか、わかりません。こちらもお聞きください――」

私は黒い波止場や　造船台や
思うさま打ち合っている海の潮や
口髭のある西班牙《スペイン》の船衆《ふなしゅう》や
美しい、奇妙な船や
不思議な海の魔法を思い出す*3

「危険に立ち向かったことはありませんが、ぼくは海の神秘を感じたように思います」

「どうも、海に何かを感じたようだね。これまで海にはどのくらい見ている?」

「子供の頃はコヴェントリーに住んでいましたから、ブライトンの海を見たことはあります。でも、ロンドンに引っ越してからは、海は見ていません」

大西洋を南下すれば
強大極まりなき
彼岸の嵐が見舞う*4

「嵐が来たとき」彼は熱意のあまり震える手で私の肩を摑み、そのまま揺さぶった。「あの船の櫂はことごとく折れ、漕ぎ手たちの胸をしたたかに打ちつけたことでしょう。ところで、ぼくの構想をどこまで書いてくれましたか」

「まだだよ。きみからもっと話を聞いておきたかったものでね。船の装具にそこまで詳しいのはなぜか、教えてくれないか。きみは船のことは知らないと言っていたが」

「わかりません。書こうとしてみるまでは、それは現実と変わりがないものですから。ゆうべ、あなたから借りた『宝島』をベッドで読むうちに、物語に加えるべきたくさんの新しいことが浮かんできたんです」

「どういったことが？」

「漕ぎ手たちの食糧です。古くなった干し無花果《いちじく》と、黒いんげん豆と、革袋に入ったワインを、座席ごとにまわしていきます」

「その船は、どれだけ昔に造られたものなんだね」

「どれだけって？　昔のものかどうかも知りません。思い浮かぶだけですが、実際にあったことのような気がするときはよくあります。こんな話をしていてご迷惑になりませんか」

「いや、ちっとも。そのときには何か書いたかね？」

「書いてみましたが、つまらないものです」チャーリーは少し恥ずかしそうな顔をした。

「気にすることはない。どう書いたか話してくれたまえ」

「はい。しばらく浮かんできたことを考えてから、ベッドを降りて、櫂に手鎖の縁《へり》を擦りつける男たちのさまを書きました。書いた方が真に迫っているように思ったからです。少なくとも、ぼくは実際に見てきたような気がしています」

「その原稿は今、持っているかい？」

「は――はい、でもお見せできるようなものではありません。ただ書き散らしただけですから。書き直していただけば、本に入れられるかもしれませんが」

「細部を書きこむときに活かせそうだ。見せたまえ」

彼がポケットから出した一枚の便箋を注意深く手に取ると、一行だけ走り書きがしてあった。

「これは英語ではないね」私は尋ねた。

「どこの言葉かわかりません。『とんでもなく疲れた』と書いた気がしたのですが。自分で書いたはずなのに、わけがわかりませんね」彼は答えた。「でも、船に乗っている男たちは、今ここにいる人たちと同じように、現実にいるように思えました。早く、少しでも書いてください。目にしたものが形になるのを見たいんです」

「きみの話を書くかぎり、ずいぶん厚い本になりそうだ」

「すぐ完成できますよ。あなたは座って、ぼくの話すことを書いてくれるだけでいいのですから」

「それでも書くには時間が必要だよ。追加することはないかね？」

「今はありません。買った本を読んでいるところです。

すばらしいものばかりです」

　彼は帰り、私は便箋の走り書きを見つめた。それから、両手を頭にやり、どこにも異状がないか触ってみた。そのあと部屋を出てから、大英博物館の「関係者以外立入禁止」の表示のある通用門の前で、警察官と押し問答をはじめるまで、さほど時間がたっていないように思う。私はできるだけ礼儀正しく、古代ギリシアの専門家がどこにいるのか、と頼んでいた。警察官は館内の規則しか知らないようだったので、中に入ってもどの棟のどの部屋を当たればいいのか、見当もつかなかった。

　昼食どきに呼び出された年配の紳士が、便箋を指につまんで鼻を鳴らしたときに、私の探究は終わった。

「これはどういう意味かと？　ううむ」彼は言った。「ギリシア語かもしれませんが、だとしたらひどく間違っていますな」私をじろりと見て続けた。「ギリシア語を知らない者が書いたようで」そして、ゆっくりと読みあげた。「ポロック、エルクマン、ターシュニッツ、ヘニカー[*5]」どれにも聞き覚えがあった。

「どのあたりが間違っているのか、教えていただけますか」私は尋ねた。

「『私はしばしば疲れ果て、そのたびに喘いだ』という意味です」彼は便箋を返し、私は礼も言わず、説明も詫びもせずに、その場をあとにした。

　私は忘れていたことを悔やんだ。私には、世界で一番すばらしい物語を書くチャンスが与えられていたのだ。彼が話してくれた、ギリシアのガレー船奴隷の物語だ。チャーリーが自分の夢想を現実のように思ったのも、さして不思議なことではない。運命というものは、この一件のように、私たちが気づかぬうちにこっそりと、成功への扉を後ろ手に閉ざそうとするものだ。だがチャーリーは、時が始まって以来、人間が十分な知識をもって見ることを許されなかったものを、自分でも何かわからないうちに見ていたのだ。わかっていたら、五ポンドで私に売りはしなかったことだろう。銀行員である自分の前世が何者だったかなど、夢にも思ったことはないだろうし、通常の商業教育ではギリシア語を教えることはない。彼は私に物語の素材を提供したが――私はエジプト展示室の神々のあいだを飛びまわり、かれらの浮かない顔を見て笑った――それを形にしても、世間からは古い物語を賢《さか》しらに書き直しただけだと言われることだろう。そう――それが文字どおりの、間違いない真実であると知っているのは、私だけだ。だから、私は手にしたこの原石を一人で切り出し、磨きをかけるのだ！　かくて私はエジプトの神殿の中、神々のあいだを踊ってまわった

――見とがめた警察官が近づいてくるまで。

必要なのはチャーリーにさらに語らせることだけで、それには手はかからない。だが、あのいまいましい詩集どものことを忘れていた。彼は暇《ひま》さえあれば私を訪ねてきたが、バイロンやシェリーやキーツに酔い、蓄音機のように暗唱を繰り返すばかりだった。それでも私はこの若者の前世を聞き出した。彼が口にすることを一言一句聞き逃すまいと耳を傾け、そのたび興味と敬意は増す一方だった。彼はといえば、私が興味と敬意を向けているのが、詩の世界に創造されたアダムよろしく新たな人生を始めた、チャーリー・ミアーズその人だと誤解していた。だが、彼が先人の名詩ばかり朗唱するので、私はとうとう堪えきれなくなった。詩人なんてものはみな、人類の記憶から消え去ってしまえばいい、とさえ思った。チャーリー自身の言葉を追いやってしまった詩聖たちを心底呪った。彼が先達たちの模倣を始めるのに時間はかからなかった。最初の熱狂の波が引き、若者が自分の夢に戻ってくるまで、私は焦りを圧し殺した。

「文学の天使たちのために書いたものを、ぼくがどう考えているか、あなたに語ることが何の役に立つのですか」あるゆうべ、彼は不満げに言った。「あなたも天使たちのように書けばいいだけでしょう」

「その態度は感心しないね」私は自分を抑えた。

「とうに買ってくれたじゃないですか」と言うや、彼はバイロンの『ララ』を暗唱しはじめた。

「書くためには詳しく知らなくては」

「あなたがガレー船と呼んだあの忌々しい船のことは、ぼくの創作だとお思いですか。簡単なことです。あなたが好きなように作ればいい。ガス灯でちょっと手元を明るくすれば書けるでしょう。ぼくはあなたが書いたものを読みたいんです」

この浮かれた青二才の頭でガス灯を叩き割ってやろうかと思った。チャーリーが知らないことを私は知っているし、書くだけなら自分だけでできる。だが、引き下がるわけにもいかないので、彼が機嫌を直すのを待つあいだ、怒らないよう努めるほかなかった。ほんの一瞬の油断で啓示を取り逃すかもしれない。彼は手に取った本を投げ出すと――母親が無駄遣いをとがめるのを怖れて、買った本を私の部屋に置いていたのだ――船の夢を語りはじめた。私はまたも詩人たちを呪った。かの銀行員の繊細な心は、読んできた数々の詩に覆われ、色づけされ、歪《ひず》んでしまっていたので、彼の言葉には混雑する時間帯の公衆電話のように、余計な言葉が混じりこんでいた。

彼はガレー船のことを語りだした――その目で見てき

たかのように——が、やはりバイロンの『アビドスの花嫁』の引用で補っていた。主人公としての経験は『海賊』からだった。彼が語る深い後悔は、あからさまに『カイン』と『マンフレッド』を下敷きにしているのがわかった。ロングフェローについて語りだしたとき、チャーリーがようやく自分の言葉を取り戻したのに気づいた。

「これをどう考えるね」ある晩、ロングフェローの『オーラヴ王の物語』から一節を朗読したあと、彼が記憶を呼び覚ましていると見てとるや、私はすかさず問いかけた。

聞いているあいだの彼は、口を開き、頰を紅潮させ、寄りかかったソファの背を叩いていたが、それも『エイナル・サンバルスケルヴィルの唄』[*6]に入るまでのことだった。

かくてエイナルは弦《つる》を放し、矢を射た。

そして答えた、

『王よ、ノルウェーを滅ぼしたは御身《おんみ》が手』

彼は感極まったように息をついた。

「どうだね、バイロンよりいくぶん良くはないかね」私は声をかけてみた。

「ずっといい！　おっしゃるとおりです。ロングフェローはなぜ知っているのでしょうか」

私は続きを読み上げた。

『聞こえたのは何だ』甲板に立ち、オーラヴ王は言った。

『あれは座礁した船が立てた音か』

「船が座礁し、櫂も奪われ、音を立てて波に引きずられるさまを、彼はどこでどうやって知ったのでしょう。なぜ昨夜《ゆうべ》……あ、お邪魔してすみません、別の章を読んでください。もう一度、第五章の『悲鳴の岩礁』を」

「もうよそう。私は読み疲れた。それよりも語りあおう。昨夜はどうしたんだね」

「ガレー船の夢を見ました。戦ううちに、ぼくは溺れてしまいました。同じ港を出たもう一艘の船と併走していたんです。海は静まり、櫂を入れたところしか水は動いていませんでした。ぼくが船のどこに座っていたかは、話しましたか」笑われるのを怖れているかのような、おずおずとした口調だった。

「まだ聞いていないね」そっけなく答えようとしたが、私の鼓動は速まった。

「上甲板、右舷の船首から四本目の櫂に。櫂に着いた四人は、みな鎖につながれていました。海を見下ろして、漕ぎはじめる前に櫂につながれた鎖を外そうとしていたのを覚えています。ガレー船が他の船に寄ると、その船の男たちが舷墻《げんしょう》*7から飛び移ってきて、そのあと座席が壊れ、ぼくは他の三人の下敷きになったうえに、さらに櫂で押さえつけられてしまいました」

「それから?」私は促した。チャーリーの目は炯々《けいけい》と輝いていた。だがその視線は、私が掛けた椅子の背後の壁に向けられていた。

「どう闘ったのか、ぼくにはわかりません。連中は甲板にずかずか上がりこみ、伏せているぼくの背を踏み越えていきました。左舷側の漕ぎ手たちは――もちろん、同じように櫂につながれていましたが――騒ぎだし、船を後退させる方に漕ぎだしました。櫂が水を掻く音が聞こえ、ぼくと仲間は甲虫《こがねむし》のように身を縮めましたが、そんな姿勢でも、一艘のガレー船が左舷を寄せながら急接近してくるのが見えたのです。舷墻に覆いかぶさるように迫ってくる帆が見えました。降参の合図を送るには間に合いませんでした。ガレー船はこちらの右舷に鉤《かぎ》をかけ、船を止めました。そのとき、思いもしなかったことが起きました。衝突です! 先に左舷に付けていた船の舳先がこちらの船体にぶつかり、櫂が折れる音がしました。下から櫂が何本も、持ち手側を先に甲板を破り、宙に飛び上がったかと思うや、ぼくのいるあたりに落ちてきました」

「それから、どうなったね?」

「左舷のガレー船が船首から、こちらの舷側に衝突したので、櫂がすさまじい勢いで船内に押し戻され、下甲板はたいへんな騒ぎになりました。舳先が深々とめりこんで、ぼくたちの船は傾き、右舷に寄せていた船は鉤を外すと、こちらの甲板に矢を射たり、煮えたタールを投げたりと、攻撃してきました。左舷に必死に這い上がって、さっきまでいた方に目を向けると、右舷の舷墻は今にも海に沈むところで、すぐに船は大破し、ぼくは投げ出されて背中を打ちつけ、そこで目が覚めました」

「チャーリー、教えてくれないか。舷墻を呑みこもうとする海は、きみにはどう見えた?」そう聞くのには理由があった。海は静かなのに、乗っていた船が漏水を起こして沈んだ経験を持つ人に会ったことがある。甲板から落ちるとき、海面は微動だにしていないように見えた、とその人が語っていたからだ。

「張りつめたバンジョーの弦のように、何年も動かずにいるようでした」チャーリーは答えた。

「そうか！　他の人からも同じように聞いたことがある。舷墻の下にはけっして切れることのない銀の弦が張ってあったように見えた、と」その人はすべてを失ったが、得られたのは何の価値もないその一瞬の光景だけだったし、私がその人に会うため一万マイルを旅して得たのも、その一言だけだった。だが、週給二十五シリングで銀行に勤め、海にはほとんど行ったことのないチャーリーも、同じものを見ているのだ。彼がこれまでの人生で、死を経験したことが一度あったと語っても、それだけでは私には何の役にも立たない。もし私が死を経験し、それを知識として自分の書くものに使おうとしても、成功への扉はすでに閉ざされている。

「それから？」彼への羨望を抑えながら、私は尋ねた。

「不思議なもので、そんな目に遭っても、驚きも怖れもありませんでした。大事《おおごと》だというのに、これまでに何度もあったことだと、隣にいた男に言ったくらいですから。でも、甲板付きの監督は、こんなことになっても、ぼくたちの鎖を外して生き延びる自由を与えようとはしませんでした。戦いが終われば自由にしてやる、といつも言っていたのに、ぼくたちは自由にはなれませんでした。けっして」彼は悲しげにかぶりを振った。

「ひどい奴だ！」

「まさに。食糧も水もろくによこしませんでしたしね。渇きに堪えかねて海水まで飲みました。あの塩辛さはまだ覚えています」

「戦いの場となった港はどんなところだったか、覚えているかね」

「思い出せません。それでも、そこが港だったことは覚えています。ぼくたちはみな、白い壁についた輪につながれていたし、水の下に見える岩の表面は、引き潮のさいに船底が傷つくのを防ぐため、木の板で覆ってありましたから」

「よくわからないな。主人公はガレー船の指揮を取っていたのではなかったのかね」

「とんでもない。船首に立って声をあげてはいましたが。それも、監督を殺したあとにです」

「だが、今の話だと、船は沈んだのではないのかね」

「そこは、ぼくにもわかりません」チャーリーの顔に困惑の色が浮かんだ。「あのガレー船は漕ぎ手ともども沈んでしまったのでしょうから、主人公があのあと生き続けたのであれば、不思議なことです。たぶん、敵の船に乗り移ったのでしょう。ぼくには見られませんでした。お話ししたように、死んでしまいましたから」

思い浮かぶことの怖ろしさに堪えているのか、彼は身震いしていた。

　私もそれ以上は尋ねなかったが、そのさまを見て、彼がこれまで語ったことはでまかせではないと思い、自分を落ち着けた。そして、モーティマー・コリンズ[*8]の『転生』を手に取ると、本を開いて彼に筋を語ってみた。

「くだらない！」聞き終えると、チャーリーは率直に言った。「火星は赤い惑星で王様が治めているなんて、ばかばかしくて聞いていられませんよ。本ならロングフェローのにしてください」

　私はロングフェローを一冊渡してから、海戦の記憶をできるかぎり聞いたとおりに書き出し、ときどき尋ねて確認を取った。彼は自分の言葉がページに書かれているかのように、本から目を上げないまま答えた。私は声を平静に保って途切れないようにしたが、やがて彼が海の記憶をしまいこみ、ロングフェローに没頭していると気づいた。

「チャーリー」私は声をかけた。「叛乱を起こしたとき、奴隷たちは監督をどうやって殺したんだね」

「剝がした座席の板で殴り殺しました。航行中のことでした。下甲板の監督が足場で転び、漕ぎ手の中に落ちたのです。監督が声をあげる前に、漕ぎ手たちは手首の鎖で絞め殺しましたが、彼らのいるところは暗いので、二人目の監督は何が起きたか気づきませんでした。もう一人はどこか、と漕ぎ手に尋ねてきたとき、足場から引きずり下ろし、同じように絞め殺しました。奴隷たちは叩き割った座席の板を手に、船内を上へ上へと進んでいきました。雄叫びをあげながら！」

「それからどうなった」

「わかりません。主人公もいなくなっていました――髪も髭も赤毛だったことだけは覚えています。彼がガレー船の奴隷だったのは、このときまでだと思います」

　私の声に苛立ったのか、彼は話をさえぎるように左手を上げながら答えた。

「赤毛だったのと、きみと同じ船に捕らわれていたことは、今初めて聞いたよ」しばらくの間を置いて、私は言った。

　チャーリーは本から目を上げようとはしなかった。

「赤熊の毛のような赤さでした」上の空の口調で彼は答えた。「北の国から来たと聞きました。だから漕ぎ手でも奴隷あつかいでなかったのだ、と言う者もいました。あとで――そう、何年もあとになって、彼が帰ってきたと、船から船に伝えられた噂に聞きました――」

　彼の唇は動いていたが、言葉は出てこなかった。目の前に広げたページの詩に没入しているのだろう。

「彼はそれまでどこにいたのだろう」チャーリーの脳のどこか、私に向かっているところに届くようにと、私は声を絞って言った。

「海岸に――長く、美しい海岸に！」わずかな沈黙ののち、彼は答えた。

「ハルズストランド[9]に？」私は跳び上がりそうになるのを抑えた。

「そう、ハルズストランドに」初めて口にしたかのような発音で、彼は答えた。「ぼくも見ました――」と言いかけて、声は途切れた。

「今、何と言った？」思わず声高になった。

　彼はうるさいと言わんばかりの目を向けた。「なんでもありません」と言い捨てた。「それより、この節を聞いてください――」

だが、老いたる船長オテレは、
ためらいもうろたえもせず、
王が耳を傾けるまで、
ペンを手にすべての言葉を書きとめた。

そしてサクソン人の王に真実を告げるため、
気高き頭《かしら》を上げ、
日に焼けた手を差し伸べて言った。
『この海象《せいうち》の歯を御覧あれ！[10]』

「まったく、なんて奴らでしょうね。どこの土地に着くかも知らないまま、広い海原を船で旅していたなんて！」

「チャーリー」私は嘆願した。「きみがほんの一、二分でも協力してくれれば、私はきみの物語の主人公を、このオテレ船長よりも見事に書くことができるよ」

「うーん。ロングフェローはこの詩を見事に書いていますからね。ぼくはもう、書くほうはどうでもよくなりました。今は読み続けていたいんです」彼はすっかり勢いを失い、私は我が身の不運に立腹しながら、彼を残して部屋を出た。

　世界中の宝を納めた蔵の扉を、子供が一人、お手玉をしながら番をしているのを想像してほしい。扉の鍵を開けてくれるかどうかは子供の気まぐれだと言えば、私の苦衷は多少なりともわかってもらえるのではないか。これまで、チャーリーはガレー船の奴隷でなければ経験しえないことを語ってきた。が、この晩に語ったのは、九世紀か十世紀にソルフィン・カルルセヴニ・ソルザルソン[11]がヴィンランド、つまり北アメリカに航海したという、ヴァイキングの無謀な冒険だったのだ。チャーリーは港での戦闘を見、自分の死を語った。これは大いに驚くべき過去への探索だ。彼がいくつもの人生を生き、一千年を経た今、おぼろげながらそれらの記憶を語っているなどということが、ありうるのだろうか。悩みの種は、この問題を解決できるのはチャーリー・ミアーズただ一人で、それも彼が平静を保っているときに限られることだった。彼を見守りながら、ただ待つしか手はない。ベッドに入っても、私の想像は奔放に広がっていった。チャーリーの記憶をちゃんと書き留めさえしておけば、想像の届かないところはなかった。

私はソルフィン・カルルセヴニ・ソルザルソンの物語を、彼の視点からアメリカの発見を語るという、これまでまだ誰も書いていない形で書くべきなのだろう。だが、その素材はチャーリーの記憶の中にあり、彼が語らなければ、私の書くものはボーン・ライブラリ[*12]と大差なくなってしまう。それでも彼を悪く言う気にはならなかったが、彼の記憶を呼び起こす勇気は湧いてこなかった。一千年以上も昔の経験を、今の若者から聞き出すのだから。そして、その若者は、相手の声やもの言いによって話すことを変えてくるので、率直に語りたくても、口をついて出るのが嘘ということもありうるのだ。

それからチャーリーとは一週間以上も会わなかった。次に会ったのはグレイスチャーチ・ストリートで、彼は手形明細帳を腰から下げていた。仕事でロンドン橋の先に行くというので、私もつきあった。彼は手形明細帳がいかに大切なものであるかを大げさなほどに語った。テムズ川を渡るさいに、汽船が白や茶色の大理石の板を下ろすのを、二人で眺めた。艀《はしけ》が一艘、汽船の船尾のあたりから川に出ていくと、一頭だけ乗せられていた牝牛が鳴き声をあげた。そのとき、チャーリーの相好が銀行員のものから、それまで見たこともない顔に変わり――彼自身、言って聞かせても信じはしないだろう――鋭く抜け目ない面持ちになった。彼は欄干に腕を掛けると高らかに笑い、こう言った。

「我らが牛の声を聞いたとき、スクレイングども[*13]は逃げだしたものだった!」

私がどう答えたものか考えているあいだに、牝牛を乗せた艀は汽船の船首の下に隠れ、見えなくなった。

「チャーリー、スクレイングとは何だね」

「聞いたこともありません。鴎《かもめ》の仲間か何かのような響きですね。なぜそんなことをお聞きになるんですか」

彼は答えると、こう続けた。「橋を渡ったら、オムニバス社に寄って、出納係に会ってきます。少しお待ちいただいてもよろしいでしょうか。お昼を御一緒したいんです。詩想が浮かんできたものですし」

「いや、おかまいなく。ここで失礼するよ。ところで、本当にスクレイングとは何か、知らないんだね?」

「リバプールの競馬場に出走したら、思い出すでしょうね」彼は一礼すると、人込みの中に消えていった。

その名は赤毛のエイリークやソルフィン・カルルセヴニの物語に書き遺されている。九百年前、カルルセヴニがガレー船に乗って、エイリークの息子レイフの野営を尋ねた。そこはレイフがマークランドと呼んだ未知の土地で、現在のロード・アイランドだという説がある。そこにスクレイングたちが——どういう人たちだったのかはわからない——交易をしにやってきたが、船で運ばれてきた牛たちの鳴き声に驚いて、逃げていってしまった。だが、ギリシアのガレー船奴隷だった者がそれをどのようにして知りえたのか。その謎を解こうと、歩きながら考えたが、考えるほど疑問が増えていった。ふと、あることに気づいて、私は息を呑んだ。知っているのは現在のチャーリー・ミアーズの魂ではなく、遠い昔に世界中の青い海を旅した、いくつもの魂なのだ!

私はあらためて考えてみた。

このことを発表でもしたら、周囲の人々が自分と同じくらい賢くなるまで、私は孤立を余儀なくされるかもしれない。だからといって怖れはしないが。こちらがチャーリーの記憶を必要としているのに、彼自身が思い出そうとしないのはきわめて不当だ。天にましますも偉大なる力の持ち主よ、と空を見上げたが、見えるのは澱《よど》んだ霧だけだった。生と死を統べる神々は、それが私にとってどれほど大切か、わかっているのだろうか。それはまさに、唯一の者から与えられる、ただ一人しか得ることのない、永遠の名誉だ。私は物語を一つ語り、それをもって今日の文学にささやかな貢献をしたいだけなのだ——我ながら謙虚な願いではないか。もしチャーリーが一時間でも——そう、六十分というごく短いあいだでも、一千年におよぶ記憶を取り戻し、語ってくれるのであれば、私はそこから得られる名声も利益もそっくり返上しよう。「全世界」などと言いながら、その実はこの地上のほんの片隅で起きる騒ぎなどに関わりたくはない。書いたら匿名で発表するだけだ。むしろ他の誰かが、自分が書いたものだと思ってくれればいい。自己宣伝に長けたイギリス人を使って世界に広めればよかろう。宣教師たちは人類から死への恐怖を取り除いたと広めるにちがいない。ヨーロッパじゅうの東洋かぶれは、サンスクリット語やパーリ語の文書を引き合いに出して、曖昧な賛辞を口にすることだろう。女権拡張論者も利用するかもしれない。

教会は頑として認めず、断固として闘うはずだ。いくつもの宗派が、路線バスが停留所の一区間を行くあいだにも「世界と新時代に適用すべき新たな転生の教義」という主題で議論することだろう。そして、わがイギリスの偉大なる新聞各紙は。この明快な物語を前に、怯えた仔牛よろしく尻込みするにちがいない。心は百年、二百年——いや、千年の旅をするのだ。だが、人々がこの物語をゆがめ、誤った形で広めていくことを思うと、心が沈んだ。この物語を否定するための長々しい物語が作られる。そして、生への希望よりも死への恐怖を重んじる西洋社会は、この物語を一つの興味深い迷信として扱い、昔ながらの信仰を新発見であるかのように祭り上げるにちがいない。そう考えると、生と死を統べる神々との契約条件は変えねばなるまい。それが真実である、と信じるに足る話を聞かせよ。私は聞いたままに書き記す。そして、書き終えた原稿を捧げ物として厳粛に燃やす。最後の一行を書いた五分後に、一枚残らず灰にする。だが、そのためには、絶対的な確信をもって原稿を書かなくてはならないのだ。

答えが出るわけがない。ロイヤル・アクアリウム[*14]の興行の、色鮮やかなポスターが目に映った。チャーリーを高名な催眠術師のもとに連れていき、催眠状態にして過去を語らせるのは賢明な手段なのか、むしろ悪手なのか。もし彼が同意すれば、もし彼の言うことを誰もが信じたら……だが、チャーリーは怖れて狼狽するか、自分の話に慢心するかのどちらかだろう。原因が畏怖にせよ虚栄にせよ、彼が嘘をつくのは目に見えている。私といるのが一番安全だ。

「イギリス人というのは、おかしな人ばかりですね」と声をかけられて振り向くと、友人のグリシュ・チャンダーがいた。父親の強い奨めでイギリスに来たベンガル人で、今はロー・スクールに在籍している。父親はすでに退職しているが、かつては役人で、五ポンドの月給を得ていた。今は息子に年間二百ポンドを使わせている。グリシュはこのロンドンに身を置き、どこから見ても紳士階級の子息だが、インドで役人たちが貧しい人々を苦しめていることをことあるごとに語っていた。

グリシュ・チャンダーはいかにもベンガル人らしい恰幅のよい体格で、帽子から上着、トラウザーズに革の手袋まで、きちんと手入れの行き届いた身なりをしている。私が知り合ったのは、彼が政府の出資で大学に留学していた頃のことだった。

「なんともおかしな絵柄じゃありませんか」彼はポスターを指して言った。「これからノースブルック・クラブ[*15]

に行くところです。御一緒にいかがですか」

しばらく連れだって歩いていると、彼は言った。「どうしました。お悩みでもありそうですね。今日はあまりお話しにならない」

「グリシュ、きみは神を信じられるだけの教育を受けてきているね」

「はい、もちろんですとも。ですが、帰国すれば祖国の信仰の中に身を置きます。浄化の儀式をしたり、一族の婦人たちが神像に油を注ぐさまを見たりで」

「イギリスの文化を学んだきみも、帰ればヴィシュヌ神にバジルを捧げ、托鉢僧に食事を供し、一族のカーストに身を置いて良き商人となるわけだね。そしてスパイスをふんだんに効かせた料理を食べる」

「あれほど旨いものはありません」グリシュは率直に答えた。「私はヒンドゥー教の家に生まれた者なので、ヒンドゥーの教えを信じています。でも、イギリス人の考えを学びましたし、今なお知りたいと思っています」

「きみに、あるイギリス人の考えていることを聞いてほしい。遠い昔につながる話だ」

私は彼に、チャーリーの話を英語ではじめた。彼は自国の言葉で質問を挟んだが、話の内容はそちらの方が伝えやすかった。結局、語り終える頃には互いに英語を使わなくなっていた。グリシュ・チャンダーは耳を傾け、ときおりうなずき、語り終えた頃は私の家の前まで来ていた。

「ベシャク《まちがいない》」落ち着いた口調で彼は言った。「リキン《だが》、ダルヴァーザ・バン・ター《とびらはとざされている》。そのように前世を記憶している話は、インドにいた頃はよく聞きました。私たちのあいだでは昔から語られていることですが、イギリスで――牛を食べるような野蛮人《ムレッチャ》、カーストにも入らない者の話として聞くとは。何と奇妙な！」

「よく言うね、グリシュ。きみだって牛肉を毎日のように食べているじゃないか。きみの知恵を貸してほしい。この若者は自分の転生を記憶しているんだ」

「その人はどのようにして知ったのですか」私の部屋で、テーブルの端に腰をかけて脚を揺らしながら、グリシュは静かに言った。話し言葉は英語に戻っていた。

「自分でもわからないようなんだ。彼の許しを得てから、きみに一部始終を話したいのだが、どうだね」

「その必要はありません。その話を聞いたら、相手によってはあなたの正気を疑うようなことを言いだすかもしれません。そのときは、何を言われたか記録しておいてください。名誉毀損で告訴してやりましょう」

「実際にそうなったときはお奨めに従うよ。彼に語らせることはできるだろうか」

「試してみる価値はあるでしょう。ですが、その人が話せば、世界はすぐに——そう、即座に——終わり、あなたの頭上に崩れ落ちてくるかもしれません。許されることではないのです。先ほど申しましたように、扉は閉ざされています」

「可能性は皆無とはいえない、ということかね」

「何をおっしゃいますか。あなたはキリスト教徒ですし、このことは聖書に書いてある、禁じられた果実を食べる行いと大差ありません。あなたのお友達が、御自分の知らないはずのことを知っているのであれば、死さえ怖れることもないでしょうに。私はこの国から追放されることは怖れていますが、死を怖れてはいません。自分が何を知っているか、わかっているからです。あなたは追放されることはないし、怖れてもいないでしょうが、死を怖れているはずです。もし死を怖れていないのであれば、あなたがたイギリス人はたちどころに混乱して恐慌に陥り、大騒ぎを起こすことでしょう。良いことではありません。怖ろしくはありませんが。覚えていることがほんのわずかなので、お友達はそれを夢だと思っているにちがいありません。そして、やがてはすっかり忘れてしまうことでしょう。私がコルカタにいた頃、初めて合格した文学の試験は、出題の出典がすべてワーズワースでした。『栄光の雲を曳きつつ』[*16]の、あの詩からです」

「これは例外のように思うが」

「例外はありません。どんなものでも、一見は異なるように見えても、よく見れば大差ありません。あなたのお友達がこれまでの前世をすべて記憶し、こと細かに語ることができるのなら、とても銀行で働いてはいられないでしょう。頭がおかしくなったと思われて解雇されたうえに、精神科に入院させられるのが、目に見えています」

「たしかに。だが、心配することではない。本を書いても彼の名前は出さないからね」

「なるほど、お友達はまだお書きではないのですね。だからあなたが、というわけですか」

「手をつけたばかりだがね」

「もちろん、それでお名前をさらに広め、お金を稼ごうと」

「いや、書いて形にしたいだけさ。それ以上の望みはない」

「難しいことでしょう。神々を相手に渡りあうわけにはいきませんからね。すばらしい物語なのはわかりますが。よく言われるように、なるようにしかなりません。もしお書きになるなら、お急ぎになるよう。残された時間は長くはありません」

「どういうことだね」

「お友達は、女性に思いを寄せたことがなさそうですから」

「たしかに、そのようだ」チャーリーからこれまでに聞いてきたことを、私は思い出していた。

「つまり、お友達に思いを寄せる女性もまだいない、ということでもあります。そのような人がいたら、お話はバス《おしまい》——ホギャ《すぐに》。このロンドンには何百万人もの女性がいます。たとえばメイドだけでも、どれだけいることか。扉の陰でキスを交わすチャンスもまた、人数ぶんだけあるというわけです」

　たった一人のメイドが私の物語をふいにするかと思うと、心が沈んだ。だが、ありうることだ。

　グリシュ・チャンダーは笑った。

「そう、かわいい女の子はたくさんいます——その人の従姉妹《いとこ》でも、そんな縁がない子でも。一度のキスで我に返り、自分のものでない記憶の無意味さに気づき——」

「だから何だと言うのかね。彼は自分の記憶をわかっていないと話したばかりだが」

「もちろん、忘れてはいません。記憶の無意味さに気づけば、その人は何も悩むことなく、金融や財務に打ちこむことができるようになります。それが最善の道でしょう。おわかりいただけるかと思います。まあ、もっとも重要なのは女性の登場ですが」

　そのとき、ノックが聞こえたかと思うや、チャーリーが性急な足取りで入ってきた。仕事が終わり、私と話したくて尋ねてきたのだろう。ポケットには自作の詩が入っているにちがいない。彼の詩はおおむね退屈だが、たまにガレー船の話につながることもある。

　グリシュ・チャンダーはしばしのあいだ、彼をじっと見つめた。

「失礼しました」チャーリーは落ち着きなく言った。

「御来客中とは思わなかったもので」

「お気になさらず。おいとまの御挨拶をしていたところです」グリシュが言った。

　部屋を出ると、彼は廊下で私を引き寄せた。

「あの人ですね」彼は早口に言った。「彼はあなたの望むことを語らないでしょう。つまらないことを並べ立てはするでしょうが。むしろ、あなたの方から何か見せたほうがいい。ひと芝居うつのも手です」グリシュ・チャンダーがこれほど楽しげな様子を見せるのは初めてだった。「インク瓶を覗きこませてもいいかもしれません。どんな答えが得られるかはわかりませんが、彼が目にしてきたものが何か、はっきりさせられるでしょう。彼は見てきたことをたくさん話してくれるはずです」

「そうであってほしいものだが、きみの神なり魔神なりに、彼を委《ゆだ》ねていいものか決めかねているんだ」

「神でも魔神でも、彼に危害を加えはしません。本人が我に返ったとき、自分のことをちょっとばかばかしく思うかもしれませんが。インク瓶を覗きこんだあとは、そんな気分になるものです」

「そこが心配なのだが、きみの言うとおりにするのがよさそうだな、グリシュ」

階段を下りながら、未来を見る可能性を捨てることになりますが、と彼は言った。

私はその場から動かなかった。心配しているのは未来でなく過去のことだし、彼に催眠術をかけたとしても、何をすればいいか見当もつかない。だが、グリシュ・チャンダーの考えは理解できた。

「でかいインド人だなあ」部屋に戻ると、チャーリーが言った。「新しい詩を書きました。昼食後、ドミノで遊ぶかわりに。朗読してもいいですか」

「読ませてくれないか」

「ぼくが朗読しなければ、肝心なところが伝えられません。それに、あなたはいつも、ぼくの詩の韻律を正確に読んでくれないし」

「わかったよ、では聞かせてもらおう」

チャーリーは新作の朗読をはじめたが、これまでに彼が書いた詩の中では、けっして悪いものではなかった。自分で買った詩集を、どれも無心に読みこんだのだろう。ただ、ロングフェローの詩は彼より自分が朗読したほうがいい、と私が言ったときだけは、チャーリーは不服そうな顔をした。

そのあと、二人で一行ごとに吟味した。私の意見や訂正案を、チャーリーはみな受け流した。

「たしかに、おっしゃるようにしたほうが良く聞こえるかもしれませんが、それではぼくが込めた思いから離れてしまいます」

ある意味では、チャーリーはすでに、ひとかどの詩人になっていた。

原稿の裏にあった鉛筆の走り書きを目に留めて、私は尋ねた。「それは?」

「ああ、これは詩じゃありません。昨夜、寝る前に浮かんだのですが、韻を踏めないので書き留めたままになっています。下書きみたいなものですね」

その下書きは、こんなものだった――

風は向かい風、帆は上げるな。船長のために綱を引け。

船長、俺たちを自由にしてくれ！

貴様が町を占領したときも、俺たちがもらえたのはパンとタマネギだけ。

敵に反撃されたときは、貴様はただ逃げるだけ。

船長、天気が良くなりゃ貴様は上機嫌、唄いながら甲板を上り下り。でも俺たちは漕ぐばかり。

櫂に顎を載せ意識は朦朧、もう漕げないのに貴様は見向きもしない。

船長、俺たちを自由にしてくれ！

櫂に塩がかたまり、持ち手はまるで鮫の皮。塩の欠片が膝に食いこむ。

潮をかぶって髪は額に張りつき、唇ばかりか歯茎まで割れた。

それでも貴様は俺たちを鞭打つばかり。

船長、俺たちを自由にしてくれ！

見ていろ、そのうち俺たちは、水が流れるように舷窓から逃げだす。命令を聞く奴はもういない。貴様一人で櫂をあやつり、帆で風を捕まえるがいいさ！

船長、俺たちを自由にしてくれ！


「これはガレー船の詩かな？」

「船を漕ぐ奴隷たちの唄です。あなたはあの物語を早く書き終えて、ぼくに分け前をくれようとはお思いにならないんですか」

「きみの協力次第だ。主人公のことをもっと詳しく話してくれれば、すぐにでも完成させられる。だが、まだはっきりしないところが多いからね」

「大づかみなものがあれば十分でしょう——あちこちを旅し、行く先々で闘った、というくらいで。細かいところは作ればいいじゃありませんか。海賊船に捕らわれていた女を助けて結婚しましたとさ、とか」

「たいした共作者だよ、きみは。まあ、結婚するまでにいくつもの冒険をしたことだろうが」

「なら、主人公を変えてもいいでしょう。口約束をしては反故にする政治家みたいな卑怯者、戦いが始まったらマストの陰に隠れる黒髪の男に」

「これまでは赤毛の男だったが」

「かまうもんか。黒髪に変えればいいんだ。あなたが書けないなら」

彼が甦ってきた記憶を想像力で曲げようとしているのに気づき、私は笑いだしそうになったが、書くべき物語のために堪えた。

「きみの言うとおりだ。きみこそが想像力の主だからな。主人公は甲板のある船に乗った黒髪の男だね」

「いや、甲板はありません。大きなボートのような船です」

私は苛立った。

「甲板が何層にもなった大型の船だと、きみは話していたじゃないか」私は抗議した。

「いえいえ、その船とは別なんです。その船には甲板がなく——いや、あって——そうか、あなたの言うとおりだ。赤毛の主人公の話をしているんでしたね。もちろん、彼は赤毛で、乗っていたのは甲板のない船でした」

よし。このまま、前世では船に二度乗っていることを思い出してくれるように——黒髪の政治家みたいな男が船長だったギリシアのガレー船と、赤熊みたいな色の髪をした男が指揮する、マークランドに行き着いたヴァイキングの船に。悪魔が私に、次の言葉を促した。

「もちろん、というのは?」

「わかりません。御冗談かなにかですか」

ここまでか。私はメモを取るふりをした。

「きみのような想像力豊かな相手と仕事をするのは実に楽しいものだ」しばしの間のあと、私は言った。「主人公の人物像を見事に描きだしている」

「本当ですか」彼の顔は喜びに輝くようだった。「いつも自分に言い聞かせているんです。母さ——世間の人が思っているより多くのものが、ぼくの中にはあるんだと」

「心の中にあるものに限りはないよ」

「銀行員の仕事についての随筆を『ティット・ビッツ』[*17]に送ったら、載せてもらえそうですか」

「そういう意味で言ったんじゃない。まずはこの老友と、ガレー船の物語を完成させようじゃないか」

「それはそうですが、本になってもぼくの名前は出ない約束でしょう。『ティット・ビッツ』が採用してくれれば、ぼくの文章はぼくの名前で載ります。おかしいですか。そういう決まりなんですよ」

「ああ、知っているとも。今日はここまでにしよう。きみの話の要点を整理したいのでね」

その言動をとがめられるべき若者は、名残惜しげに帰っていったが、彼はアルゴ号の乗組員の一人だったのかもしれない——ソルフィン・カルルセヴニの船に乗っていたくらいなのだから。だが、今は原稿料の出る投稿の方が重要なようだ。グリシュ・チャンダーの言ったことを思い出して、私は声をあげて笑った。生と死を統べる神々は、チャーリー・ミアーズが自分の過去を知ったうえで語ることを許さなかったのだ。そして、チャーリーが銀行員の仕事を文章に書き記すあいだ、私は彼から聞いたことを、自分の拙い言葉で形にしていかなくてはならない。

私はこれまでのメモを一綴りにまとめた。その結果は喜ばしいものではなかった。二度読み返してみた。他の本から引き写してきたようなところしかなかった――港での戦闘場面を除いては。ヴァイキングの冒険物語はこれまでに何度も書かれている。ギリシアのガレー船奴隷も目新しいものではない。それぞれを私がどれほど詳細に書いたとしても、確認できる者は、あるいは意義を唱えられる者は、いるのだろうか。むしろ二千年後のことを書いたほうがいいのではないか。生と死を統べる神々は、グリシュ・チャンダーの言葉どおり狡猾だった。悩みから逃れたり、心を楽にしたりすることを、許してはくれないのだから。だが、そう確信してはいても、この物語を書かずにおく気にはなれなかった。ひらめきに喜んでは、それが埒《らち》もないものと気づいて落胆し、それを二、三週間のあいだに二十回は繰り返した。私の心の明暗は、早春の天候とともに変わった。夜に、あるいは晴れた朝には、この物語を書けば大陸が動くほどのことが起こせるだろう、と思った。風の強い雨の午後には、書いたとしても嘘を固めた絵空事にしかならず、ウォーダー・ストリートの骨董屋に転がっているような、古く見せかけた偽物のようにしか思えなかった。だが、どちらにしても私はチャーリーを祝福した――彼には何の非もないのだから。彼は新聞への投稿を書くのに忙しく、互いに顔を合わせることのないまま何週間もが過ぎてゆき、大地を押しあげて草が芽吹き、花の蕾《つぼみ》は膨らんでいった。久しぶりに会ったときも、チャーリーは読んだ本について話したがらず、口ぶりにはこれまでとは違う自己主張が現れていた。私もガレー船のことを思い出させようとはしなかったが、彼はことあるごとに、あの話は本にすれば売れる、と持ち出してきた。

「少なく見積もっても、ぼくの取り分は二十五パーセントですね」爽快なほどあけすけにチャーリーは言った。「題材を提供したわけですから」

この金銭に対する細かさもまた、私が新たに気づいた彼の本性の一面だった。銀行員としての仕事柄かもしれないが、金融街でよく耳にする妙に鼻にかかった口調で話すからでもあるだろう。

「そのことは完成してから話しあおう。そうそう簡単に書けるものでもないからね。髪が赤い方も黒い方も、主人公像を捉えるのがむずかしいんだ」

石炭が赤々と燃える炉端に彼は掛けていた。「そんなにむずかしいとは、ぼくにはは思えませんね」炉格子のあいだで、口笛のような小さな音をたてて、火が閃いた。「まず赤毛の冒険を書けばいいじゃないですか。南でぼくのガレー船を乗っ取ってから、あの長い海岸に着くまでを」

チャーリーの話をさえぎらないほうがいいと、私は思った。紙もペンも手元になかったが、取りにいけば彼の話は途切れて、それきりになってしまうだろう。またも暖炉の火が音をたて、チャーリーは声をひそめて、ヴァイキング船でのハルズストランドへの航海を語りだした。風を受ける帆の下、大海原の夕日の中心に舳先を向けて船は進み、そのまま夜を迎えることを何日も繰り返した。「夕日だけが水先案内人でした」と、チャーリーは言った。ある島に上陸して森を探索するあいだに、乗組員たちは松の木立で眠っていた三人の男を殺した。三人は幽霊となり、泳いで船を追ってきた。乗組員たちはくじを引き、自分たちが知らずに怒りに触れてしまった島の神を鎮めるために、当たった一人を生贄として海に投げこんだ。

食糧が尽き、海藻を食べてしのいだが、病気になり脚がむくんだ。船の上で叛乱が起き、赤毛の船長が首謀者の二人を殺した。一年間を森の中で過ごしたあと、船は母国を目指して出航した。風は安全に船を運び、乗組員たちは夜は安心して眠ることができた。チャーリーはさらにいくつもの話をした。声はときどき、さらに小さくなって、気を張り詰め耳を澄ませていても聞き取れなくなった。赤毛の男のことを語る彼の口調は、自分たちの神を語る異教徒のもののように聞こえた。赤毛の男はチャーリーたちを励ましもしたし、理があれば殺しもした。三日のあいだ流氷を縫って航行できたのも、彼が舵をとったからだった。氷海では奇妙な姿の獣たちが船のあとを追ってきた、とチャーリーは語った。「ぼくたちは獣を櫂で叩いて追い払いました」

火は静まり、燃えた石炭は細かく砕けて、炉格子の向こうは熾火《おきび》がちらつくばかりになった。チャーリーは黙りこみ、私も声をかけなかった。

「なんてことだ」頭を振ると、彼は言った。「火を見ていたら、気が遠くなってしまいました。何の話をしていたんでしたっけ」

「ガレー船の本の話だったよ」

「そうでした。ぼくの取り分は二十五パーセント、と言いましたよね」

「本ができたら、お望みどおりにしよう」

「約束ですよ。失礼させていただきます。予定があるもので」そう言うと、彼は出ていった。

暖炉の火を見ながら途切れ途切れに語ったことが、チャーリー・ミアーズの〝白鳥の歌〟だったと気づけばよかったのかもしれない。だが、そのときの私は、これを完全な啓示の始まりだと思っていた。生と死を司る神の裏をかいたのだ、と。

次のチャーリーの訪問を、私は大いに喜んだ。彼は緊張し、はにかんでもいたが、その目は明るく光をたたえ、唇はもの言いたげに、かすかに開きかけていた。

「詩を完成させました」と彼は言うと、気ぜわしげに続けた。「これまでに書いた中でも、最高の出来映えです。読んでください」原稿を押しつけるや、窓際に身を寄せた。

私は内心、不満の唸りをあげた。チャーリー自身は満足し、批評を、いや称賛をするのに半時間は要求するような詩なのだろう。だが、チャーリーは長いものをやめたのか、手元にあるのは短い詩のようなので、私は不満のではなく、感心の唸りをあげた。それはこんな詩だった――

眩《まばゆ》き日差しのもと　陽気なる風が
丘の向こうに声をかける
風は木々の枝を思うままに撓《たわ》め
木々も風の思いに従う
風よ騒ぐな　我が血のごとに
いかに吹けども　我は揺るがず
かの乙女が我に与えしは　この地　この空
そしてその身と心！
暗き海よ　乙女は我一人のためにあり！
黙りこむ岩よ　我が声を聞け
而《しこう》して歓喜せよ！
我がもの！　かの乙女は我が腕にあり
喜べ！　大地は春の芽吹きに満ちたり
喜べ！　我が愛の値《あたい》は限りなし
広き畑地も　我らを寿《ことほ》ぐ
朝に馬鍬が耕す土も　我らと喜びを共にす！

「『朝に耕す土』とは、なんともいいね」おそるおそる、私は言った。彼は満足げな笑みを浮かべたが、何も言わなかった。

夕焼けの赤き雲よ　広く遠く告げよ　我こそ勝者なりと
太陽よ　我を祝え

いま共にある一人の魂のため
我はならん　頼るべき主《あるじ》と　揺るぎなき導き手と！

「いかがでしょうか」チャーリーは私にそっと目を向けた。

出来映えが良いどころか、むしろ不出来な詩だ。彼は一葉の写真を取り出した。その写真には、巻き毛の娘が満面の笑みを浮かべていた。

「どうですか――すばらしくはありませんか」彼は耳まで真っ赤になっていた。これまでの人生で初めて、恋におちたのだ。「気づいたら、こうなっていました――雷に打たれたようです」

「そうだとも。誰もが雷に打たれたように思うものさ。今は幸せなんだね、チャーリー？」

「はい――彼女はぼくを愛しています！」彼は座りこむと、口の中でその一言を繰り返した。私は彼の髭のない顔と、事務仕事で猫背ぎみになった細い肩に目をやった。そして、前世ではいつ、どこで、どんな恋に巡り会ったのだろう、と考えた。

「お母さんは何とおっしゃったかね」私はできるだけ明るい口調で言った。

「おふくろが何と言おうが知ったことじゃない！」

二十歳《はたち》そこそこの年頃なら乱暴な口も利こうが、自分の母親には避けたほうがいい。私はそのことをできるだけ穏やかに伝えた。チャーリーは〝彼女〟のことを話したが、その口調は『創世記』のアダムが、自分が名づけた獣たちを相手に、イヴの美しさや優しさ、気高さを語って聞かせているかのようだった。彼女は煙草屋の店員で、お洒落に余念がなく、男性とキスをしたことがまだないと彼に四、五回は言ったということを、私は学んだ。

チャーリーの話は止まりそうになかった。私は彼とのあいだに千年の隔たりができてしまったのを感じながら、ものごとの始まりに思いを馳せた。生と死を統べる神々が、なぜ扉をそっと閉ざしたか、今は理解できる。私たちは最初の、そしてもっとも美しい願いを忘れてしまうし、もし覚えていられたとしても、私たちの世界には、百年を越えて生きる者がそうはいないからだ。

「ところで、ガレー船の話なんだが」彼の話が途切れるのを待って、私は明るい口調を保ったまま言った。

彼は面食らった様子で、私に目を向けた。「ガレー船って、何のことですか。御冗談でしょう。ぼくは今、真面目な話をしているんです。どれだけ真面目か、おわかりになりませんか？」

グリシュ・チャンダーは正しかった。チャーリーは恋に出会ったことで前世の記憶を失った。世界で一番すばらしい物語が書かれることは、もうけっしてないだろう。

【訳註】

1 イギリスの詩人、評論家、編集者ウィリアム・アーネスト・ヘンリー（一八四九―一九〇三）。引用は詩"Or Ever the Knightly Years..."「雄々しき時代は今や遠く……」（発表年不詳）の冒頭の一節。

2 ロングフェロー"The Secret of the Sea"（「海の秘密」一八五〇）より。

3 ロングフェロー"My Lost Youth"（「失われたる我が青春」一八五八）より。生田春月訳『ロングフエロウ詩集　再版』越山堂（一九二三）所収の「失はれたる我が青春」を新字・新かなに改め引用した。

4 ロングフェロー"Seaweed"（「海藻」一八五〇）より。

5 原文は"Pollock, Erckmann, Tauchnitz, Henniker"で、*The Man Who Would Be King: Selected Stories of Rudyard Kipling* の註によるとこれは語り手の聞き間違いで、正しくはギリシア語"pollak'ekamon tou kniz'heneka"とのこと。本稿ではその註に従い訳した。

6 ロングフェローの連作詩『オーラヴ王の物語』*The Saga of King Olaf*（一八六三）の第二十二章。

7 甲板の両舷に設けた柵。

8 イギリスの詩人、小説家（一八二七―七六）。『転生』*Transmigration*（一八三七）は輪廻転生を主題にした小説で、火星が中盤の舞台となる。

9 アイスランドの『赤毛のエイリークのサガ』（十四～十五世紀）に登場する長い海岸線。

10 ロングフェローの詩"The Discoverer of the North Cape"（「ノールカップの発見者」一八五八）より、第十七節と最終第二十四節。

11 十世紀アイスランドの交易商人。『赤毛のエイリークのサガ』の登場人物。

12 一八四六年に創刊された、広範囲にわたる分野を取り上げた廉価版教養叢書。

13 グリーンランド先住民を指す北欧の古語。

14 水族館を中心に、音楽会や演劇、美術展などの開催の場を想定した娯楽施設。一八七六年に開館。水族館としての展示は開館まもなく設備の不具合でできなくなり、人間砲弾などの見世物が人気を博した。一九〇三年に売却され閉館。

15 一八七九年に設立されたインド人紳士階級のためのクラブ。

16 ワーズワースの詩"Ode: Intimations of Immortality from Recollections of Early Childhood"（「幼年時代を追想して不死を知る頌」一八〇四）より。田部重治編訳『ワーズワース詩集』岩波文庫（一九六六改版）から引用した。

17 一八八一年創刊の週刊大衆紙。当初は他の新聞や雑誌の記事を要約して掲載していたが、次第に特色を出し、ヴァージニア・ウルフ、P・G・ウッドハウス、ライダー・ハガードら有名作家も寄稿。他紙誌を併合しながら一九八四年まで発行を続けた。

（以上の註記にあたり、*The Man Who Would Be King: Selected Stories of Rudyard Kipling* [Penguin Books, 2011]の Jan Montefiore による註を参考にしました。）

輪廻転生の物語

ジョーンズの狂気

The Insanity of Jones (A Study in Reincarnation)

アルジャーノン・ブラックウッド Algernon Blackwood

渦巻栗 訳

若くして東洋思想に触れたアルジャーノン・ブラックウッド（一八六九―一九五一）にとっては、インドに生まれたキプリング同様、輪廻転生はけっして特異な概念ではなかったようです。転生する前の記憶を甦らせた少女を主人公にした傑作「古い衣」（一九一〇）はじめ、彼はこのテーマをいくつもの作品で取り上げていますが、ここでは一九〇七年の作品集 *The Listener and Other Stories* に収録された本作を御紹介します。火災保険会社の事務員ジョーンズが支配人に感じた、恐怖と嫌悪はどこから？

I

冒険に出くわすのは冒険好きな者であり、謎めいた出来事に見まわれるのは、好奇心と想像力に富み、謎を待ちかまえている者だ。だが、大多数のひとびとは、扉が開きかけているのに素通りし、それが閉まっているものと考えて、大いなる幕がかすかに揺れていることを見逃してしまう。その幕は、現象界というかたちをとって、背後に潜む根源の理《ことわり》の世界と彼らとを隔てているのだ。

ほんのひと握りの者だけだが、内なる感覚が、心の深みに抱える奇妙な苦悩や、はるかな過去から受け継がれてきた気質により高められると、ある種の悟りにいたることがある。よろこばしいとはいいがたいことだが、いつそう広大な世界がいつもすぐそばにあり、なにかのはずみで情緒と力が組み合わされば、いまにも誘惑に駆られて、移ろう境界を越えかねないと悟るのだ。

ところが、生まれつき、こうした恐るべき確信を抱いているおかげで、門徒になる必要がない者もいて、この選ばれし集団にジョーンズが属していたのはまちがいない。

彼が生まれてからこのかた理解していたことだが、感覚が伝えてくるのは、多少は興味深いにせよ、まやかしの現象にすぎなかった。空間は、ひとの手で測られるため、まったく信頼できない。時間は、時計が一分いっぷん刻んでいくものなので、根拠もなければ、意味もない。それどころか、五感を通じて知覚しているのは、幕の背後にある真の事象を粗雑に表したものでしかなかった——彼はずっとそうした事象を把握しようとしており、なかには実際に把握できたこともあった。

彼がいつもおののきながら自覚していたのは、自分が別の領域との境目にいるということだった。その領域では、時間も空間も思考の形態にすぎず、いにしえの記憶が目の前に開けて、人間の生活の裏に潜む諸力がありありとさらけ出されており、秘められた源泉を世界の核心に見出すことができた。その上、火災保険会社で事務を受け持ち、細かく気を配って仕事をこなしていたにもかかわらず、いつも頭にあったのは、薄汚い煉瓦壁に囲まれて、百人の社員が電灯のもとで尖ったペンを走らせているすぐ向こうには、この輝かしい領域が広がっており、自分の重要な部分はそこを根城として活動し、生を送っている、ということだった。なぜなら、この領域にいる自分は、普段のつまらない生活を傍観していると考えていたからだ。さまざまな出来事が次々に起きるのを王のごとくうち眺めているが、汚らわしく、やかましく、粗野で騒々しい外界に魂が害されることはなかった。

これは詩的な夢などではない。ジョーンズは、上品ぶって理想主義をもてあそんだり、そうして悦に入ったりするような輩《やから》ではなかった。それは生きた信念であり、日常でも役に立っていた。外の世界はひとつの広漠たるまやかしであり、粗末な感覚器官が見せる幻なのだと確信しきっていたから、セント・ポール大聖堂のような大建築に目をこらすと、それがいきなりゼリーでできているかのように震え、すっかり消え去り、だしぬけに色の巨塊や、入り組んだ巨大な振動や、妙なる音といった霊的な実在が現れても、泰然としていられる気がした。石材はかりそめの姿なのだ。

こんな具合に、彼の頭は働いていた。

だが、外見や、業務をこなす手際からすると、ジョーンズはふつうのぱっとしない人物だった。最近はやっている心霊主義には軽蔑しか感じなかった。「透視力」や「透聴力」がなにを意味するのかもよく知らなかった。神智学協会に参加したり、幽界の生や四大元素の霊の理論を考察したりしたいとは一度も思わなかった。心霊現象研究協会の会合に出席することもなければ、自身の「霊気」が黒か青か気にすることもなかった。安っぽい隠秘学の復興運動に加わりたいとはこれっぽちも思わなかった。それに惹きつけられるのは、神秘を好み、野放しの想像力を持つ弱い人間だ。

彼はいろいろと知っていたが、論じようとはしなかった。本能に従って、もうひとつの領域にあるものには名前をつけないようにしていた。名づけるというのは、定義して枷をはめることにすぎないが、そこにあるのは、世間一般の見方では定義できない、幻想めいたものなのだ。

そんなわけで、こうした考え方をしていたものの、ジョーンズが良識に強く影響されていたのはたしかだった。つまり、世間や会社でジョーンズとして知られている人物こそジョーンズだった。その名前は人柄をよく表しており、彼にはうってつけだった——ジョン・エンダービー・ジョーンズ。

知っているがゆえに、口にしたり、考察したりしようとしなかったことはいろいろとあり、その一例が、自分自身は長く連なる過去の生を引き継いでいるという見方だった。彼は苦しみに満ちた進化の帰結であり、ずっと自分自身だったのはもちろんだが、無数の異なる肉体に宿っており、そのそれぞれはひとつ前の生でなにをしたかによって定められる。現在のジョン・ジョーンズには、異なる時代を生きていた以前の肉体で、ジョン・ジョーンズが考え、感じ、なしてきたことのすべてが集約されているのだ。彼は詳しく話しはせず、著名人の先祖がいると言い張ることもしなかった。彼の解釈によれば、過去はありきたりで取るに足らないものだったにちがいなかった。だからこそ、いまの自分があるのだ。だが、この骨の折れるゲームをずっと昔からつづけていることは、いま息をしているのと同様にたしかだと感じていたから、論じたり、疑ったり、疑問を呈したりしようとは思わなかった。こんな信念を抱いていた結果、未来ではなく、過去に思いをはせるようになった。歴史書を読みあさっていると、とりわけ心惹かれる時代があり、まるでその当時に生きていたかのように、本能で雰囲気を感じ取れた。また、あらゆる宗教がつまらなく思えたのも、それらはほとんど例外なく、現在を起点にしてこの先どうなるのかを扱っており、過去をふりかえって、なぜいまここにいるのかを考えていないからだった。

保険会社では仕事をそつなくこなしたが、出世したいとはあまり思わなかった。男も女も人間とはみておらず、過去の働きに応じて、自分を苦しめたり楽しませたりする道具だと考えていた。彼の世界観には、偶然が入りこむ余地などなかったからだ。自分でも認めていた通り、現実の世界がうまくまわるには、各々が己の仕事をひたすら丹念にこなしていかなければならないが、彼自身は、名声を高めることにも、貯金を増やすことにも興味がなかったので、ただ義務を果たすだけであり、成果については気にしなかった。

人間味に乏しい生活を送っている者らしく、彼は肝が据わっていて、片時も油断せず、どれほど恐ろしい災難が同時にふりかかってこようとも立ち向かうつもりでいた。なぜなら、彼の見方からすると、そうした災難は過去にまいた種が実を結んだだけだからだ。きっかけは自分だから、逃げたり正したりはできない。彼にとって大多数の人間はほとんど無意味だったし、引きつけられようが反感を覚えようがどうでもよかったが、対面した人間と自分の過去が切っても切れぬほど絡みあっていると感じた瞬間、内なる存在全体がたちまち跳びあがってそのことを叫びたてるので、彼は生活を律するにあたり、この上ない技能を駆使し、最大限の注意を向けていた。そのさまは敵を警戒している歩哨さながらで、相手の足音が近づいてきているのもすでに聞きつけているかのようだった。

そんなわけで、大半の男女にはなんの感銘も受けなかった——こうした大量の魂は、進化の大河でともに流されているにすぎないと考えていたからだ——だが、ときおり、この相手とは、ほんの少し接するだけでもきわめて重要な意味があると感じることがあった。そうした人間に会うと、全存在がはっとして、清算しなければならないことがあると悟るのだ。よろこばしいものにせよ、そうでないにせよ、その源は前世での関係にあった。それゆえ、交流するのはこれら数人にかぎっており、たいていのひとがもっと多くの人間関係にふりわける力を集中させているような具合だった。どのようにしてこの数人を選んだのかは、潜在意識下に眠る記憶の驚くべき作用について精通していなければわからないだろうが、要するに、ジョーンズが信ずるところによれば、現世の主な目的は、それがすべてではないにせよ、まじめに、抜かりなく過去を清算することだった。決着をつける際に、ほんのささいなことでも避けようとすれば、それがどれほど不愉快であろうと、生きてきたのがむだになるし、来世ではその分の義務も背負うことになる。彼の信念によれば、〈偶然〉などというものはなかった。逃げきることもできないし、避けようとしても時間をむだにして、さきへ進む機会を失うだけなのだ。

そして、ある人物に関して、ジョーンズはずっと前から、清算すべきことがたっぷりあるという確信を抱いていた。それを成し遂げるほうへ、人生の潮流は彼を押し流しているらしく、そこには揺るぎない決意がうかがえた。というのも、十年前、下級職員として保険会社に入り、ガラス扉越しに、この男が奥の部屋に座っているのを目にしたとき、突然、直観的な記憶がすさまじい光を放って、深みからこみあげてきたのだ。見ると、めくるめく炎の輝きに包まれて、未来を象徴する心像が恐ろしい過去からわきあがってきた。はっきりと意思が働いたわけではないが、この男こそは真に決着をつけるべき相手だと考えた。

「あの男とはいろいろと関わりあいになりそうだ」そう思って眺めていると、相手が大きな顔をあげ、ガラス越しに目が合った。「避けられないなにかが待っている――この重大な関係は、ぼくらふたりの過去に端を発しているんだ」

彼は自分の席に向かったが、からだが少し震えていて、膝もがくがくしており、まるでひどい苦痛を受けた記憶が氷の手でいきなり心に触れ、忌まわしい恐怖の傷跡をなぞったかのようだった。まさしく身も凍る恐怖の瞬間、ガラス越しに視線が合い、自分の心が縮みあがって、嫌悪を催すのを意識した。その感情が勢いよく飛びかかってくると、彼はたちまち確信した。この男と決着をつけるのは、自分の手には余るかもしれない、と。

幻視が消えたのは、現れたときと同様に突然で、意識の水面下にある領域へまたもどっていった。だが、彼は決して忘れなかったし、以降の人生は、機が熟したら大いなる義務を果たせるように、それと意図しないうちにおのずと準備にあてられた。

当時――つまり十年前――この男は副支配人だったが、そのあとに昇進して、地方の支店の支配人になった。その直後、ジョーンズも同じ支店に転勤となった。少し経って、今度は、とりわけ重要な拠点のひとつである、リヴァプールの支店が経営の不手際と横領のせいで窮地に陥ったため、件《くだん》の男が派遣されて、そこを取り仕切ることになった。そして、見たところはまったく偶然のようだが、ジョーンズも昇進して同じところに送られた。

こうして副支配人を追いかけるのが数年つづいたが、実に妙ないきさつでそうなることもよくあった。ジョーンズは男とひと言も交わしたことがなく、それどころかかの大立者の目に留まったことさえなかったものの、ゲームで打たれたこれらの手はすべて、確固たる計画の一部だと見抜いていた。彼は片時も疑うことなく、帳《とばり》の背後にいる〈見えざるものども〉が、ゆっくりと着実に、ありとあらゆる細部を詰めて、正義をなすための山場をふさわしく迎えられるように準備していると信じていた。その山場で、支配人とともに主演を務めるのだ。

「これは避けられないことなんだ」彼は自分に言い聞かせた。「恐ろしいことになる予感がする。だけど、いざ本番というときには、心構えができているはずだ。真っ向から対決して、一人前の男らしく行動できるといいのだが」

その上、歳月が流れると、なにも起きなかったとはいえ、忌まわしい恐怖がどんどん迫ってくるのを感じた。というのも、実のところ、ジョーンズは支配人を憎み、嫌っていたが、これほど強烈な感情をひとに対して抱いたことは一度もなかったのだ。この男が近くにいたり、この男からちらりと目を向けられたりすると、彼は縮みあがった。まるで、名状しがたい仕打ちを受けたのを覚えているかのようだった。しかも、だんだんと理解されてきたのだが、相手と決着をつけるべき問題は、いにしえの時代にまでさかのぼるものらしい。清算するとなれば、たまっていた罰がくだされるので、その執行はひどく恐ろしいことになるかもしれない。

そんなわけで、ある日、会計主任から、件の男がまたロンドンに転勤する――今回は総支配人としてだった――と聞かされ、優秀な社員から秘書を見つける仕事を任されていると言われ、選ばれたのはきみだと打ち明けられても、ジョーンズは静かに昇進を受け入れ、これも運命だとあきらめたが、内心では言い表しがたい嫌悪を催していた。というのも、彼がこの異動に見て取ったのは、復讐《ネメシス》の女神による逃げ場のない計画が進んで、また一手が打たれたということだけであり、一身上の都合でそれを妨げようとは思いもしなかったのだ。それとともに、待たされる緊迫感もじきに和らぎそうだったので、いくぶんほっとした。それゆえ、快《こころよ》からぬ変化が起きてもひそかに満足していたから、ジョーンズは己を完璧に掌握することができ、昇進が実施され、秘書として正式に総支配人に紹介されても動じなかった。

いまの支配人は大柄で太っており、顔は赤らんでいて、目の下には隈《くま》ができていた。近視だったから眼鏡をかけており、目は拡大されているように見え、いつも少し充血している。暑い日には、粘液の薄膜めいたもので頬が覆われた。汗かきなのだ。頭ははげかかっており、折り返した襟には太い首の肉が乗っていて、それと見てわかる、ふたつの赤らんだ塊となって重なっている。手は大きく、指は太くてがっしりしていた。

この男は優秀な実務家で、まともな判断力と固い意志を備えており、想像力に欠けていたおかげで、どんな行動を取るか決める際も、選択肢を思い浮かべて迷ったりはしなかった。まじめで有能だったので、商《あきな》いと金融の世界ではだれからも尊敬されていた。ところが、人格の重要な部分や内面は荒くれていて、野蛮といってもいいほど残酷であり、他人を思いやることもなかった。その結果、手も足も出ない部下に不条理なほどきつくあたることもよくあった。

癇癪《かんしゃく》を起すことも少なくなく、顔が青黒くなる一方で、はげた頭のてっぺんが白い大理石のように輝き、目の下の隈がふくれあがって、いまにもぽんとはじけそうになる。こうなると、ひと目見ただけで嫌悪をかき立てる人物に変貌するのだ。

だが、ジョーンズのような秘書は、雇い主がけだものだろうが天使だろうが仕事をこなすし、原動力は感情ではなく信念なので、それはどうでもよかった。こんな男を許容できる余地はごくわずかしかないが、その範囲で彼は総支配人を好いていた。また、彼の射抜くがごとき直観は、透視力といってもいいほど鋭かったので、一度ならず上長を助け、そうでなければ距離があったであろうふたりを近づけて、かの男も助手の能力に敬意を抱くまでになった。自分にはそんな力など少しもなかったからだ。奇妙な関係がふたりの間で育まれていった。会計係は人選の功を認められてよろこび、直接ではないにせよ、だれよりも得をした。

そんなわけで、しばらくの間、会社の業務はいつも通りにつづき、商売も上々だった。ジョン・エンダービー・ジョーンズは高給取りになった。この物語の主な登場人物は、ふたりとも目に見えて変わったりはしなかったが、支配人はさらに太って赤みを増し、秘書は自分の髪を見て、こめかみのあたりが思いのほか白くなりはじめていることに気がついた。

ところが、ふたつの変化が起きていた。両方ともジョーンズに関係する重要なことなので、触れておくとしよう。

まず、彼は夢でうなされはじめた。深い眠りの領域は、意味深い夢がはじめてかたちづくられるところだが、彼はそこで、鮮やかな光景や心像に苦しめられるようになった。夢に現れるのは、やせこけた長身の男で、浅黒くて油断ならない顔に陰険な目をしており、彼と密接なつながりがあった。ただ、舞台となるのは過去の時代で、服装も数世紀前のものだ。恐ろしい残虐行為に関連してさまざまな光景が現れたが、彼が知る現代生活の一部とは思えなかった。

もうひとつの変化もまた意味深長だったが、書き記すのはいささか難しい。というのも、実のところ、彼は自分自身の新しい部分を意識するようになったのだ。これまでは目覚めていなかったところが、だんだんと活力を得て、意識の深みから立ちあらわれた。この新しい部分は別人格といえるほどにまで育ち、それが少しでも出てくると、彼はいつも心の内でふしぎな戦慄を覚えた。

なぜなら、気がつくと、それは支配人を観察しはじめていたからだ！

Ⅱ

ジョーンズが、不愉快きわまりない職場で働くはめになってから日課としていたのは、一日が終わったらすぐに、頭を仕事から切り替えることだった。勤務中は、この上なく厳重に自分を見張り、内なる夢すべてに鍵をかけた。そうすれば、深みから思考がいきなり吹き出すこともなく、職務も邪魔されないからだ。だが、一日の勤務が終わってしまえば、門が勢いよく開いて、楽しい時間がはじまるのだった。

彼は、興味がある題材だとしても現代の本は読まず、すでに述べた通り、訓練を受けたりも、もったいぶった神秘をもてあそぶ結社に参加したりもしなかった。だが、支配人室の事務机から解放された途端、もうひとつの領域におのずからすんなりと入りこんだ。なぜなら、彼は昔からの正当な住民であり、そこが居場所だったからだ。実のところ、これは二重人格といってもよかった。注意深くしたためられた取り決めが、火災保険会社のジョーンズと神秘のジョーンズの間で結ばれており、違反すれば重い罰が課せられるので、どちらの領域も時間外に彼を引きこむことはしなかった。

ブルームズベリーにある下宿の屋根裏部屋に着いて、よそ行きのコートから着替えると、事務所の鉄の扉がはるか後方でがたんと閉まり、前を見れば、すぐ目の前に象牙の美しい門が現れる。彼はこうして、花々と、歌と、おぼろげなすばらしい形体たちがいる場所に入るのだった。ときには外界とのかかわりをすっかり失うこともあり、夕食をとるのもベッドに入るのも忘れて、恍惚としたまま、からだからずっと離れたところで意識を働かせた。またあるときは、有頂天になっており、肉体を持つものとつの領域の間で宙づりになっており、肉体を持つものと持たぬものとの区別もつかなかった。もしかすると、その境地からさほど遠からぬところに、詩人や聖人や偉大な芸術家が出入りしたり、考えたり、着想を得たりしている階層があるのかもしれない。だが、こうなるのは、肉体がしつこく声をあげて、自由になりきれないときだけであり、たいていは、物理的な部分とのつながりをすっかり絶って現実世界から自由になれたし、それにはなんの障害もなかった。

ある晩、彼は一日のきつい仕事で疲れきって帰宅した。支配人はいつにも増してむごく、公平さを欠いて機嫌が悪かったため、ジョーンズもいつもの冷ややかな姿勢を崩しかけて、危うく言い返すところだった。なにもかもがうまくいっていないらしく、かの男の荒っぽくて下劣な性格が一日中表に出ていた。机を巨大な拳で叩き、ののしり、意味もなく粗《あら》を探し、ひとを怒らせることを口にし、全体としてみると、本性そのままの行動をしていた――立派な実務家というのはうわべだけだった。この男がやったり言ったりしたのは、ふつうの秘書の急所を傷つけるようなことばかりだった。ジョーンズは別の領域に住んでいたから、幸いにして、凶暴な動物がうろうろしているのを眺めるように男を眺めていられたものの、緊迫感はからだに堪えたし、帰宅したときには、生まれてはじめて、自分を抑えておくのにも限度があるのかもしれないと考えていた。

というのも、いつにない出来事が起きたのだ。張り詰めた時間が終わりに近づき、秘書のからだの全神経が、不当にののしられてささくれだっていたとき、突然、支配人から怒りをぶつけられて、金庫がある個室の隅に追いやられ、眼鏡で拡大された赤い目ににらみつけられた。この瞬間、ジョーンズのもうひとつの人格が――ずっと観察していた人格が――内なる深みから即座に立ちあらわれて、顔の前に鏡を掲げた。

束の間、炎と幻視が押し寄せてきた。一瞬だけ――視界が容赦なく澄みわたった一瞬だけ――目の前の支配人が、邪悪な夢に出てきた、長身の浅黒い男となり、過去にその男の手でひどく痛めつけられたという記憶が、大砲の発射音のごとく頭のなかに響きわたった。

すべてがひらめき、また消え去った。からだが燃えあがったかと思うと、氷のように冷え切り、それから再び燃えあがった。事務所を出るときには、揺るぎない確信を抱いていた。あの男と最後の決着をつけるときが、運命づけられた報復のときが、いよいよ迫ってきたのだ。

とはいえ、ずっとつづけている習慣のおかげで、仕事用のコートを脱ぐと、こうした嫌な記憶すべてを頭から追い払うことができた。お気に入りの革張りの椅子に座り、暖炉の前で少しうとうとしてから、いつもの通り、ソーホーのフランス料理店へ夕食をとりに出かけた。夢を見はじめて、花々と歌の領域に入り、真の生の根源たる〈見えざるものども〉と心を通わせた。

というのも、彼の精神はいつもこんな風に働いていたからだ。何年もの習慣が厳格な指針となって具現化していたから、それに従って行動しなければならなかったし、そうするほかなかった。

小さな料理店の戸口で、彼は束の間立ち止まった。なにか約束があったような気がしたのだ。だれかと会うことになっていたらしいが、どこで、だれと会うのかは記憶から抜け落ちている。夕食か、夕食のあとに会う約束だったように思える。一瞬だけ、事務所に関係しているという考えが浮かんだが、それがなんであれ、まったく思い出せず、手帳の予定表をみても白紙だった。どうやら書き忘れたらしい。しばらくの間、時間や場所や相手を思い出そうとして立ち尽くしていたが、甲斐はなく、彼は店に入って腰をおろした。

だが、細かいところは思い出せなかったものの、識閾下の記憶はすべてを知っているらしかった。というのも、突然、心が沈んで、胸騒ぎにも似た予感を覚え、疲労の下にすさまじい興奮の核があるのを感じたのだ。その約束が巻き起した感情が作用していたから、しばらくすれば、肝心の細かいところもよみがえってきそうだった。

料理店に入ると、その感じは消えるどころか強まった。だれかがどこかで待っている――そのだれかと会う約束をしたのはまちがいない。だれかと待ち合わせをしており、今夜のちょうどいまごろに会うことになっている。だが、だれと？　どこで？　奇妙な内なる震えが全身に広がり、彼は懸命に心を落ち着けて、なにが起きても大丈夫なように身構えた。

そのとき、突然ひらめいた。待ち合わせの場所はまさにこのレストランだ。しかも、面会を約束した相手はもうここにいて、どこか近くで待っている。

彼はいてもたってもいられずに顔をあげ、まわりにいる客の顔を調べはじめた。食事をしているのは大半がフランス人で、やかましくしゃべりながら、派手な身ぶりをしたり、笑い声をあげたりしている。ところどころにいる彼のような事務員は、安上がりでおいしい料理を求めてやってきたのだろう。なじみの顔はなかったが、やがて彼の目はある人物の上にとまった。正面の隅の席に座っており、その一角をほとんど独占している。

「あの男はぼくを待っている!」ジョーンズは即座にそう思った。

彼にはすぐわかった。その男は、見てみると、隅の奥まったところに座っており、厚手のオーバーを着ていて、ボタンをあごの下まできっちりとめている。肌は真っ白で、豊かな黒いあごひげは頬にまで及んでいる。はじめは秘書も赤の他人だと思ったが、顔をあげて目が合うと、一瞬だけ、相手を知っている気がした。一秒か二秒ほど、思いなしか、目の前の男は数年来の知人らしく見えた。というのも、あごひげがなければ、その顔は、保険会社に入社したときに、隣に座っていた年上の事務員のそれだったからだ。彼が慣れない仕事で苦戦していたころに、この事務員は労をいとわず、優しく親切に接してくれた。だが、すぐに幻影は消えた。思い返してみると、ソープが亡くなってから五年は経っている。目が似ているように思ったのは、記憶が意味ありげないたずらを仕掛けてきただけだ。

ふたりはしばし見つめあっていた。そして、ジョーンズは本能に従って行動に出た。そうせずにはいられなかったからだ。向こうまで行って、相手のテーブルの空いている席に座り、対面した。どういうわけか、遅れた理由や、約束を忘れかけていたことを説明しなければならないと感じたのだ。

ところが、うそ偽りのない弁解は思い浮かばず、気まずいままだった。もっとも、頭は猛烈に回転していた。

「ああ、遅刻だね」男は静かに言った。ジョーンズは言うべきことがまだ出てこなかった。「だが、それは問題じゃない。きみは約束を忘れていたが、それも構わない」

「覚えはあったんです――約束があるはずだって」ジョーンズは途切れとぎれに言いながら、片手を額にやった。「けれど、なぜか――」

「じきに思い出すさ」相手は優しい声で言って、ほほえみを浮かべた。「ここで会おうという話になったのは、ゆうべ深く眠っているときだったし、きょうの嫌な出来事のせいで束の間忘れてしまったんだ」

男の話を聞くと、おぼろげな記憶がよみがえってきた。いくつもの形体が動きまわっている木立が目の前に浮かんだかと思うと、また消えた。一瞬だけ、この見知らぬ男は、自らかたちを変えられるようになったらしく、漠々たる広がりと燃えるすばらしい目を持つ姿に変身したように思えた。

「そうか！」彼は息をのんだ。「あそこか——もう一方の領域だったんですね」

「その通り」と相手は言った。ほほえみを浮かべると、顔全体が明るくなった。「じきに思い出すとも。時が来ればね。それまでは、なにも心配することはない」

その男の声には心をすばらしく鎮めてくれる響きがあって、あたかも大いなる風のささやきのようであり、事務員はたちまち気分が落ち着いた。その後もしばらくいっしょに座っていたが、あれこれ話したのか、なにか食べたのかは覚えていなかった。あとになって思い出せたのは、給仕頭がやってきて、なにか耳打ちされたことだ。あたりを一瞥すると、ほかの客が好奇のまなざしで自分を見ており、なかには笑い声をあげている者もいる。すると、連れが腰をあげ、さきに立って料理店を出た。

ふたりは急ぎ足で通りを歩いていった。どちらもしゃべらなかった。ジョーンズは精神を集中させて、ことの顛末を深い眠りの領域から取りもどそうとしていたので、どこを歩いているのか、ほとんど自覚していなかった。だが、明らかに、どこへ向かっているのかは、連れと同様によくわかっているらしい。というのも、連れよりさきに通りをわたることがよくあったし、ためらいもせず路地に飛びこんでも、男はついてきて、まちがいを指摘したりはしなかったからだ。

歩道は混みあっており、ロンドンの夜につきものの群衆が、店のぎらつく明かりに照らされてあちらへこちらへ押し寄せているが、どういうわけか、ふたりは早歩きをしていても邪魔されなかった。ひとびとを通り抜けているようで、まわりの群衆は煙でできているかに思える。こうして歩いていくと、道行くひとや車は少なくなっていった。間もなくして、マンション・ハウス（ロンドン市長の官邸）や、王立取引所の前にあるひと気のない広場を通りすぎ、フェンチャーチ・ストリートを進んでいくと、ロンドン塔が見えてきた。ぼんやりとした影のような姿をくすんだ空にそびえたたせている。

ジョーンズはこうしたすべてをはっきり覚えていたし、われを忘れていたせいで道のりを短く感じたのだと思っていた。だが、この塔をあとにして、北へ曲がった途端、なにもかもが変貌していることに気がつきはじめた。見ると、いまいるのは、人家が急に少なくなって田舎道や野原がはじまる地域だった。明かりは頭上で輝く星々だけだ。深層の意識が姿を現すにつれて、仕事中にただの肉体が経験した、うわべだけの出来事は頭から締め出され、疲労感は消えた。そこで実感したのは、いま歩いているところこそ、帳の背後にある、根源の理の領域だということだった。五感の粗雑なまやかしを超越し、空間と時間の醜い呪縛から解き放たれたのだ。

それゆえ、たいして意外にも思わなかったのだが、ふり向いて見てみると、連れが変貌していた。オーバーと黒い帽子を脱ぎ捨て、なんの音も立てずにそばを歩いている。束の間、目の前にいる男は、木のように背が高く、巨大な影のように空へそびえていた。輪郭が霧のように揺らめいており、その背後の暗闇からは羽ばたきのような音がしている。ところが、彼が足を止めると、怯えに心臓をつかまれていたのだが、相手はもとの大きさにもどっていた。ジョーンズに見て取れたのは、緑の野原を背に浮かびあがる、なんの変哲もない人影だった。

ジョーンズの目の前で、男が首のあたりを探ると、黒いあごひげが外れて手に落ちた。

「やっぱりソープさんでしたか!」彼は息をのんだが、どういうわけか、まったくの予想外とは感じなかった。

ふたりは顔を見あわせたまま、ひと気のない田舎道で立ち尽くしていた。頭上では木が絡まりあって星を隠しており、哀れをそそるため息のような音が枝の合間から聞こえる。

「ああ、ソープだよ」そう答えた声は、風に溶けこんでいるように思えた。「はるかな過去からきみを助けに来たんだ。きみには大きな恩があるし、この生では報いる機会がほんのわずかしかなかったからね」

たちまちジョーンズの頭に浮かんだのは、事務所で親切にしてもらったことだった。感情の大波が全身を駆け抜けて、この友人のことをぼんやりと思い出しはじめた。彼と肩を並べて、魂が進化していく間の久遠の歳月を歩んできたのだ。

「助けてくれるって、いまですか?」と小声で言った。

「どういうことかはいずれわかる。真の記憶に入りこめば、かつて友情のために尽くしてくれたことに、わたしがどれほど恩を感じているか思い出すはずだ」相手がため息まじりにそう言った声は、風の名残りのようだった。

「でも、ぼくらの間柄なんですから、恩なんてどうでもいいじゃないですか」ジョーンズは自分がそう言っているのを聞いた。そこで印象に残ったのは、風に乗って漂ってきた返事と、眼前の厳しいまなざしを束の間和らげたほほえみだった。

「恩はそうかもしれないが、特権は違う」

ジョーンズは、自分の心が弾んで、男のほうへ飛び出すのを感じた。この古くからの友人は、数世紀の試練を経てもなお誠実なのだ。彼はその手を握ろうとした。だが、相手は、霧でできているかのようにするりと逃げてしまった。一瞬だけ、事務員は頭がくらくらして、目の前が暗くなった。

「やっぱり死んでいるんですか?」息をひそめてそういった声は、かすかに震えていた。

「知っての通り、わたしは五年前に肉体を離れた」ソープが答えた。「それから本能のまま、きみを助けようとしたんだ。ときには見失うこともあったがね。でも、いまはもっといろいろとしてあげられるよ」

内心で先行きをひどく恐れるかたわら、秘書はことの次第を察しはじめた。

「それは――もしかして――」

「支配人との過去のつながりに関してのことだ」答えが返ってくると、風が勢いを増して頭上の枝を吹き抜け、そのさきの言葉を空へ運び去ってしまった。

ジョーンズの記憶は、ちょうど最深部で身じろぎしはじめたところだったが、いきなりぴしゃりと閉じてしまった。彼は連れのあとを追って野原をわたり、空気がさわやかでひんやりとしている、馥郁たる香りの漂う田舎道を進み、やがて大きな屋敷にやってきた。影に沈む姿は陰鬱で、林のそばにぽつりと建っている。まったき静寂に包まれており、いくつもある窓には重々しい黒幕が垂れている。事務員は、視線を向けた途端、すさまじい悲しみの波に襲われて、目が焼けるようにひりつくのを感じた。気がつくと、涙をぬぐいたくなっていた。

鍵が耳ざわりな音を立ててまわった。扉が開くと、そのさきには天井の高いホールがあり、衣ずれの音やささやき声が混じりあって聞こえた。まるで、ものすごい数の群衆が押し寄せてきているかのようだ。揺らめく動きで満ちみちている気がする。ジョーンズには錯覚と思えなかったのだが、高く掲げられた手やおぼろげな顔が自分たちを思い出してくれと訴えているようだった。彼の心は、大量に蓄えられた記憶がのしかかってくるのを予期して、すでに押しつぶされそうになっていたが、ふと気がつくと、そのなかで、大昔から眠っていたなにかがほどけていった。

奥へ進んでいくと、うしろの扉が閉まる、くぐもったとどろきが聞こえた。見ると、闇が屋敷の内へ引き下がっていくようで、手や顔も運び去っていった。風が外壁のまわりや屋根の上でうたっているのが聞こえ、そのむせぶような声は、大勢の深い息遣いと混じりあっている。呼吸の音はこの家に満ちみちており、まるで海のつぶやきのようだ。広い階段をのぼり、柱が樹幹のように林立する、穹窿《きゅうりゅう》天井の部屋をいくつも通り抜けていくうちに、彼は悟った。この建物で、いくつも列をなしてひしめいているのは、遠い過去にまでさかのぼる、自分自身の記憶なのだ。

「ここは〈過去が宿る家〉だ」ソープがそばでささやいた。ふたりとも部屋から部屋へ黙ったまま歩いていた。「きみの過去が宿る家だ。地下室から屋根裏まで記憶が詰まっている。進化の最初期からいままで、きみがなし、考え、感じてきた記憶だ。

この家は雲に届くほど高さがあって、外で見た林の奥まで延びているが、遠くのホールに詰めこまれているのは、はかり知れないほど大昔の亡霊だから、彼らを起こすことができたとしても、いまのきみには思い出せない。とはいえ、いつの日か、彼らはきみのもとを訪れて、迫ってくるだろう。そうなったら、彼らを認めて、問いに答えなければならない。彼らが静まるのは、きみを通じてその力をいま一度使い果たし、正義が完璧になされたときだからだ。

だが、いまのところは、そばを離れずについてきてほしい。そうすれば、わたしが案内するように言いつかっている記憶を目にして、現世に絶大な力がこめられていることを悟り、理解し、正義の剣をふるうか、大いなる赦《ゆる》しの境地に達するだろう。きみの能力次第でどちらかに決まるはずだ」

氷のような戦慄が、震える事務員の全身を駆け抜けた。連れのそばでおずおずと歩いていると、階下の穹窿や、広漠たる大建築のさらに遠くの部分で、ぎっしりと列をなして眠るものたちが身動きしたり、ため息をついたりするのが聞こえた。あたりが静まりかえっているせいか、和音のように響き、あたかも家の礎《いしずえ》のどこかに張られた、目に見えぬ弦がつま弾かれたかのようだった。

そろりそろりと、巨大な柱を縫うように進み、大きな弧を描く階段をのぼり、暗い廊下やホールをいくつか通った。やがて足を止めたのは、影がとても濃い拱廊《きょうろう》にある、小さな扉の前だった。

「わたしのそばを離れないでくれ。それと、声を出さないように」案内人から小声でそう言われたので、ジョーンズがそちらを向いて答えようとすると、眼前の連れの顔は険しさのあまり青ざめており、暗闇でほのかに輝いていた。

ふたりが入った部屋は、はじめこそ真っ暗に思えたが、秘書はだんだんと目が利くようになり、奥の壁を背にして、赤っぽい光がかすかに輝いているのを認めた。気のせいかもしれないが、いくつかの人影が無言で行き来するのが見えた。

「さあ、よく見るんだ」ソープがささやいた。ふたりは戸口の近くの壁に張りついて待った。「だが、絶対に声を出さないでほしい。なにしろ拷問の現場だからね」

ジョーンズは恐ろしくてたまらず、できれば踵《きびす》を返して逃げ出したかった。筆舌に尽くしがたい恐怖にとらわれて、膝が震えていたのだ。だが、なんらかの力のせいで逃げることができず、その場に容赦なく釘づけにされていた。光の点から目を離せないまま、壁際でしゃがみ、待っていた。

人影の動きが早くなってきた。各々が淡い光を帯びているが、その輝きはほかのものには届いていない。鎖がかすかに鳴り、男が痛みにうめくのが聞こえた。すると、扉が閉まる音がして、それからジョーンズの視界に入るのは、ひとつの人影だけになった。年老いた男で、なにも着ておらず、床に置かれた鉄の枠に鎖でつながれている。そうして見ていると、記憶がおびえるあまり跳びあがった。というのも、顔立ちや白いあごひげには見覚えがあり、まるできのうのことのようにそれらを思い出せたからだ。

ほかの人影はいなくなったので、老人は恐ろしい光景の中心となった。じわじわと、おぞましいうめきがあがるかたわらで、からだの下が熱されていき、揺るぎない光を放つまでになると、年老いた肉体は苦悶のあまり弓なりにのけぞった。鉄の枠に鎖でつながれているのは、両手首と両足首だけなのだ。叫び声と喘ぎ声が響きわたったが、ジョーンズにはどちらも自分ののどが発したとしか思えなかった。灼熱の鎖が自分の手首と足首に食いこみ、背中の肌と肉が焼かれるのを感じた。彼は身もだえしはじめた。

「場所はスペインだ!」そばでささやき声がした。「四百年前のことだな」

「なんのために?」汗だくの事務員は息も絶えだえに尋ねたが、どんな答えが返ってくるかはよくわかっていた。

「とある友人の名前を吐かせるためだ。死に追いやり、裏切らせるためだよ」闇の奥から返答が聞こえた。

拷問台のすぐ上にある壁板がことりと横に滑ると、顔がこれまた赤光に照らされて現れ、責め苦に遭って死にかけている老人を見おろした。ジョーンズは悲鳴を抑えるのがやっとだった。夢に出てきた、長身の浅黒い男の正体がわかったのだ。ほくそ笑んでいる忌まわしい目で、男はのたうちまわる老人を見おろした。唇が動いていて、なにかしゃべっているようだったが、ひと言も聞こえなかった。

「また名前を訊いているんだ」相手が説明した。ジョーンズは強烈な憎悪と必死で戦っており、いまにも絶叫して飛び出しそうになるのを抑えていた。足首と手首がひどく痛み、ほとんどじっとしていられなかったが、容赦ない力にとらわれていて、その場から動けなかった。

彼が見ていると、老人は猛々しい叫びをあげて、痛めつけられた頭を起こし、壁板のそばの顔に唾を吐きかけた。すると、戸が閉じてすぐに、からだの下の輝きが強まって、身もだえが激しくなり、さらに加熱されているのがわかった。肉が焼けるにおいが漂ってきた。白いあごひげが丸まって、ちりちりに焦げた。からだがぐったりして、赤熱した鉄に横たわったかと思うと、新たな激痛に見舞われて再び跳ねあがった。叫び声に次ぐ叫び声は、この世で最も凄惨であり、室内に響きわたると、くぐもった音を残した。壁板が再びきしりながら横に滑り、拷問者の恐ろしい顔が露わになった。

再び名前が訊かれ、再び拒まれた。今度は、壁板が閉じたあとで扉が開き、邪《よこしま》な顔つきの長身痩軀の男がおもむろに入ってきた。残忍な顔立ちには激しい怒りと失望が現れており、鈍い赤光を浴びていると、まさしく悪魔の王子そのものに見える。手にしているのは、白熱した先細りの鉄棒だ。

「殺すつもりだ」ソープがそうささやいた声は、建物の外のはるか彼方から届いたように聞こえた。

ジョーンズは、これからどうなるのかよく知っていたが、目をつぶることさえできなかった。ぞっとする苦痛がすべて感じられ、まるで自分が実際に痛めつけられているかのようだった。だが、そこで目をこらすと、また別のなにかを感じた。長身の男が悠々と拷問台に近づき、熱した鉄をまずは片目に、それからもう一方の目に押しこむと、かすかにしゅうしゅうという音が聞こえて、自分自身の目がすさまじく痛み、顔からはじけ飛ぶのを感じた。同時に、もうがまんできなくなり、気が狂ったような金切り声をあげて前に飛び出し、拷問者につかみかかって八つ裂きにしようとした。

途端に、ほんの一瞬で光景全体が消えた。暗闇が部屋に押し寄せてきた。大いなる風のような力に足をすくわれて、たちまち虚空へ連れ去られるのを感じた。

われに返ると、屋敷のすぐ外に立っており、そばには薄闇に佇むソープの姿があった。うしろでは、巨大な両開きの扉がちょうど閉まるところだったが、閉じ切る前に、なにかが一瞬だけ見えたような気がした。途方もなく背が高い、ぼんやりとしたなにものかが戸口に立っていたのだ。目は燃え盛っており、光り輝く炎の剣のような、まばゆい武器を手にしていた。

「さあ急ごう――すべて済んだからね」ソープがささやいた。

「あの浅黒い男は――?」事務員は息も絶えだえに言った。相手のそばを早足で歩いていた。

「現世では、会社の支配人になっている」

「痛めつけられていたのは?」

「きみ自身さ」

「それで、彼が――いや、ぼくが裏切るまいとしていた友人は?」

「わたしがその友人だよ」ソープが答えた。その声は、時々刻々と風の叫びのようになっていった。「きみは苦悶のうちに命をなげうって、わたしの命を救ってくれたんだ」

「現世では、三人全員がまたいっしょになったんですか」

「そうだ。これほどの力がなくなるには時間がかかるし、すんなりとはいかない。それに、正義がなされるには、蒔いたものがすべて刈りとられなくてはならない」

ジョーンズは違和感を覚えて、意識が異なる状態に滑りこんでいくのに気がついた。ソープが虚像のように思えてきた。しばらくすれば、これ以上は尋ねることもできなくなりそうだ。そうしたすべてのせいでひどく胸がむかつき、頭がぼうっとしていた。体力がどんどん失われていった。

「急がなくちゃ」彼は声をあげた。「もっと教えてください。どうしてこれを見せられたんです? ぼくはどうすればいいんですか?」

風が右手にある野原を吹きわたり、彼方の林に入って咆哮した。まわりの空気がいくつもの声で満ちみち、そこかしこでなにかがせわしなく動いているように思える。

「正義をくだす任務は」と相手は答えた。まるで遠く離れた風の中心から語りかけているかのようだ。「ときとして、苦しみを受けた強きものの手にゆだねられる。悪事を悪事で正すことはできないが、きみの人生は実りあるものだったから、機会はある――」

声はどんどんかぼそくなっており、すでにはるか頭上で吹きすさぶ風とともにあった。

「罰をくだすか、あるいは――」ここでジョーンズはソープの姿を見失った。消滅して、背後の林に溶けこんだようだった。その声は木々のずっと向こうから聞こえた。弱々しくて、どんどん上へのぼっていった。

「あるいは、大いなる赦しの境地に達して――」

声は聞こえなくなっていった……。風が再び叫び声をあげて、林から吹きつけてきた。

＊＊＊＊＊

ジョーンズはぶるっとして、あたりを見まわした。からだを激しく揺すって、目をこすった。部屋は暗く、暖炉の火は消えている。からだが冷え切っていて、こわばっているのを感じた。肘掛け椅子から立ちあがると、まだ身震いしながら、ガス灯をつけた。外では風が雄たけびをあげている。腕時計に目をやると、もう夜更けだった。ベッドに入らねばならない。

まだ仕事用のコートも脱いでいなかった。部屋に入るやいなや、椅子で眠ってしまったにちがいなく、数時間は眠っていた。夕食をとっていないのはたしかだった。ひどくひもじかったのだ。

Ⅲ

翌日とそれからの数週間、事務所での業務はいつも通りに進んだ。ジョーンズは自分の仕事をきっちりこなしたし、うわべは完璧に礼儀正しくふるまった。幻視に悩まされることもなく、支配人との関係は、むしろ円滑で気楽になった。

たしかに、かの男は少しちがって見えた。なぜなら、ジョーンズは彼を見るにあたって、内なる目と外なる目の両方を使っていたからだ。そのため、あるときは大柄な赤ら顔の男だったが、次の瞬間には、長身痩軀の浅黒い男で、赤みを帯びた黒い雰囲気とでもいうべきものに包まれていた。ときおり、両方の視界が重なることもあり、ジョーンズの眼前で、ふたつの顔が混ざりあって継ぎはぎの相貌となり、観察していると身の毛がよだった。もっとも、こうして支配人の外面がときどき変化することを除くと、秘書の目に留まったかぎり、幻視の影響はなにもなく、業務は多かれ少なかれいままで通りに進んだし、どちらかといえば、いざこざは少なくなっていた。

だが、ブルームズベリーの下宿の屋根裏部屋では、話は別だった。というのも、ジョーンズには明白だったが、ソープがやってきて住みついていたのだ。彼を目にすることはなかったが、いつもそこにいるのはわかっていた。毎晩、仕事から帰ってくると、おなじみのささやきに迎えられた。「わたしが合図を出すときに備えるんだ」また、夜になるとよくあったのだが、深い眠りからいきなり目が覚めると、ソープの存在が感じられた。ついさきほどベッドから離れて、部屋の暗がりのどこかで機をうかがい、見張っているようだった。階段をおりるときについてくることも多かったが、踊り場のガス灯の炎は弱々しく、姿は見えなかった。部屋に入ってこないときもあったが、窓の外に浮かびながら、汚れたガラスを透かして覗きこんだり、風のかん高い叫びにのせて、ささやきを部屋に送りこんだりした。

というのも、ソープが来たのは、しばらくとどまるためだったからだ。ジョーンズも気がついていたが、彼を追い払うには、正義をくだす任務を全うし、彼が機をうかがっている目的を果たさなければならないらしい。

その間、日々がすぎていくうちに、彼はすさまじい葛藤を経験し、まぎれもない本心から結論をくだした。「大いなる赦しの境地」には手が届かないので、もう一方の道を選び、自分の手にゆだねられた秘密の知識を使って――正義をなすのだ。決心して間もなく気がついたが、ソープは、これまでと異なり、昼間も放っておいてはくれず、事務所にもついてきて、勤務している間もほとんどそばを離れなかった。彼のささやきは、街にいても列車に乗っていても、職場である支配人室にいても聞こえた。ときに警告し、ときに急き立てたが、肝心の目標をあきらめろとは絶対に言わなかったし、一度ならず、あまりにもはっきりと聞こえるので、事務員はほかの人間も耳にしているにちがいないと思った。

彼は完全に取りつかれていた。昼も夜も絶え間なくソープに監視されているのが感じられて、時が来たら一人前の男らしく任を果たさねばならないのだと悟った。さもなければ、自分の目にも他人の目にも敗残者と映るにちがいない。

覚悟が決まってしまえば、行動に移る上で邪魔になるものなどなにもなかった。拳銃を一挺買って、土曜の午後は、エセックスの海岸にある、ひと気のない場所で的を相手に練習した。砂の上には、支配人室の寸法通りにしるしをつけた。日曜日も忙しく、練習のために宿屋で一夜を過ごし、いつもなら貯金している給料を旅費と弾薬代にあてた。どこにも抜かりはなかった。失敗するわけにはいかないからだ。数週間ののち、彼は六連発拳銃に熟達したので、支配人室でとれる最大距離の二十五フィート先から、半ペニー硬貨を狙い、十二枚中九枚を撃ち抜けるようになった。しかも、縁には傷ひとつつけなかった。

先延ばしにしたいとは微塵も思わなかった。この一件については、思いつくかぎりあらゆる視点から考えてみたし、決意は揺るがなかった。それどころか、考えるほど誇らしくなった。自分は正義の道具に選ばれ、然るべき凄絶な罰をくだす役を任されたのだ。復讐心にいくぶん影響されて決心したのかもしれないが、自分ではどうしようもなかった。いまでもときおり、熱された鎖に手首と足首を焼かれ、猛烈な激痛に骨まで刺し貫かれるのを感じるのだ。じわじわと焼かれていく背中のひどい痛みも覚えていたし、死が訪れて苦しみを終わらせてくれるはずだと思ったのに、そうはならず、新たな持久力が湧きあがってきて、このさきも苦痛がつづくというぞっとする展望が開け、失神するのがさらに遠のいた瞬間も覚えていた。そして、ついには熱された鉄が目に……。なにもかもがよみがえってきて、考えただけでも冷たい汗が噴き出した……壁板のそばの下劣な顔……浅黒い顔に浮かぶ表情……。手がひきつった。血が沸きたった。どうやっても、復讐という考えを頭からすっかり追い出すことはできなかった。

　何度か、獲物にその場から逃げられることもあった。ささいなことが起きて、行動に移ろうとした途端に邪魔が入るのだ。初日がその一例で、支配人は暑さのせいで倒れてしまった。またあるときは、彼は決行しようと考えていたのだが、支配人がそもそも事務所に来なかった。三度目は、手を実際に尻ポケットに入れるところまでいったが、突然、ソープのぞっとするささやきが聞こえて、待てと言われた。ふりかえって見てみると、気がつかないうちに、会計主任が音もなく部屋に入ってきていた。ソープはどうやら、彼がなにをしようとしているかわかっており、しくじらないようにするつもりらしい。

　しかも、彼の気のせいかもしれないが、会計主任に見張られているようだった。いつも思いがけない場所で出くわしたし、会計係からそこにいたわけを聞いても、いまひとつ腑に落ちなかった。また、彼の行動は、急に同僚の注意を引くようになったらしい。というのも、事務員がしょっちゅう送りこまれてきて、どうでもよい質問をするのだ。全体で共謀してずっと見張っているらしく、職場である個室で支配人とふたりきりになる機会がなかなかなかった。一度など、会計係からかなり踏みこんだ話をされて、もし休みたいなら、いつもより早く休みをとってもかまわないと言われた。最近は根を詰めて働いているし、暑さはすさまじくからだに堪えるからね、とのことだった。

　彼の目にとまったのは、それだけではない。街にいると、ときどき、何者かに尾行されるのだ。どうということはない外見の男で、正面きって顔をあわせたり、実際に行き会ったりはしなかったが、いつも同じ列車や同じバスに乗っており、ふと気がつくと、そのまなざしが新聞越しに自分を観察していることがよくあった。一度など、夕食をとりに出かけようとしたら、この男が下宿の玄関で待ちかまえていた。

ほかにもいろいろと目につくことがあり、なにかが計画をくじこうとしているのだと考えるようになった。すぐに行動しなければ、こうした敵対勢力に邪魔されるかもしれない。

かくして、急に結末を迎えたが、それはソープにも得心がいくものだった。

七月の末ごろ、ロンドンではこれまでになく暑い日がつづいていた。シティ地区はオーブンも同然であり、細かい塵のせいで、通りや事務所にいる勤め人はのどを焼かれる思いだった。恰幅のよい支配人は、巨体ゆえにひどく苦しんでおり、出社したときには、暑さで汗だくになり、息を喘がせていた。明るい色の傘を持っているのは、頭を守るためらしい。

「まあ、それだけではじきに足りなくなるだろうよ」ジョーンズはひとりで静かに笑いながら、支配人が入ってくるのを見ていた。

拳銃はしっかり尻ポケットに収まっており、六つの薬室はすべて装填済みだ。

支配人は、彼の顔に笑みが浮かぶのを見て、じっと視線を注ぎながら、隅にある席についた。数分後、呼び鈴に触れて、会計主任を呼んだ――鳴らしたのは一度だけだ――それから、ジョーンズに、上階の部屋にある別の金庫から書類をとってきてくれと頼んだ。

内なる深い震えが秘書を襲ったのは、これが用心のためだと気がついたからだった。敵対勢力が歯向かってきているとわかったが、もはや先延ばしにはできないし、午前中のうちに実行しなければならないと感じた。邪魔があろうがなかろうが関係ない。それでも、彼はおとなしくエレベーターに乗ってひとつ上の階へ向かい、金庫の組み合わせ錠をいじった。番号を知っているのは、彼と会計主任と支配人だけだ。そうしていると、ソープのぞっとするささやきがすぐうしろから聞こえた。

「きょうやらなければだめだ！　きょうやるんだ！」

書類を持っておりると、支配人はひとりきりだった。部屋は竈《かまど》のような暑さで、入った途端によどんだ熱気が顔に押し寄せてきた。戸口をまたいだ瞬間、彼は悟った。会計主任と仇敵が話題にしていたのは自分だ。ふたりは自分について話しあっていた。どういうわけか、なにか隠しているという疑いが頭に浮かんだのかもしれない。ここ何日か、ずっと見張られていた。ふたりとも怪しんでいるのだ。

どう考えてもいま行動すべきだ。ここで逃せば、機会は永遠にめぐってこないかもしれない。耳元でソープの声が聞こえたが、もはやただのささやきではなく、朗々たる人間らしい声で、はっきりとしゃべっていた。

「いまだ！」そう言っていた。「いまやるんだ！」

部屋にはだれもいない。支配人と自分だけだ。

ジョーンズは自席の近くに立っていたが、うしろを向いて、大部屋に通じる扉に鍵をかけた。大勢の事務員がワイシャツ姿で書類と格闘しているのが見えた。扉の上半分はガラスでできているのだ。彼は完璧に平常心を保っており、心臓の脈も落ち着いていた。

支配人は、鍵がまわるのを耳にして、きっと顔をあげた。

「なにをしている？」即座に尋ねた。

「扉に鍵をかけただけです」秘書は単調な声で答えた。

「なんのために？　だれがそうしろと言ったんだ――」

「正義の声が、ですよ」ジョーンズはそう答えて、憎い顔を真っ向から見すえた。

支配人は、一瞬だけ険悪な顔つきになり、憤怒のまなざしで部屋の向こうからにらみつけてきた。にらんでいるうちに、突然、表情を変えて笑おうとした。どうやら優しくほほえんだつもりらしいが、けっきょく怯えた顔になってしまった。

「この暑さならそれも悪くないかもしれんが」彼はなんでもないような調子で言った。「鍵をかけるなら外に出てからのほうがよくないかね、ジョーンズくん」

「そうは思いませんね。それでは逃げられてしまいますから。いまは逃げられませんよ」

ジョーンズは拳銃を取り出し、相手の顔に狙いをつけた。銃身のさきに見えたのは、長身の浅黒い男の顔だった。邪悪で陰険な面立ちだ。すると、輪郭がわずかに震え、支配人の顔に入れ替わった。死人さながらに青ざめており、汗でてらてらしている。

「四百年前、お前はぼくを拷問し、死に追いやった」事務員は相変わらず平板な声で言った。「そしていま、ぼくは正義なすものたちに選ばれ、お前に罰をくだす」

支配人の顔は赤く燃えあがったかと思うと、再び真っ白になった。すかさず通話機に向かい、片手を伸ばしたが、その瞬間、ジョーンズが引き金を引いた。手首が砕け散って、背後の壁を血で染めた。

「鎖で焼かれた箇所はこれでひとつ」彼は心中で静かにつぶやいた。手はまったくぶれず、気分は英雄だった。

支配人が立ちあがった。痛みに悲鳴をあげ、目の前の机に右手をついてからだを支えた。だが、ジョーンズが再び引き金を引き、弾丸が右手首に撃ちこまれた。大男は支えを失い、派手な音を立てて机に突っ伏した。

「気でも狂ったか！」支配人は金切り声で言った。「その拳銃を捨てろ！」

「これでもうひとつ」ジョーンズはほかになにも言わなかった。次に備えて、慎重に狙いをつけている。

　大男は悲鳴をあげ、もたもたと這いずって机の下に逃げこみ、必死で隠れようとした。だが、秘書は一歩進み出て、飛び出している脚を狙って立てつづけに二発撃ちこんだ。一発を一方の足首に、次の一発をもう片方に命中させた。どちらも粉砕され、おぞましいありさまを呈している。

「鎖で焼かれた箇所がさらにふたつ」彼はそう言って、少し近づいた。

　支配人はいまだに絶叫しており、死にもの狂いで巨体を縮め、机の下の空間に隠れようとしていたが、大柄すぎて、禿頭が反対側から飛び出していた。ジョーンズはその太い首筋をつかむと、わめき声にもかまわず、絨毯の上に引きずり出した。相手は血にまみれており、打ち砕かれた手首で這おうとむなしくあがいていた。

「早くやるんだ！」ソープの声が叫んだ。

　扉のところから、ものすごいどよめきとどんどんたたく音が聞こえた。ジョーンズは拳銃を握りしめた。なにかが脳内ではじけたらしく、一瞬だけ頭が澄みわたった。自分のそばに、ぼんやりとした巨大な姿を見たように思った。引き抜いた剣を手にしていて、目は爛々と燃えており、厳かながらも満足している様子だ。

「目を忘れるな！　目を忘れるな！」宙に浮かぶソープが戒めるように言った。

　ジョーンズは神のような気分だった。神の力とともにあるのを感じた。復讐は頭から消えた。いまの彼は私情を捨てて行動していた。ひとつの道具に徹し、正義をなして罪の清算をつかさどる〈見えざるものども〉の手に己をゆだねていた。からだをかがめ、銃身を相手の顔に近づけた。薄笑いを浮かべながら、腕で頭を守ろうとするおとなげない動きを見ていた。そして引き金を引いた。弾丸は右目をまっすぐ貫き、皮膚を黒く染めた。拳銃を反対側へ二インチ動かすと、次の一発を放って左目を粉砕した。からだを起こし、餌食を見おろして、満足げに深いため息をついた。

　支配人は一秒だけ、痙攣するように身をよじらせていたが、その後はぴくりとも動かなかった。

　いまや一瞬たりともむだにはできない。扉はすでに破られており、彼は乱暴な手つきで首をつかまれていたからだ。ジョーンズは拳銃をこめかみにあて、いまいちど引き金を指で引いた。

　だが、今回は発砲音がしなかった。味気ないかちりという音が指の力に応えただけだった。というのも、秘書は忘れていたのだが、この拳銃の薬室は六つだけであり、すべて撃ち尽くしたあとだったのだ。役立たずの武器を床に投げ捨てると、小さく笑い声をあげてうしろを向き、歯向かいもせずに投降した。

「こうしなくちゃならなかったんだ」と静かに言ったのは、捕縛されているときだった。「ただの義務だ。これからさきの覚悟はできている。ソープも誇りに思ってくれるだろう。正義がなされて、神々も満足しているのだから」

　彼は少しも抵抗しなかった。ふたりの警官に引きたてられ、事務所に集まって震えている若い事務員の間を進んでいったが、前を見ると、あのおぼろげな人影がまたしても悠然と歩んでいた。燃える剣をゆったりと振るって円を描き、〈別の領域〉から押し寄せてくる大量の顔を追い払っていた。

輪廻転生の物語

遠い記憶の球体

The Globe of Memories

シーベリー・クイン　Seabury Quinn

熊井ひろ美訳

ライトノベルでお馴染みの「異世界転生」ですが、《火星シリーズ》のジョン・カーターを筆頭に、往年のSFやファンタシーの主人公たちも、しばしば異世界に転生しています。『ウィアード・テールズ』一九三七年二月号に発表した本作で、傑作「道」（『幻想と怪奇7』所収）で知られるパルプの巨匠が語るは、十三世紀のイタリアに転生したアメリカ青年の冒険と恋の輪廻。なお、本作では怪奇的な要素として廃墟、陰謀、地下牢、拷問と共に病気も描かれていますが、時代背景とゴシック小説の約束事を踏まえたものとして御理解いただけますよう。

モンタギューは、手に入れたばかりの品物を愛おしげに眺めた。三番街がマレー・ヒルの東側に接するところに立ち並ぶ〝骨董屋〟の迷宮をぶらついている最中に、クリスタルガラスの小さな球体を見つけて、ひと目見たとたんに心惹かれたのだ。自宅のガラス窓に付けた棚の三段目に空きがあるので、その小さくてかすかに虹色を帯びた球体はそこに見事におさまるはずだ——まるであつらえたかのように。

彼はそのガラス玉を机の上に置き、透明な内部をじっと見つめた。直径は三インチほど、水晶のように澄んでいると同時にかすかに曇っており、中心部に建っている小さな家は、銃眼付きの塔がいくつも並び、城のような屋根で覆われている。その外防備から緑の段丘が斜めに下っていて、どれも繊細なきらきら光るガラスで作られたもので、背景には、ほとんど顕微鏡でしか見えないほど小さく、城壁をめぐらした町の塔や屋根が見えている。「これを作ったのが中国人だかフランス人だかチェコ人だかわからないが、器用なもんだな」モンタギューはにこにこしながら、ガラスの球体を目の高さまで上げて、透明な中に日光がゆらめくのを眺めた。「きっと――おっと！」彼は驚いて言葉を切り、当惑して目をしばたたかせた。手を動かしたときに、球体を満たしている液体のなんらかの沈殿物がかき乱されて、ぼんやりとした薄暗さが小さな城を覆い隠し始めたのだ。けれども、それはかき回された沈殿物の石灰のような白さとは少し違っていて、むしろゆっくりと漂う煙や徐々に濃くなる霧の渦に似ていた。

彼は頭を振って視界を晴らそうとした。きっとあれだ。光にかざしたクリスタルガラスの中をじっと見つめていたせいで、目がくらんでしまったのだ。球体の中で渦巻く不可解な霧が見えないように目を閉じて、書斎の中は隅々までわかっているのでなんの不安もなく、その小さな球体をテーブルの上に戻そうとして歩き出した。一歩、二歩と前に進んだそのとき、足の下から聞き慣れない音がしたので、思わず目をぱっと開いた。

歩いていたのは、書斎の床の使い古したハマダン産ペルシャ絨毯の上ではなかった。そこは砂利道で、自分は裸足にざらざらした生皮のサンダルを履いていた。

「これはいったい――おや、なんと！」彼はつぶやいた。厚ぼったいガウンのようななにかが向こうずねにパタパタと当たり、歩きづらくなっていた。それはざらついた目の粗《あら》い生地で、なんとも言い難い青みがかった灰色をしていて、首から足首までその生地で覆われている。喉元から胸の上を通って服の裾近くまで、粗いサージのエプロンのようなものがぶら下がっており、その下のウエストあたりにはざらざらした麻紐でできたベルトが巻かれていて、端の結び目が歩くたびに膝に当たっている。髑髏《どくろ》の形の重たいビーズを鉄の鎖に通したものがベルトから垂れ下がっていて、小さいビー玉ぐらいの大きさのビーズが十個ずつ並び、ハシバミの殻の大きさの玉で区切られている。そして一番端には胡桃《くるみ》大のビーズが付いていて、真鍮と木でできた十字架がそこからぶら下がっていた。

「なんとまあ！」モンタギューはあえぎながら言った。「これは中世の修道士の衣装じゃないか！　いったい――」何気なく手を上げて髪をかき上げようとしたが――当惑したときによくする仕草だった――びっくり仰天して鋭い悲鳴をあげた。彼の髪はこめかみのあたりまでふさふさと伸ばしており、生まれつきの巻き毛に子供のころはたびたび手を焼いたものだった。しかしいま、頭全体を撫でてみると、つるつるした頭皮に指が触れて、頭蓋帽《スカルキャップ》で区切られたかのように円形に髪が剃り落とされ、耳の前とうなじから上も剃られて、短く刈られた髪が頭の周囲に細い線のように残されているだけで、まるで完全な禿げ頭に無精髭の冠がかぶせられているかのようだ。

「もしこれが夢ならば」彼は自分に言い聞かせた。「実に不愉快な夢だ。きっと――」

　空中を満たしている霧の向こうに、誰かの人影が現れた。長いガウンを着ている。最初は男なのか女なのかはっきりしなかったが、近づいてくるにつれて、髪を耳の下までの長さに切り揃えた男だとわかった。くすんだ暗緑色の毛織物のような、ゆったりしたガウンを着ている。その下にタイツのように長くて赤い靴下を身につけ、足には先の尖った細長い靴を履いており、黒い直毛の頭の上には鷺の羽根飾り付きのとんがり帽子が載っていた。肌はとても黒ずんだ色で、非常に大きく黒い、深くくぼんだ目をしているので、突き出た眉の下に楕円形の真っ暗な穴があるように見える。

「主と共にあらんことを《ドミヌス・テクム》、フラ・アルベルトゥス（「フラ」は修道士の名の前につける呼称）」男はラテン語の挨拶を口にして、冷ややかで嫌な笑みを浮かべた。

「平和と共にあらんことを《パクス・テクム》」モンタギューはそう応じて、無意識のうちに右手を上げて十字を切っていた。

「なぜあんなことをしたんだろう？」彼は砂利道を歩きながら自分に問いただした。「もちろんあれは正しい振る舞いだったわけだが、どうしてそんな知識を――」その声は次第に小さくなり、目の当たりにした光景に対する驚きで言葉を失った。

　霧はもう晴れていて、目の前には城があり、銃眼付き胸壁が鮮やかな青空にくっきりと浮かび上がっている。その正体はすぐにわかった。逐一比較してみれば、それはあのガラスの球体の中にあった城で、十万倍に拡大されているが、忠実に再現されていた。谷間には、小さな町の城壁や塔や赤い瓦屋根が日の光に照らし出されている。

　短く刈り込まれた草に覆われた段丘が、城壁から小さな川まで広がっていた。傾きかけた太陽の光の中で緑に輝いて、上段は広い堀に続いており、下のほうの土手には古木の落とす濃い影が点在している。派手な服装の若い男の一団が緑地で輪投げに興じていて、彼が通りかかると若者たちは遊びを中断して恭《うやうや》しく挨拶をしてきたが、心はまったくこもっていなかった。「主と共にあらんことを《ドミヌス・ウォビスクム》」彼はそうつぶやきながら、例のなじみのようでなじみでない身振りで片手を上げ、まっすぐ歩き続けて跳ね橋を渡り、城門の中に入った。

鉾槍《ほこやり》で武装した兵士が一ダースほど、真鍮の兜と胴《どう》鎧《よろい》とコードバン革の長靴を身につけた姿で衛兵詰所にたむろしていた。こいつらはチェコ人だ。明るい目をして黄色い顎鬚《あごひげ》を生やしたダルマティア出身の傭兵で、この天下でパンと塩のほかに忠誠を尽くすものはない。彼らの長が、友情も敵意も示さずにモンタギューを出迎えた。

「お待ちしておりました、フラ・アルベルト」と衛兵長は言った。「礼拝堂へどうぞ。ご到着を伝えるよう、従者をレディー・フルヴィアのところへ行かせます」

この衛兵の話す言葉が英語ではないことはモンタギューにもわかったが、何語なのか見当もつかなかった。いずれにしても、理解するのに支障はなかった。

「礼拝堂まで案内の者をつけてくれないか?」彼はそう答えながら、自分がその衛兵長が使っているのと同じ未知の言語を話していることに気づいた。「太陽の光で目がくらんでしまったもので」

衛兵長は鋭い視線を彼に向けたのちに、長椅子でくつろいでいる部下の一人のほうを向いた。

「〝悪魔を欺く御仁《ごじん》〟を礼拝堂へご案内しろ」と衛兵長は命じた。「あの目には闇が宿っている」

快くとは言い難い様子で部下は立ち上がり、剣を飾帯に吊るしてから、先に廊下を歩き出した。

城の内部は、まるで密閉された霊廟《れいびょう》の中のように寒かった。石壁のあちらこちらに、暖められていた空気中の水分が凝結し、水滴が汗のように流れ落ちていた。ときどき、一定の間隔などではないのだが、石壁にフランドルのタペストリーが掛けられていた。そこここに小さな水盤のような石のランプが壁から突き出ていて、その中に火の灯った芯が浮かんでいるのだが、おもな照明はきらきらしたヴェネチアガラスのシェードが付いた吊りランプの光で、赤や菫色や緑色の斑点が灰色の床タイルにちらばっていた。

礼拝堂は、涼しい薄明かりの聖域だった。狭い窓の複雑に彫られた縦仕切りを通ってわずかな光が斜めに射し込み、床に網目のような模様を形作り、石の床に広げられたイスファハン産ペルシャ絨毯の燃え立つような色を鮮やかに浮かび上がらせている。キリストの降誕を描いたタペストリーが一方の壁に掛かっていて、彫刻を施した十字丸天井からは、輝くルビーガラスをはめ込んだ銀の打ち出し細工の聖体ランプ（聖堂内で聖体のある場所を示す赤いランプ）がぶら下がり、大理石の祭壇を覆う真っ白なリネンと真鍮製の十字架に赤い光を投げかけている。祭壇の反対側には祭服室の入り口があり、臙脂《えんじ》と鮮やかな黄色のストラ（聖職者が肩に掛けて膝下まで垂らす帯状の布）と侍祭（下級聖職階の一つ）の祭服一式が掛けられている。祭服室の扉の横に、古びて色あせたオーク材の告解室が設けられていた。モンタギューが咄嗟に告解室の扉を素早く開けて中に閉じこもると同時に、女の服の衣擦れが聞こえた。

格子越しにぼんやりと見える女の姿は、背の高いほっそりとした体に地味な黒い服をまとい、白いベールを頭に巻いて顔のまわりをゆるく覆っていた。そこまでのことは見て取れたものの、肌が浅黒いのか白いのか、若いのか年寄りなのか中年なのかは、よくわからなかった。

「祝福を、神父さま、わたしは罪を犯しました」弱々しい小さな声が聞こえてきたので、彼が格子に頬を押しつけると、穏やかな吐息が耳に感じられ、女の服にまとわりついた花の香水の匂いがかすかにじらすように漂ってきた。

機械的に、無意識に、それでも完璧に、彼は適切な返答をおこない、適切な詳しい質問を投げかけながら、そんな自分に驚嘆した。ユニテリアン派の信徒として生まれ育ち、父も祖父もその形式ばらない宗派の熱心な信者だったというのに、彼は本能的にローマ・カトリックの典礼規定の微妙な違いをすべて知っていたのだ！

告解は短く終わり、十五分も経たないうちにモンタギューは汝の罪を赦す《アブソルウォ・テ》とつぶやき、告解者は来たときと同じように無言で立ち去った。

彼はゆっくりと、ひざまずいていたクッションから立ち上がり、告解室の外に出てから、礼拝堂の扉の脇にしばらく立っていた。次になにをすべきなのか、さっぱりわからなかった。ひょっとすると、来た道を戻って城の入り口を見つければ――

「よう、悪魔から身をかわす御仁」大声で呼びかけられた。「お嬢さまが部屋に来るようにと命じておられるぞ。朝食を一緒に召し上がりたいと仰《おお》せだ。福音なんぞ口先だけの代物だな、なあ？　思うに、修道士でさえ空腹を忘れられる見込みはないのだろう」

「従者よ、無駄話はやめろ。お嬢さまの部屋へ案内するんだ」モンタギューはたちまち立腹し、鋭い口調で言った。

「『従者よ』だと？　このてっぺん禿げが」衛兵が叫ん

だ。「なんとまあ、その長いローブさえ着ていなければ――」半ばおどけたように、半ば腹立たしそうに、彼は鉾槍の先端をモンタギューに向けて突き出した。

　次の瞬間、彼は床の上にぶざまに倒れていた。モンタギューが彼の手から槍の柄をひったくって一撃を加えてやったからで、モリオン（おもに十六～十七世紀の兵士がかぶった帽子型の兜）で頭蓋骨が保護されていなければ気絶していたほど強烈な一撃だった。

「おい、ケルンの聖処女七千人にかけて、修道士だろうとそうでなかろうと、おまえのはらわたを引きずり出してやる！」衛兵はそうわめくと、ぱっと立ち上がって剣を引き抜いた。

　彼が襲いかかった相手はフラ・アルベルトゥスだが、実際の相手は予備将校隊アルバート・モンタギュー大尉で、銃剣の達人であり、フェンシングのフルーレとサーブルで三度もメダルを獲得している人物だった。剣の鋼と鉾槍の鋼がガシャンと打ち合わさった。衛兵が剣で殴打しようとしてくる一方で、モンタギューは着実に相手に向かって前進しつつ、常に鉾槍の先端で威嚇し、決して安心させなかった。衛兵は素早い突きをぎこちなくかわしたあとで、狂ったように突きかかってきた。モンタギューはこの時を待っていた。素早く突き返すと、自分の長い武器を衛兵の剣の下に差し入れてから、腕の動きを途中で止めて、鉾槍の幅広の先端を持ち上げて、平たい面を敵の前腕に力を込めて押しつけたので、敵の力無い指先から剣がガチャンと落ちて、武器を失い無防備になった彼の目に鉾槍の刃がきらりと光り、死の脅威を感じさせた。

　柔らかなてのひらを打ち合わせたようなパチパチという軽やかな音が重々しい静寂を破って響き渡り、冷ややかで高飛車な声が次のように命じた。「罪の赦《ゆる》しと、情けの一撃《クー・ドゥ・グラース》を与えておやりなさい、修道士さま。本人もそれを望んでいると思うわ。それにわたしも」

　モンタギューはその言葉を聞くとくるりと向きを変え、頬が上気してくるのを感じた。穏やかな皮肉のつもりというだけではないのは間違いない、と思った。言葉の主は、彼が丸腰の敵を殺すのを本当に見たがっているのだ。

　吊りランプの薔薇色の光を背景にして立つ彼女は、中世の騎士物語の挿絵のように見えた。背が高く、すらりとしなやかで、超然として誇り高く、まるで魔王の腹違いの妹のようだが、あまりにも美しく、その姿を見た彼は息もつけなくなるほどだった。

　彼女は濃い菫色の袖の広い外套を着ており、豪奢なオコジョの毛皮の縁取りをあしらった外套の下は、金糸織りのほっそりしたドレスだった。艶《つや》やかな髪は真ん中で分けられ、分かれた髪の流れは二本の太いお下げに編まれて膝まで届き、糸に通した真珠が編み込まれている。頭の上には、髪の輝きには劣るものの、金色の網レースに小粒の真珠をぎっしりと縫いつけた小さな帽子が載っている。幅の狭い足に履いているのは先の尖ったクリーム色の革靴で、金糸で刺繍をして、菫色の絹のアップリケが施され、小さなサファイアが先端に散りばめられている。顔はパロス島産の大理石のように青白いが、柘榴《ざくろ》色の唇だけが深紅の線を描いており、瞳は夏の空のように澄み切った青色だ。穏やかで愛らしく、傲慢そうな細い顎、先細りの長い眉、尊大そうな狭い鼻孔。ほっそりした体の若さが金色のドレス越しにきらきらと輝いていて、まるで磨き上げられた象牙越しに輝く青白く熱い炎のようだ。

「おやりなさいな、修道士さま」と彼女は命じ、つのる期待で狭い鼻孔がほんの少しだけ広がった。「あれは痛烈な一撃だったわ。決着のつくところが見たいの」

モンタギューはいらいらして肩をすくめた。「ほら、おまえ、武器を受け取れ。今度喧嘩をふっかけるときはもっと慎重にやれよ」そう忠告し、鉾槍を衛兵の足元に放り投げた。

「お話があるとのことでしたね、お嬢さま?」彼は冷ややかに堅苦しくお辞儀をしながら尋ねた。

「あらまあ、まったくもって、礼儀正しいお育ちのようね」娘はそう答えつつ、相手の素足にサンダルを履いた足と、粗製麻布のガウンと、剃った頭を品定めするように冷淡な目でさっと眺めた。「今日、朝食をご一緒できれば、気分直しになりそうだわ」

そして黙ると柔らかい靴底の靴でくるりと向きを変え、先に立って廊下を歩き出した。

案内された部屋は、谷間を見渡せる塔の一部分を占めていた。ほぼ円形のかなり広い部屋で、壁沿いに据えつけられた長椅子には、鮮やかな色の絹のクッションがあちこちに置かれている。家具の数は少なくまばらだったが、間違いなく優雅な品で、天井から吊り下げられたブロンズのランプ同様、東洋風のデザインのものだった。

彼女が銀の銅鑼《どら》を鳴らすと、ほとんど瞬時に給仕女が現れ、食べ物を山と盛った木製の盆を運んできた。銀の皿には鳩の葡萄酒煮が盛られ、ひと塊の白パンが大皿を美しく飾り、銀の水差しからは香辛料を入れて温めた葡萄酒のかぐわしい湯気が渦を巻いて立ち昇っている。小さな山羊の角が二個、銀のスタンドにはめ込んで精巧な象眼細工を施したものがゴブレットとして供され、デザートはマジパンで作ったコンフィット（木の実や果物の入った砂糖菓子）だ。フォークもスプーンもないが、よく切れる小さな短剣が二本、盆の上に置かれており、それを使って葡萄酒煮の鳩を切り分けて肉を口に詰め込み、食べる合間に指を香り付きの温水の入った広口の水差しに浸し、白いリネンのナプキンで拭くのだ。

食事中、娘は黒く縁取った目で物珍しげにモンタギューを観察していた。

「あなたはいくぶん変わったように思えるわ、フラ・アルベルト」とうとう彼女はそう述べて、モンタギューが目を上げたとき、彼女の片頬に一瞬えくぼが浮かぶのが見えた。

磨き上げられた銀の鏡の中に、自らの姿が映っていたが、それはモンタギューの知っている自分ではなかった。顔は自分に似ているものの、白く輝く無毛の頭皮が短く刈られた髪の細い縁取りでぐるりと囲まれた頭は、まったく見慣れない容貌だ。粗布のガウンの襟が高く首の周りを覆っていて、背中のほうには頭巾《カウル》付き僧衣の頭巾が膨らんでいるのが見える。

「ええ、変わっております」鸚鵡《おうむ》返しに答えながら、鏡に映る禿げ頭から目をそらした。「今朝とは違う男になっているのは、間違いありません」

「男？」彼女は、辛辣な皮肉をかすかにこめて繰り返した。「すると、修道士は男なの？　第三の性の持ち主だとばかり思っていたわ。男でも女でもなくて、ほら、蜂蜜を作らない蜂のようにね」

モンタギューは頬が熱くなるのを感じた。この小娘、この中世の野蛮人め、おそらく自分の名前も書けないくせに！　怒りに満ちた反論が口元まで出かかったが……。

「わたしに関しては、どのようにお思いなのですか、お嬢さま《マ・ドンナ》？」こう返答する自分の声が聞こえた。娘は少しの間、モンタギューをじっと見つめた。無垢な青い瞳で、彼のサンダルを履いた足から剃髪した頭までじっくり眺めると、それがかなり面白かったらしく、よく動く唇にかすかに笑みが浮かび、両頬がえくぼらしきものでごくわずかにへこんだ。

「訊かれたので答えると、あなたは修道士というより男だと思うわ」と彼女は答えた。「礼拝堂の扉のそばでウルサルと喧嘩しているのを見て、一瞬あなたが串刺しになりますようにと祈ったのだけど、あなたがどれほど男らしく戦っているのかわかったとき、あなたのためだけに祈ったわ。いやまったく、敵の剣を奪ったあの一撃は、実に抜け目なかったわね！」

「でも、なぜわたしが突き刺されるようにと祈ったのですか?」とモンタギューは尋ねた。

自尊心と混ざり合った反抗心が、娘の青白い貴族的な顔に浮かんだ。「遊歩道の砂利の上にむき出しの膝をついている間に唱えられた、あの〝アヴェ・マリアの祈り〟二十回と〝主の祈り〟二回は、キリスト教的な愛を生じさせるものではなかったわ」

モンタギューはびっくりして彼女を見た。「〝アヴェ・マリアの祈り〟二十回……砂利の上にむき出しの膝をついて?」ゆっくりと繰り返して言った。「それはいつ——」

質問の声は、娘の顔を見ているうちに途切れた。半ば不思議そうに、半ば恐ろしげに、彼女はモンタギューを見つめていて、その唇は少し開いたままで、なにかに気づいておびえているような表情が瞳に浮かんできた。ほっそりとした片手が喉のあたりに当てられて、その人差し指に紫水晶の印章付き指輪がきらりと光った。

「その目も——その声も——違っている——」彼女は話し始めたが、誰かの人影が戸口をふさいだとき、いきなり言葉を切った。

モンタギューが城に近づく途中で出くわした男が、冷たい笑みを浮かべて立ったままこちらを見つめていて、その黒い瞳があざけるような笑いで輝いているように彼には思えた。

「あらまあ、アントニオさま?」とレディー・フルヴィアが尋ねた。「お招きもしていないのに、お部屋にいらっしゃるとは——」

「食事中に男を一人もてなすことができるのならば、婚約者の訪問に気分を害する権利はほとんどないように思われるがね」男はお辞儀をしながら答えた。

「まだ婚約者ではありませんわ」と彼女は言い返した。「それに、わたしは部屋で男の方をもてなしたりなどいたしません。ご存じでしょう、フラ・アルベルトはわたしの聴罪師さまですから、わが魂のために話し合う必要があるのです」

男は深くくぼんだ目に皮肉めいた表情を浮かべて彼女を眺めたが、返事はしなかった。その代わりに、モンタギューのほうを向いて念入りに観察した。「あなたは〝神の人〟としてだけでなく〝武器の人〟としても卓越していると聞いているよ、フラ・ベルト」彼はゆっくりと言った。「男らしき力強さのまさに模範だな。とはいえ、ご婦人の心を惹きつける男らしき美しさには、いささか欠けているようだがね」彼はモンタギューの頭の外見を損ねている剃髪部分に好奇の視線を向けたのちに、またしても皮肉めいた笑みを浮かべながらこう言った。「それでも、修道士であっても若く頑丈ならば、男がいないよりはましなのだろうし――」

「アントニオ！」レディー・フルヴィアは頬を真っ赤に染めて彼に向き合い、小さな手の爪がてのひらに食い込むほどこぶしを握りしめた。

「なんと卑劣な！」脚にまとわりつく司祭平服《カソック》の邪魔をものともせず、モンタギューは二歩の大股で部屋を横切り、かの男の両肩をぐいとつかんだ。「レディー・フルヴィアに謝れ、さもなくば――」

彼女の悲鳴が危険を警告してくれたので、モンタギューがちらっと見下ろすと、ちょうどアントニオの手が帯に差した短剣を引き抜こうとしているところだった。

モンタギューは右手を急いでゆるめながら左手を突き出し、相手を半回転させて、離したほうの手を相手の脇の下に滑り込ませて、ハーフネルソン（レスリングの首攻めの一種で、相手の後方から片腕だけを羽交い締めにして、首の後ろで組んだ両手で後頭部を押し曲げる）の形で首を押さえつけて、力一杯ひねった。

予期せぬ圧力を加えられたアントニオはもんどり打ち、頭から床に落ちて絨毯の上にぶざまに倒れた。

「なんと！」《サント・ディオ》彼は膝をついて起き上がったが、その目は恐怖のあまりぎらぎらしていた。「おまえは人間じゃない、悪魔――」

モンタギューのこぶしが彼の口に叩きつけられて、言葉が途切れた。

「レディー・フルヴィアの許しを請うのだ、さもないとこてんぱんに叩きのめしてやるぞ！」とモンタギューは警告した。「両手を上げろ、この犬野郎。両手を上げて神に祈り、われこそは下劣な大嘘つきなりと名乗ってみろ！」

「いえ、いえ、フラ・ベルト、もう打たないで！」モンタギューがこぶしを後ろに引いたとき、娘が懇願した。「アントニオは心から後悔しているのよ。軽率な物言いをしてしまっただけで、本気で言ったわけではないのだから――」

「わたしは軽率な物言いをして、心から後悔している」男は、真っ青な唇で繰り返した。「ああどうか、わが従妹《いとこ》よ、わたしを放免するよう彼に命じてくれないか！」

「放免するから立ち去りなさい」彼女は、むしろ気だるげな口ぶりで答えた。

アントニオは震えながら扉に向かってよろよろ歩いていったが、戸口で振り返り、両手の親指をてのひら側に曲げて、その上に中指と薬指をかぶせて、人差し指と小指をまっすぐ伸ばした。こうして握ると、その両手をモンタギューのほうへ突き出した。

「うせろ、サタンよ！」彼はあえぎながら言った。「わたしに危害を加えることはできんぞ――」

モンタギューが一歩前に踏み出すと、二人の間の扉はバタンと閉まった。

彼は振り返り、娘と向き合った。娘はまっすぐに立ち、両手をまるで祈るかのように組み合わせていた。

「わたしが怖いですか――フルヴィア？」彼はそっと尋ね、敬称を省いて呼びかけた。

娘はおびえていた――ひどくおびえているのが彼にはわかった。顔面蒼白で、鮮やかな唇はほとんど灰色になっていたが、瞳は見開かれ、揺らぐことなく、少し懇願するような、少し問いかけるような目つきだった。

「わたし――あなたが妖精なのか悪魔なのか、本当にわからないの」唇が震えそうになるのをこらえながら、娘はそう答えた。「ねえ、わたしに危害を加えるつもり？」

「まさか」と彼は切り返した。「なぜわたしが、あなたに危害を？」

「なぜって、悪魔はみんな――」

「わたしが悪魔だと、どうして信じているのですか？」彼は口を挟んだ。「アントニオが邪悪な男なのはおわかりでしょう。あなたを侮辱したのだから、それでわたしは懲らしめてやったのです。かの善良なる聖ゲオルギウス（イングランドの守護聖人で、竜退治の伝説で有名）は無垢の民を悪から守り、大天使ミカエルは謀反を起こした天使たちを天国から追放したではありませんか？」

「確かに」娘はうなずき、頬に色がかすかに戻ってきた。「それに、聖マルティヌス（フランスの守護聖人）は軍人で、戦いで強さを発揮して――」

「やあ、ならば」彼は笑った。「怖がる必要がないのはおわかりでしょう。わたしはご婦人に危害を加えたことは生涯一度もありません。それどころか」自分の寛大さという話題につい熱が入り、つけ加えた。「虫だろうと、刺されない限り殺したことはありませんよ！」

「でも――でもあなたは、わたしに〝アヴェ・マリアの祈り〟二十回と〝主の祈り〟二回を聞かせたわ――しかも、遊歩道の砂利の上に膝をついたわたしに――なぜなら、伯父の小姓たちがいじめていた小さな犬をわたしが助けてやったから。キリスト教徒は魂をもたぬ動物に優しさを示してはいけない、とあなたは言った」

「わたしが？」

「いいえ、もちろん、あなたではないのよ！」娘はきっぱりと答えた。「フラ・アルベルトがその罪を赦《ゆる》す秘跡をおこなったのだけど、あなたは――フラ――アルベルト――ではないんだわ！」

その唇はまた震えていて、ほっそりとした体が小さく身震いしているのが彼にはわかったが、娘はその場から逃げようとはせず、青い瞳の奥のおびえた表情は、半ば懇願するようで、半ば誘うようでもあった。

「わたしは誰だと思いますか？」

「悪魔なのは確かだけど、ご婦人にも虫にも危害を加えたことが一度もない、善良で優しい悪魔――ただし、おそらく、ウルサルとかアントニオとかいう名前の虫は別でしょうね」

率直で人を信じやすい子供のように、娘は彼の手の上に自分の手を置くと、狭い尖頭窓のほうへと導き、谷間の向こうの町に面した窓の外を眺めた。

「今夜は町で、盛大なカーニヴァルが開かれるの」娘は肩越しに誘うように微笑みかけた。「レディー・フルヴィアが聴罪師であるフラ・アルベルトと一緒に町へ出かけても、きっと誰もおかしくは思わないでしょう。聖アグネスの修道院の副長は親類なの。今夜は彼女のところに泊まりたいわ、そして――たとえ、しばらくの間お祭りの市《いち》にとどまったり、香具師や手品師の屋台の間で道に迷ったりしても」――そこで一瞬ためらったのちに――「修道士さまに付き添われた貴婦人がもし安全でないとしたら、キリスト教世界から美徳が消え失せているのは確かだわ。一緒に来てくださるかしら、フラ――悪魔の修道士《フラ・ディアヴォロ》さん？」

カーニヴァルは大盛況だった。紐につながった色付きのランタンが通りを渡って家から家へと張られ、夜なのに昼間のように明るい。どこもかしこも楽しい大混乱、陽気な乱痴気騒ぎだ。葦笛がピーピー、太鼓がドンドン鳴り、タンバリンも調子よく打ち鳴らされる。いくつもの屋台にいくつもの驚異が陳列されている。猿がたいまつの明かりの中で小妖精《エルフ》にふさわしい音楽に合わせて踊り、手品師や奇術師が悪魔に吹き込まれたと思しき技を披露する。麝香《じゃこう》、花香油、肉桂《にっけい》、没薬《もつやく》、乳香、沈香《じんこう》を、大勢の浅黒い顔の行商人が売っている。吟遊詩人や火食い術師、綱渡り芸人や軽業師が、生業《なりわい》とする驚異の技を披露する。床屋兼外科医に歯を抜かれた患者が泣きわめき、群衆の野次と称賛が混ざり合う。

モンタギューは頭巾を深くかぶり、黒い仮面で目元を隠した姿で、笑い合いひしめき合う人込みの間にまぎれ込んだ。そのかたわらには、菫色のドミノ（頭巾と目を覆う仮面付きのマント）で肩まで覆ったレディー・フルヴィアが、彼と腕を組んで歩いていた。彼女は頭巾を目深にかぶっていて、飲み騒ぐ者たちが無礼にもその下からのぞき込もうとしても、金色の仮面で顔立ちは隠されていた。モンタギューは一度ならず大道商人の売り物に心惹かれて買い物をするところだったが、そのたびに、修道士の着るカソックにはポケットがなく、たとえあったとしてもそこに入れる金を修道士は持っていないのだということを思い出さざるを得なかった。

二つの通りの交差点に人だかりがあり、そこには若い娘が一人いて、皮をむいたばかりの柳の小枝のように白くしなやかな肢体に綿繻子《めんじゅす》のショートパンツと銀色のブラジャーを身につけた姿で、曲芸を演じていた。「すげえ、体に骨が一本もないのかよ！」のらくら者の一人がわめいた。娘は両手と両肘を路面に置いてから、両足を頭の上に持ち上げて、ゆっくりと前に倒していったのだ。「畜生め！」と別ののらくら者が応じ、娘はしなやかな脚を肩の上で交差させて、両足を顔の前でぶらぶらと揺らして笑った。「こいつは母なるイヴを誘惑した蛇の娘にほかならないと思うぞ！」

色物のぼろ服をひらひらさせて、変色した金属の装身具で身を飾った老婆が、人込みの中を横歩きで近づき、フルヴィアの脇に忍び寄った。釣鐘型の帽子と派手な綿のスカーフの下の顔は日に焼けてぼろぼろで、複雑な皺が縦横に刻まれていたが、眼光は鋭く鳥のようだった。「ああ、可愛らしいお嬢さんや」老婆は甲高い声で懇願した。「手相を見せておくれ、このジプシーに、あんたを待ち受ける運命を占わせておくれ。愛と喜びと長寿が手に入るのは間違いないよ、高貴なお歴々と歩みを共にしてるんだから。そうだよ」老婆はそう付け足しながら近づき、フルヴィアのマントをつかもうとした。「あんたは高貴なお歴々と歩みを共にしているね、お嬢さん、そして貧乏人は金持ちのしもべで、借り手は貸し手のしもべとなるのは間違いないのさ（『旧約聖書』箴言第二十二章第七節）」

娘の仮面の下の唇に笑みが浮かぶのが彼には見えたが、それが悲しげな笑みだったので不思議に思っているうちに、娘は老婆の乾いた手の中に自分の手を置き、穏やかに答えた。「いいえ、おばさま、人は自ら蒔いたものを刈り取ることになる、と書かれているのではないかしら？（『新約聖書』ガラテヤの信徒への手紙第六章第七節）」

「ヒィー！」老婆はゼイゼイ息をしながら言った。「あんたの言う通りだよ、お嬢さん、死者の番人はまだ人数を数えている途中で、力ある地位の中にも、やがて死を告げる鐘の音を聞く者がいるだろうよ」

老婆は娘の白い手を取り落とすと、よろよろと歩いて人込みの中に入り、風変わりな帽子はすぐに色とりどりのドミノの波の中で見えなくなった。

「怒っているのでは？」とモンタギューが尋ねた。「思うに、あの女の言うことに意味などないのですから——」

フルヴィアは彼を引っ張り、絶えず腕を押しつけて、人の密集した明るい通りからどんどん遠ざけようとしていた。「いいえ」と答えるその体は、興奮か、もしかすると恐怖で身震いしているのが彼には感じられた。「あの言葉は、理解できる者にとってはおおいに意味があったのよ」

二人は、ぐるぐる動き回り笑い合う群衆からすでに離れて、いまは船着場に続く階段の降り口に立っており、その先には黒い川が、のっぺりした壁の家に挟まれてひっそりと流れていて、川面はぴんと張った黒い繻子《しゅす》のように静かに光っていた。

「しばらくの間お別れだわ、フラ・ベルト」彼女は穏やかに言った。「ある人々とお話をしなければならないのだけど、その人たちは、あなたの服があまり好きではないのよ」

「わたしの服が？」彼はいぶかるように繰り返したが、不意に意味が理解できた。「ほら、わたしは修道士ではないのですよ。悪魔だとおっしゃったでしょう——あなたご自身が、フラ・ディアヴォロと名付けてくれたのですからね。一緒に連れて行ってくれませんか？」

娘は一瞬、彼をじっと見てから、衝動的に両手を差し出した。「忘れていたわ、フラ——ディアヴォロ」彼女は穏やかに答えた。「頭巾《カップッチョ》で顔が隠れていて、あなたの目が見えなかったのよ。来てちょうだい、勇気ある人は何人でも必要だわ」

彼女は川のほうに向くと、低く悲しげな呼び声を発し、間髪を入れずにさらに二回呼んだ。ほどなくして、水をはね返す静かな音が聞こえてきて、音を消すためにオールに布を巻いた小舟が影の中から現れた。漕ぎ手はモンタギューの頭巾とカソックを見ると挑むような視線を向けてきたが、娘のささやきを聞いて態度を和らげた。「あれはただの仮装なの」とささやいたのだ。「誠実に力を尽くしてくれる人よ」

「これからどこへ？」モンタギューが尋ねると同時に、小舟は立ち並ぶ家の間を静かに滑るように進んでいった。

少しの間、娘は返事をしなかった。その後、無関係なことを言い出した。「わたしの靴が見えるかしら?」彼女はそう尋ねながら、ほっそりとして甲高の足を、よく見えるように伸ばした。

それは最初に会ったときに履いていたのと同じ靴で、踵《かかと》がなく、先が尖っており、淡いクリーム色で、金糸の縫い取りと菫色の絹のアップリケが施され、小さなサファイアが先端に散りばめられていた。手袋のようにぴったりと小さな足に張りついていて、繊細なアーチを描く甲と、形の良い手の指のようにゆったりと伸びている細い爪先の輪郭を、魅力的に描き出している。

「これは、人の皮で作られたものなの」彼女はそう告げてから、弁解するかのように付け足した。「伯父がくれたのよ」

「人の皮?　なんたることか――」

「いいえ、そうではなくて、不当に悪者扱いされた人だと思うわ」

「どういう意味ですか?」モンタギューが尋ねた。彼女は脚を組み、膝の上に片肘をつき、小さな握りこぶしの上に顎を載せて、真っ暗な川面を不安げな、考え込むような目つきで眺めていた。そしてようやく、口を開いた。

「わたしの伯父の農奴たちは、邪悪なファラオがヘブライ人に課したものよりもひどい圧制のくびきの下でうめいているの」彼女は穏やかな声で、物思いにふけっているかのような口ぶりで語った。「自分たちが種を蒔いたわずかな作物を刈り取ると、年貢の取り立て人が彼らの納屋を略奪し、牛を運び去り、さらには戸口の鶏や巣の卵さえ奪い取るのよ。娘たちは兵士の慰み者にされて、子供たちはパンを欲しがって泣き叫び、もしも正義を求めれば――」彼女は再び足を持ち上げて、それを包む小さな靴がよく見えるようにした。

「あれは羊の出産期のこと、サルヴァトーレが思い切って小作人を率いてお城へ行き、補償を請願したの。伯父の家令たちは、農場を回って羊や山羊の子を集め、放牧できないほど幼い子の母親も連れ去っていて、小作人たちが異議を唱えると鞭打ちで応じられたのよ。

サルヴァトーレは謀反を起こすつもりだったわけではなくて、しもべは主人《あるじ》に従うべきだという聖書の言葉を信じていた。ただ単に、増えた家畜の四分の一は農奴のもとに残し、伯父には四分の三を与えるようにしてほしいと頼んだだけなの。彼と一緒に母親と妻、息子たちと娘たち、そしてまだ幼い乳飲み子もその場に来ていたわ。

伯父は跳ね橋のたもとで彼らと対面し、周囲には衛兵が並んでいた。サルヴァトーレが請願を終えると、あの残虐なダルマティア人たちが彼に襲いかかり、家族全員をとらえてしまったの。妻と母親と幼子たちは――乳飲み子ですら――彼の目の前でお堀の水の中に沈められたわ。息子たちの首は切り落とされて、槍の先に突き刺された。そして娘たちは――ああ、マリアさま《サンティッシマ・マリア》！　兄弟たちと運命を共にしたほうが、どれだけましだったことか。娘は四人いて、伯父の衛兵は五十人。肉欲の餌食となった娘たちの苦痛の悲鳴は、あまりにも痛ましいものだった。

　翌日、朝課（朝の祈禱）のあとで警鐘が鳴らされ、国のあちこちから農奴たちが集まると、伯父は彼らに、謀反人にどんな運命が降りかかるか、しかと見よと命じたの。その後サルヴァトーレが引きずり出されて、万人の目前で素早く皮を剝がれたのよ。その残虐な仕事を務めたのがウルサルで、あなたが今日フェンシングで打ち負かした相手よ。彼を殺すように命じても不思議ではないでしょう？

　サルヴァトーレの皮でミサ典書が装丁されて、それをあなたが――フラ・アルベルトが礼拝堂のミサの際に読み上げるの。さらに、その皮で手袋が作られたのは、伯父が狩りの際に全速力で馬を飛ばすときに喜ばせるため。そしておまけに、この靴も作られて、それを伯父がわたしにくれたのよ」

「ですが――胸が悪くなるような代物ですよ。わたしならこんなものは履かない！」モンタギューはかっとなった。

「あなただって履くでしょうね。わたしと同じ目でこれを見ることができれば」彼女は穏やかに言った。

「まさか！　それを履くことを望んでいるというのですか？」

「ええ。本当よ」

　彼がぞっとするほど驚いて娘を見つめると、娘は懇願するように、優しいと呼べるほどのまなざしで彼を見た。

「考えてみて」娘は身を乗り出して、彼のロザリオにぶら下がった十字架を手に取った。「われらの主《しゅ》が磔《はりつけ》にされた処刑台のこの象徴を、なぜ人々は崇めるのかしら？」

「それは、主が犠牲となってくださったことを思い出すために――なるほど！　理解が足りなかったことをお許しください！　わたしはてっきり――」

「多くの人があなたと同じように考えるのよ、フラ・ディアヴォロ。レディー・フルヴィアは残酷で無慈悲だとみんな言っているわ。高慢で、冷酷で、思いやりに欠けていると」

　小舟は真っ暗な川を静かに滑るように進み、そっと水平に返されるオールのささやくような水音と、布を巻かれたオールが金具に当たるくぐもったリズムが聞こえるだけだった。突然、娘が口を開いた。

「そんなことは正しいとあなたは思う?」と彼女は尋ねた。「一人の男が、たとえどれほど高貴な生まれだろうと、他人に対してそれほどの権力をもつべきだと思う?」

「われわれは、次のような真理を自明のことと信じております。すなわち、すべての人間は平等に造られ、造り手によって一定の譲渡し得ない権利を与えられており、その中には生命、自由、幸福の追求が含まれているのです」彼はかの独立宣言を引用し、語り続けるうちに母国への誇りで全身がぞくぞくしてくるのを感じた。

娘の青い瞳が見開かれ、静かな池に映る遠い星のような光をその奥で輝かせながら、彼女は身を乗り出した。

「言ってちょうだい――その言葉を、もう一回言って!」彼女はあえぎながら言った。「そんな言葉、一度も聞いたことがないわ。長老たちの書き残したあらゆる記録の中にも、これほど完璧な福音は見当たらなかった! 教えて、悪魔さん、わたしの心に刻ませてちょうだい……すべての人間は平等に造られ……造り手によって生命と自由の権利を与えられているなんて! その知らせはどこから来たの?」

「わが祖先の信念の宣言です」と彼は答えた。「何年も昔、圧制のくびきを振り捨てたとき、この言葉とそれに似たほかの言葉を、政府の標語としたのです」

「そして、あなたの国ではすべての人がそれに従って暮らしているの?」と彼女が尋ねた。「その人たちに否と言う権利は誰ももっていないの? 王さまは――」

「王はいないのですよ。わが国では、すべての人々が統治者なのです。罪を犯した場合を除けば、自分を支配する者を決める生来の権利を奪われることはなく、誰もが財産と身の安全を手に入れている。各人の家は本人にとっては、いかに簡素であろうと城であり、きわめて強固な城なので、雨風の入り込むことはあっても、国で一番偉いお方でさえ、招かれずに足を踏み入れようとはしないほどなのです」

「ああ、素敵な悪魔さん、フラ・ディアヴォロ、その幸せな国へ一緒に連れて行って!」と彼女はせがんだ。「それが地獄でも、永遠にそこに住むわ。帰るときには一緒に連れて行くと言ってちょうだい!」

「それは無理なのですよ、お嬢さん」彼は悲しげに答えた。「空間だけでなく、時間の隔たりもあるのですから」

「ならば、ここにとどまって、この悲痛な世界を、あなたが来た国をお手本に作り直すのを手伝うと約束してちょうだい」

「それも約束はできません」と彼は答えた。「運命を自分で決めることはできないのですから」

「でも、もし運命を選べるとしたら、ここにとどまってくれるわよね?」娘は体を寄せてきて、髪の香りが彼の鼻孔をくすぐり、吐息が彼の頬にかかった。

「とどまる?」モンタギューはあえぎながら答えた。疲れ切っていまにも潮にのまれそうな泳ぎ手のように、肺にうまく空気が入らないような気がする。「とどまる、ですって? もし選択の自由があるのなら、時間を永遠に止めるでしょう。天国にせがまれても地上にしがみつきますよ、たった一度の口づけのために!」

菫色の頭巾は艶やかな髪からすでに滑り落ちていて、かすかな月明かりの中でその髪は金メッキを施した銀のように輝いていた。まぶたを伏せると濃いまつげの影が頬に二本の弧を描き、彼女は唇をかすかに開きながら体を寄せて、口づけを求めるように顔を上に向けた。その完全なる屈服に、すっかり身を委ねた姿に、彼はもう少しでおびえてしまうところだった。だが、娘は彼の腕の中にいて、その唇が熱狂的にむさぼるように彼の唇に応え、頭巾を脱いだかぐわしい髪に黄金の迷路へと導かれると、ためらいはすべて消え失せた。

「ああ、愛しい人」彼は口ごもりながら言った。「わたしの大事な、愛する人よ……」

「愛しい悪魔さん、誰よりも大事な悪魔さん、大好きなフラ・ディアヴォロ!」娘は小声で歌うようにささやきながら、粗布に覆われた彼の胸に頭をもたせかけた。

二人の乗った舟はすでに小さな砂利浜に乗り上げていて、漕ぎ手は立ち上がると傾斜した砂利をオールで突いて、舟を固定した。舟から砂地までの間に少し水辺が広がっていたので、モンタギューはフルヴィアを抱き上げて、彼女の靴が濡れないようにして岸まで運んだ。川の流れはまるで山の湧き水のように冷ややかで、彼はサンダル履きの足を包み込む水の冷たさを感じて身震いした。娘は片手を上げて、彼の頬を撫でた。

「悪魔さん、寒いの?」彼女は優しく尋ねた。「なら、これで温まりなさい」そう言うと、小さくため息をついてから、少し開いた唇を彼の口に押し当てた。

鍋から上がる湯気のようにかすかなもやが川から立ち昇っていて、砂利浜を離れて奥へと進んでいくうちに、漂う霧によって濃さを増した暗闇がいつの間にか立ちはだかっていた。見えない障害物のせいで一度ならず彼の足はもつれたが、娘はどんどん前へ歩き、彼の手を引いて闇の中を導いた。モンタギューが目を凝らしてみると、周囲が少し見えるのがわかったものの、十フィート以上先はちらりと見えるだけで、渦巻く霧にすべてが覆い隠されていた。ようやく二人は錆びついた鉄格子の前で立ち止まり、フルヴィアは慣れた手つきでその門を開くと、石を敷き詰めた道へと彼を導き急いで歩いた。道の左右には小さな石小屋が並んでいて、格子戸で閉ざされているものもあれば、なにもない壁が暗がりの中に浮かび上がっているものもある。葉の落ちたポプラの木々は魚の骨のようなむき出しの枝を、まだらに雲の浮かぶ空に向かって伸ばしている。崩れかかった花崗岩の柱が、いばらの茂みの迷路のあちこちにぽつんと立っている。

「ここはどこですか?」モンタギューがささやいた。

「聖なる土地《カンポ・サント》よ」

「カンポ・サント――墓地ですね?」

「そう、ここが死者の番人が集まるところよ」

二人はほかよりも大きな霊廟に近づき、その階段にたどり着くと、誰何《すいか》するしわがれ声が霧の立ちこめた暗がりの奥から聞こえてきて、モンタギューは槍の刃がかすかに光るのを見た。「貧乏人は金持ちのしもべで、借り手は貸し手のしもべではないのか?」姿の見えない見張り番が問いかけてきた。

「いいえ」とフルヴィアが答えた。「人は自ら蒔いたものを刈り取ることになる、と書かれているのでは?」

不穏な刃は月桂樹の茂みの中に引っ込められ、二人は墓所の階段を上り、格子戸を押し開けて、丸天井の霊廟の内部に入った。埋葬室の一番奥に縦穴があり、そこから階段を下りて地下室に行けるようになっている。フルヴィアの柔らかい靴底が石の床に当たる足音は静かだったが、階段をよろよろと下りるモンタギューの生皮のサンダルは、無数の反響音を引き起こしているように思えた。

上部が平たい石棺の周囲にわずかばかりの人々が集まっていて、たいまつのくすんだ明かりに照らされた姿は、ニヴルヘイム(北欧神話の暗黒と死者の国)からやってきた地の精《ノーム》のように奇怪で不格好に見えた。フルヴィアとモンタギューが中に入ったとき、集団のリーダーが白くなった大腿骨で棺の蓋をコツコツ叩き、こう叫んだ。

「損害の補償を求める理由はなにかあるか?」

「あるぞ」仮面をつけた人影が、棺の横の席から立ち上がりながら答えた。

「誰だ?」

「農夫のニコロ。羊飼いのサルヴァトーレの兄だ」

「なにを告発する?」

「殺人。わが親族とその妻、息子たち、乳飲み子の殺害と、娘たちの処女陵辱および殺害。すべて正当の理由なくおこなわれた」

「誰を告発する?」

「クリストフォロ・ディ・サン・コロジェロ伯爵、わが兄が骨折って働いた土地の主であり、川向こうの土地の主であり、丘向こうの土地の主。わたしは彼を殺人で告発し、親族の流した血の、女たちの流した涙の、乙女らの奪われた純潔の補償を求める!」

「誰か、クリストフォロ・ディ・サン・コロジェロ伯爵を弁護する者はいるか?」議長が尋ねた。

ゆっくりと、リズミカルに、急がず、むやみに遅れずに、彼は棺の蓋を大腿骨で叩いた。低く鳴り響く音が一回。「マタイ?」もう一回。「マルコ?」もう一回。「ルカ?」

ゆっくりと慎重に叩き続けて、一回ごとに使徒の名前が呼ばれた。そして最後に、十二番目にバルナバの名が呼ばれたあとのこと。

「イスカリオテのユダ?」

「そうだ!」全員が一斉にそう答え、モンタギューは娘の澄んだ高い声が男たちの重々しい声と混ざるのを耳にした。

「ユダはいずこから、依頼人に代わって答えるのか?」

「地獄から、罪なき人々の血を流した者たちの牢獄から」

そこで間が空き、百まで数えられそうなほど沈黙が続いた。

「死者の番人たちよ、判決に達したか?」

「達した!」

「判決は?」

「死刑にせよ!」

「どのようにして?」

「薬で」

「毒を与えるのは誰だ?」

「わたしよ」ドミノに身を包み、金色の仮面で顔を隠したフルヴィアが、前に歩み出て片手を差し出した。

「ひるむことはないか?」リーダーはそう尋ね、仮面の穴からのぞく目がたいまつの明かりを受けて赤く光った。

「血のつながりがあるのだから――」

「アベルの血が復讐のために土の中から叫んだように、サルヴァトーレと妻と子らの血も土の中から正義を求めているのに、応じる者は誰もいないのよ。薬瓶をちょうだい。わたしは誓いを守るし、もし約束を果たせなければ、神さまが幾重《いくえ》にもわたしを罰してくださるように！」

　小さな瓶がきらりと光りながら手渡され、フルヴィアはそれを服のひだの中に隠した。

「死者の番人たちよ」とリーダーが話し始めたが、甲高い叫び声がその言葉を遮った。

「逃げろ、逃げろ！」呼びかけが霊廟内に反響した。「やつらが近づいてくる――イ・シニョーリ・ディ・ノッテ――夜警団だ！」

「ほら、きみ、これを役立ててくれ、使い方はわかるだろう！」耳障りなガラガラ声と共に、剣がモンタギューの手の中に押しつけられた。「レディー・フルヴィアをしっかり守れ。おれたちが悪党どもをおびき寄せて岸から引き離すから、きみは無事に舟にたどり着けるはずだ」

　仮面の男たちが一斉に地下室を出て行き、すぐに叫び声と金属のぶつかる音が、強烈な殴打のようにすさまじい罵り言葉と混ざり合って聞こえてきた。

　モンタギューはカソックの裾を麻のベルトの内側にたくし込むと、剣を片手に階段を上り始め、そのすぐ後ろにフルヴィアが続いた。格闘の物音は墓の間ではよく聞こえなくなっていて、二人は墓地の門に向かって走り、ときどき敵が近づくと崩れかけた墓石の陰に隠れた。

　川辺に舟が乗り上げていて、漕ぎ手は眠っているかのように前のめりになって座っていた。

「ありがたい、うまく切り抜けることができたわ！」とフルヴィアがささやき、二人は急いで舟に乗り込んだ。

「さあ、悪魔さん、早く――まあ、なんてこと《サント・ディオ》！」

　舟べりの陰から武器を持った男二人が立ち上がると同時に、漕ぎ手がぱっと席を立ち、マントを脱ぎ捨てて、鎧を着た暴漢《ブラーヴォ》という正体を現した。

　モンタギューは娘をさっと後ろに隠し、ブラーヴォたちが突進してくると、かがんで川辺の細かい砂利をつかんだ。先頭のブラーヴォの剣が振り下ろされる前に、彼は砂まじりの砂利を相手の顔めがけて力一杯投げつけて、相手が痛みでわめいている間に剣を突き出した。先端が肉に突き刺さり、頬骨を斜め上にかすめてから半フィートほど沈み、骨ばった鼻梁をすり抜けながら片目を刺し貫き、脳の中まで刺し込まれた。

　死の翼がはためいたかのようにひんやりとした冷たい風がモンタギューの顔に吹きつけると同時に、二番目のブラーヴォが襲いかかってきたが、彼は身をひるがえして剣をかわし、自分の剣を抜いて相手の剣を刃で受け止めた。

　相手の力が強いためモンタギューは押し返され、真鍮の胴鎧を胸に押しつけられて息ができなくなると感じた。彼は後ろにそり返ると、全力でこぶしを突き出し、左のアッパーカットを兵士の鬚もじゃの顎に食らわせた。カスタネットのような音と共に歯が閉まり、ブラーヴォはうなりながら気絶してひっくり返った。

　三人目の男は、もっと用心深かった。モンタギューは剣を頭上に振りかざして隙を与えているようにも見えたが、相手はその誘いに乗ろうとせず、すり足で一、二歩前進して、すぐに下がって剣の届かぬところに退いたのち、剣をまっすぐ前に向けて身構えた。

　モンタギューはフェイントをかけてから素早く〝突き〟をおこない、敵が第四の構え《カルト》（フェンシングの八種の受けの構えのうちの一つ）で突きを受け流すと、すぐにクーペ（相手の剣先を通過させて反対側を攻撃すること）を繰り出して、ブラーヴォの喉めがけてまっすぐに突いた。胴鎧の上に付いた真鍮製の喉当てのおかげで、剣が首を突き通すことはなかったが、突いたときの力によって相手はよろめいて、上向きになった剣先が頸動脈を切り裂き、赤い血しぶきがほとばしった。

「急いで！」彼は叫びながらフルヴィアの両手をつかみ、小さな流れの上を飛び越えさせて舟に乗せた。それからオールを拾い上げて金具にはめた。

　舟は幅広の平底で扱いにくかったが、ひとたび川の流れに乗ってしまえば、オールの動きにしっかりと応えてくれた。

「町はどちらの方角ですか？」と彼は尋ねた。「わたしには行き方がわからないのですよ。案内してください」

　三十分後、二人は聖アグネスの修道院の裏門で、呼び鈴をやかましく鳴らしていた。やがてようやく眠そうな女の門番が出てきてくれたが、さげすむような目で二人をちらっと見ると、小門をバタンと閉めた。

「あっちへお行き、この浮浪者が！」門番は金切り声で言った。「夜分にこんな不埒な悪さをする放蕩者や娼婦には、聖アントニオのばちが当たるだろうよ！」

　女はサンダルの音に義憤をこめてパタバタと通路を去っていき、どれだけ呼び鈴を鳴らしても二度と出てくることはなかった。

「すると、あれが聖なる教会のおもてなしですかね？」モンタギューは皮肉っぽく尋ねたが、フルヴィアは軽く笑った。

「まじめに言うとね、大胆不敵な悪魔さま、敬虔な修道女の門番には怪しむだけの理由があったと思うわ」と彼女は断言した。「わたしの姿を見てごらんなさい、そしてあなた自身の姿も」

　彼女のドミノは墓地のいばらの茂みでずたずたに裂かれて、川の水で濡れていた。頭巾の中からほどけた髪が、黄金の滝のように顔のまわりや肩の上に垂れており、墓の土や蜘蛛の巣が、くすんだ花綱のように彼女を飾っていた。

　モンタギューは、それ以上に異様な有様だった。カソックはベルトにたくし込まれて、膝丈に端折られており、麻のベルトには長い剣がむき出しで差し込まれていて、頭の上には、死んだ夜警から盗んだ真鍮製のモリオンがしゃれた角度で載っている。

　お互いの姿を見終えると、二人の目に笑いが浮かび、くつくつと喉の奥が鳴ったが、状況の深刻さにモンタギューは笑うのをやめた。

「どうすればいいのでしょう？」と彼は尋ねた。「城までは六リーグ（距離の単位で、一リーグは約三マイル）もあるのに、乗り物がない。町には浮浪者やすりがうようよしています。通りでぐずぐずしているわけにはいきませんよ」

「知っているお屋敷があるわ。古い空き家のお屋敷よ」フルヴィアが答えた。「だけど、地獄の亡者たちの幽霊が歩き回っていると噂されているの。中に入る勇気はある？」

「もちろん」彼は声を立てて笑った。「頭の上には屋根があるし、幽霊を恐れて野次馬も近づかないでしょう。われわれに関しては、防御が必要な相手は生きている人間で、亡者ではありませんし」

　二人は手に手を取って人気《ひとけ》のない通りを忍び足で歩き、やがてのっぺりとした高い石塀の小門にたどり着いた。フルヴィアは何度も押してみたが、錆びついた門はどうしても動かず、モンタギューが力を貸してようやく、鉄格子の門をどうにか押し開けることができた。

　庭は、過去の栄華の名残をかすかにとどめていた。薔薇の茂みは成長しすぎて痩せ細り、とげのある腕を伸ばして、壊れた格子垣《トレリス》の前を通り過ぎる二人を引きとめようとしていた。月桂樹のあずまやは押し寄せるイラクサの波にほとんど沈んだ島のようで、砂利道には草が生え、大理石の像は台から落ちて倒れていた。

　雑草で枯れた砂漠のような庭をつまずきながら歩いた二人は、ようやく屋敷の扉にたどり着き、低い扉には鉄の飾り鋲が打たれていた。モンタギューが扉を肩で押すと、暴力に抗議するかのようにきしむ音を立てて玄関がゆっくりと開き、長く暗い廊下が口を開けていた。

二人は慎重に一歩一歩、手探りで廊下を進み、中央の広間に到着した。黒と白の色タイルが敷き詰められているが、あちこちでタイルがはがれていて、その隙間がまるで頭蓋骨の歯が欠けている部分のようで、にやりとこちらに笑いかけているように見えた。

大階段の湾曲部の窓から一筋の青い月光が射し込み、弱々しい輝きが暗闇を染めているため、おぼろげに見える家具の輪郭がぼんやりと不気味に浮かび上がり、真っ暗闇よりも暗示的で余計に恐ろしく感じられた。

屋敷そのものが、二人がここにいることに憤慨《ふんがい》しているように見えた。ささやき声につきまとわれているような気がして、背後を影がさっとよぎる。隠された目で常に見張られているように思えた。邪悪なにかが二人のすぐ近くに立っているかのようで、じっと見つめながら、姿を見せずに……待ち構えている。

モンタギューは剣を抜き、左腕でフルヴィアの肩を抱き寄せた。「気にしないように」と彼は言い、娘がいぶかるような目を向けると、さらにこう言った。「怖がらないで。暗闇に威圧されているだけですから」

階段の上にはいくつも部屋があり、そのうちの一つを彼女が休む場所にした。ロンバルディア・ゴシック様式の高い丸天井の部屋で、壁には色あせたタペストリーが掛けられ、メダルや小彫像やアンフォラ（古代ギリシャ・ローマの両取っ手付きの壺）が黒ずんだ木の飾り棚に置かれている。オリーヴ材の金色の彫像に支えられた絹の天蓋の下に、巨大な寝台がぼんやりと見えていた。

彼は袖の折り返しで絹製のベッドカバーと枕の埃を払い落とし、そしてフルヴィアが積み重なったマットレスの上に腰を下ろすと、その前にひざまずいて靴を脱がせた。娘の足はまさに思い描いていた通りで、甲が高く、踵は狭く、百合のように白く、菫色の静脈が繊細な網目模様の刺繍を描いていた。爪はハシバミの実の形で、真珠層の光沢を帯びている。彼は耐えがたいほどの誘惑に負けて、固い靴で曲げられたことなど一度もないまっすぐな爪先に口づけをして、ピンクの柔らかい足裏に頬をすり寄せた。

「永遠の時が巻物のように巻き上げられるまでここで休んで、心ゆくまであなたに崇拝されたいわ、素敵な悪魔さん」娘は小声で言った。「だけど、あなたはぐったりしているし、明日はたくさんのことがあなたを待っている」そしてため息をつきながら、しぶしぶ足をドレスの下に引っ込めて、靴を外套の幅広い袖の中にしまい込んでから、彼に向かって両腕を広げた。「もう一度だけ口づけしてちょうだい、愛しい悪魔さん、おやすみを言う前に」彼女はささやいた。

フルヴィアの隣の部屋で、モンタギューは眠らぬよう努力していた。この空き家は危険に満ちている。彼女を守るために起きていなくては……彼女が霊廟で受け取ったあの小瓶はなんなのか……信託部門の同僚たちがこの身なりを見たら、なんて言うかな……。

半狂乱の甲高い悲鳴が、恐怖よりも狂気に満ちているような叫び声が、彼を包んでいた夢のベールを引き裂いた。フ、ル、ヴィ、ア、フルヴィア！

彼は眠気でぼうっとしながら、隣の部屋の扉に向かってよろよろ歩き、通り道にあった革のカーテンを蹴飛ばした。

室内は煌々と明るくなっていた。悪夢の産物と同じくらい醜悪な何者かが十人ほど、娘のまわりに集まっていて、娘はパニック状態で床の上にうずくまっている。数人はたいまつを振り回していて、揺らめく光の中に吐き気を催すほど恐ろしい光景が見えてきた。顔の一部を隠している者もいるが、覆面がずり落ちたところには頭蓋骨がのぞいていた——肉がないのだ。片手を失った者もいて、腐りかけた手首を高く上げて振り回している。一人か二人は一本しかない脚で狂ったように踊っており、空気は悪臭に満ちていて、彼は胃がむかついて吐きそうになった。

「かわい子ちゃんが引っ越してきたぞ！」連中は、ぞっとするような歓喜の金切り声をあげながら繰り返し言った。「汚《けが》れのない肉がやってきた——甘くて汚れのない、女の肉だ！」

そのうちの一人が、娘の頬を撫でようとするかのように、腐りかけた手首を伸ばしたが、それを見たフルヴィアは、タイルに体を押しつけたがっているかのように床に這いつくばり、悲鳴は甲高くなりすぎて、次第に聞こえなくなった。

これが、古びた屋敷を歩き回る〝地獄の亡者たちの幽霊〟の正体だった。レプラ患者だ！

モンタギューは室内の吐き気を催す悪臭を吸わぬよう唇をきっと結び、無言で突撃した。彼の剣が切り裂いた最初の頭蓋骨は腐った南瓜《かぼちゃ》のように突き刺さり、ぐいっと引き抜くと血と脳味噌が噴き出して、不潔な覆面の上に流れ落ちた。次に突き出した剣は、枝分かれした稲妻のように素早く、娘を苦しめているほかの二人を刺して倒し、四人目が鱗屑でまだらになった不潔な手の爪で襲いかかってくると、彼は剣の柄頭をただれた顔にまっすぐ打ちつけて、腐りかけた肉が腐った果物のようにぐずぐずと崩れるのを感じた。

人間の喉から出る音というより鼠がキーキー鳴く声に近い金切り声をあげながら、おぞましい一団は部屋から飛び出していき、モンタギューは身をかがめて、気絶しそうな娘を抱き上げた。

剣を前に構えながら暗い廊下を進むうちに、無理やり入った玄関が見つかった。扉を蹴り開けて、娘を月桂樹のあずまやまで運び、草の上にそっと座らせた。

「いいえ、誰よりも愛しい悪魔さん、愛するフラ・ディアヴォロ、あなたの腕の中にいさせて、どうかお願い」フルヴィアはうめくように言った。「しっかり抱きしめてちょうだい。殻に実が収まるように、わたしを胸に抱きしめて、夜が朝に変わるまで。ひどく怖いの」

彼女は夜明けが東の空を染めたあとで眠り、修道院の三時課（午前九時の祈禱）の鐘が鳴ったあとで目を覚ました。

「おはよう、フラ・ディアヴォロ」娘は微笑んでいるように彼には見えたが、急に前夜の恐怖を思い出したようだった。「ああ、もう行きましょう、悪魔さん」彼女は懇願した。「この不浄の場所が怖いのよ。たとえあなたがそばにいて守ってくれても、ここは気に入らないの」

二人は手に手を取って、生ける死者の荒れ果てた庭を去った。


城の日時計の指時針《しじしん》が三時を示したあとで、二人は跳ね橋のたもとにたどり着いた。谷を渡り丘を越える道のりは難儀なもので、その大半をモンタギューはフルヴィアを抱えて歩かざるを得なかった。靴底が柔らかい靴は石がごろごろしている道ではなんの保護にもならず、日中の猛烈な暑さの中で彼女はすぐに疲れてしまったのだ。小作人にもらったパンと山羊の乳が昼の食事で、最後の三リーグは自由土地保有者の岩石運搬用のそりに乗って移動した。いたるところで、農夫も小作人も、小百姓も農奴も、レディー・フルヴィアがまるで天国から降りてきてくれた聖女であるかのように挨拶をし、彼に対しては最初は無愛想でいぶかしげな目で見たものの、フルヴィアの連れだという事実がすべての疑惑を和らげてくれているようだった。

「もし休みたければ祭服室の中に寝室があるわ」彼女は礼拝堂の扉のそばで別れるときにそう言った。「よく眠ってね、わたしの素敵な悪魔《ディアボルス》さん。お食事の席で会いましょう」

祭服室の奥の小部屋に簡易ベッドが隠してあり、飲み水用と洗面用の水差しが一個ずつ長椅子の上に置かれていた。彼はその水を使ってできるだけ体をきれいにして、タオルがないためコッタ（聖歌隊員の着る短い白衣）で拭いてからベッドに体を投げ出して眠ったが、やがて小姓が震えながら忍び足でやってきて、彼は宴会の席に招かれた。

丸天井の宴会場は千本の蠟燭のおかげでほとんど昼間のような明るさで、長細いテーブルの上には角製のランタンと銅製のランプと小蠟燭がきらめいていた。月桂樹の枝で飾られた壇上の巨大な高いテーブルは権力者クリストフォロ・ディ・サン・コロジェロ伯爵が堂々と座る席で、その前には金持ちの門前のラザロ（『新約聖書』ルカによる福音書第十六章第二十節）を描いた色鮮やかなフランドルのタペストリーがあり、食卓の上には真っ白な布が広げられていた。だが、一般席のテーブルにはそのようなくだらない装飾を置く余地はなく、すでに食べ物や料理が所狭しと並んでいた。

　クリストフォロ伯爵が登場すると、バルコニーの音楽家たちがフラジョレット（小型の縦笛）とオーボエ、ヴィオール（ヴァイオリンの前身の弦楽器）と太鼓でハーモニーを奏で、彼が席に着くと同時に給仕人が厨房から続々と現れた。大皿と深鉢に盛られた雲雀《ひばり》や八つ目鰻、鶏や雉《きじ》、鴨や鵞鳥や孔雀、鯉、鮭、牛の頭、豚の頭、子牛の脳、鹿肉や豚肉、羊肉や牛肉が延々と運ばれてきて、コンフィットや果物の砂糖漬けやマジパンがその合間に出された。最後に葡萄酒とミルク酒が供され、陶器の水差しでさらに強い酒が出されたせいで、人々の理性が失われ、口が軽くなった。テーブルの中央に金色の大きな塩の皿が置かれていて、そのすぐそばにモンタギューの席が空けられた。

　兵士や紳士、筆記者や事務官、家令や監督官とその妻たちが一般の席に集まっていて、笑い声と話し声とががつがつと食欲を満たす音で、耳が聞こえなくなりそうなほどうるさかった。どうやら誰もが、事務官も衛兵も家令も貴婦人も、できる限り大声で話しているらしい。人の話を聞いている者は、誰もいなかった。

　壇上のテーブルの席に座っているのは、クリストフォロ伯爵、レディー・フルヴィア、アントニオ卿、それから血色の悪い黒髪の男で、毛皮をあしらった地味な色のローブも非常に重々しい態度も、法律に通じている学者であることをはっきりと示していた。

　クリストフォロは、山のような大男だった。大変な太鼓腹で、剛毛の鬚の生えた顎は三重になっていて、静脈が透けて見える頬は猟犬の喉の皮膚のように垂れ下がり、ずんぐりとした手には脂肪の腕輪ができていて、普通の手が鳩のローストをつかむように鶏をつかむことができるほど大きい。よく笑い、大声で喋り、同席者たちが無口な分まで騒々しくはしゃいでいた。

フルヴィアは誇り高く、冷ややかで、無口で、超然として、召し使いが運んでくる豪華な食べ物にあまり食欲を示さず、優雅に食べていた。同席者たちに視線を向けることは、一度もなかった。

アントニオはむさぼるようにがつがつと食べていたが、食べている最中も、燃えるような目をフルヴィアの穏やかな横顔にずっと向けていた。

例の法律家は、その威厳にふさわしく、学者らしく静かに食べ物や飲み物を口にしていたが、食欲も喉の渇きもないわけではないというのは、給仕する小姓に素早さが求められていることで証明された。

宴が二時間ほど続き、飲んだり歌ったり下品な冗談を言い合ったりの声が騒々しくなったころ、クリストフォロ伯爵が立ち上がり、短剣のつかでテーブルをドンドンと叩いた。

「みなさん」どんちゃん騒ぎが静まって凪《なぎ》のような時間が訪れるや否や、彼は大声で言った。「われわれが今夜ここに集まったのは、わが一族の二つの分家が一つになることを祝して乾杯するためです。今夜、わが姪にして被後見人のレディー・フルヴィアが、わが最愛の後継者である親族のアントニオ・ジョヴァンニ・ディ・ヴェルニアッティ卿の婚約者となるのです。さあ、乾杯だ――二人の婚礼を祝して、そしてわが一族の末長い繁栄を祈って乾杯だ！」

フルヴィアは伯爵をじっと見ていて、象牙の彫像の顔にはめ込まれた石の目のように冷たいまなざしで、赤葡萄酒をなみなみと注いだ打ち出し模様の銀の杯を彼が掲げ、ひと息に飲み干すのを見守った。

伯爵は分厚い唇を袖で拭うと、杯を差し出してお代わりを求めた。「では次に、この美しきいいなずけのために乾杯を、トスカーナ一の美貌の名花に――」彼は大声で呼びかけたが、しゃっくりで言葉が途切れ、むくんだ顔に驚愕の表情が広がった。「なんたることか《サン・ミケーレ》！」叫ぶ声は恐怖のあまりか細くなっており――あれほど太い喉から出たにしては滑稽なほど小さい声だった――「毒を盛られた！」

伯爵はテーブルに寄りかかり、突き出た太鼓腹の上で両手を組み合わせて、青ざめた顔からは目が突き出ていた。大粒の汗が額に浮かび、毛むくじゃらの頬を流れ落ちていき、目はどんよりした光を帯びて、歪んだ唇から黄色い歯がはみ出している。半ば怒鳴るような、半ば絶望してうめくような叫び声を大きく開いた口から発し、取り乱した指で空《くう》をつかもうとしながら床の上にずり落ちた。

「お慈悲《ミセリコルディア》を！」彼は甲高い声で言った。「主よ、お慈悲を《ミセリコルディア、ドミネ》！」

叫び声はつぶやくようなうめき声に変わり、あちこちに敷物が置かれた床の上に顔を下にしてぶざまに倒れ、指をぴくぴくと震わせた。「フルヴィア！」彼は寝返りを打って横向きになり、どんよりした目がなにかを悟ったように光った。「わたしがサルヴァトーレの皮を剝いだとき、おまえは、神さまがわたしに血をすすらせなさるだろうと言ったな！　おまえがやったのか――おまえがわたしに――」最後に体を震わせると動かなくなり、見えない目で娘を見上げたまま、下顎は落ち、腫れ上がった紫色の舌が口からはみ出していた。

「その女を捕まえろ！」鞭を打ち鳴らす音のように、アントニオ卿の言葉が部屋中に響き渡った。

モンタギューが席からぱっと立ち上がると同時に、二十名の衛兵が新伯爵の命令に従うために飛び出した。

昨日負かしたダルマティア人衛兵ウルサルが行く手に立ちはだかったので、彼は猛然と殴りかかり、顎にこぶしが入るのを感じ、相手がよろよろと後ろに下がってテーブルにぶつかるのを見た。衛兵が伸ばした手のそばに冷めきっていない羊肉のスープが入った陶製の深鉢があり、彼は罵りの言葉を吐きながらその器をつかむと、頭の上に持ち上げて、火傷するほど熱い中身をモンタギューの顔に浴びせようとした。

深鉢から湯気が上がっていた。立ち昇る湯気は濃さを増し続け、霧のように広がって蠟燭の光の先端を覆い隠したので、室内の物が見えなくなっていった。

モンタギューは両手を広げて湯気を目の前から払いのけ、やみくもになにかをつかもうとしたところ、手に触れたのは――自分の梨材のキドニーデスク（腎臓のような形の曲線が特徴の机）の端だった。

インド綿のプリント生地のカーテンを掛けた窓から日光が斜めに射し込み、古びたペルシャ絨毯のくすんだ赤や青や黄土色を浮かび上がらせ、額に入れてマントルピースの上に飾ってある母の写真の最も明るい部分を光らせていた。窓から机までの距離は五歩。窓から歩き始めたのは、初めて霧のせいで目が見えなくなったように思えたときで、あの小さな球体の中をのぞき込んでいたら……球体？　彼は自分の手をちょっと見下ろした。ほら、あった。直径三インチの小さなガラス玉。中心部に建っている小さな家は、銃眼付きの塔がいくつも並び、城のような屋根で覆われている。背景には、ほとんど顕微鏡でしか見えないほど小さく、城壁をめぐらした町の塔や屋根が見えている。

「フルヴィア！」と彼は呼びかけた。「どこにいるんだい？　いますぐ行くよ……あなたを奪わせやしない……」

あざ笑うような消防車のサイレンの音が、誰も彼もみな道を空けろと命じながら、開いた窓の外から流れ込んできた。かすかに、だが理解できる大きさで、新聞売りの呼び声も夏の午後の空気の中に聞こえる。「号外だよ！　例の毒殺事件の全貌だ！」

家に帰ってきたのだ。ニューロシェルの自宅に。いまは二十世紀。

でも、フルヴィアは？　フルヴィアはいま敵に取り囲まれているのに、三千マイルにわたる海と――七百年もの年月が二人の間を隔てているなんて！

「くだらないね、きみ、これは見たことがないくらい明らかな、自己誘発性催眠の症例だよ！　好都合な要素はすべて揃っていた――注意を集中するための明るく輝く球状の物体、クリスタルガラスによって焦点に集められた太陽光線、球体の中のあの城が連想させた中世の雰囲気――すべてだ。まあ、きみの夢の中の四十時間がまるまる、わずか五歩分の時間に押し込められていたわけだから、それ以上の証拠は必要ないだろう」ふくよかで血色のいい白髪のベインブリッジ医師は、白いベストの左上のポケットからロシア製の革ケースを取り出すと、オックスフォード眼鏡（折りたたみ式の鼻眼鏡）をパチンと開き、慎重に調整してから処方箋を走り書きした。

「さあ、どうぞ」と医師は告げた。「鉄剤とキニーネとストリキニーネを、ほんの少しだ。毎日三回、定期的に服用すれば、すぐにまた元気になるさ」

「自己誘発性であろうとなかろうと、どうしてあれが催眠なのかわかりませんよ」モンタギューは異議を唱えた。「もう一度あれをとらえようと努力したのは確かです。あの日の午後とまったく同じように球体を手に持って、時間まで合わせて、太陽が正確に同じ位置にあるようにして、のぞき込み続けたのですが――なにも起こりませんでした。ぼくは彼女のところに戻らなければならないんですよ、先生。行かなくちゃならないんです、本当に！　あの兵士どもが近づいてきたときの彼女の顔、アントニオが彼女を眺めながら浮かべたあの恐ろしい微笑み――思い出すだけで気が狂いそうだ！」

「気を楽にしたまえ、きみ」医師がなだめた。「自己誘発性催眠を再現できずにいるというのは、とくに意外な話ではないんだよ。そういうものは、たいてい偶然の出来事なんだ。あの日の午後のきみは準備が整っていた。

それだけのことさ。

いいかね、たとえばきみが、通常は牛乳にも牛肉にも卵にもビールにもアレルギー反応を起こさないとしてみよう——ほとんどの人がそうだ。でも、身体的状況がもし適切な組み合わせになると、素人が言うところの〝胆汁症〟になって、いま挙げたどれを口にしても、ひどく気分が悪くなってしまうんだ。きみがオールドファッションド（ウイスキーで作るカクテルの一種）を立て続けに四杯飲み干して平然としているのを見たことがある。それでもときには、スコッチ・アンド・ソーダ一杯だけで成層圏気球みたいに頭がふらふらになってしまいそうに思えることもあるだろう。すべて身体的状況の問題なんだよ、きみ。先週のあの日の午後、きみは疲れていたか、神経か肉体が消耗していたか、あるいは昼に食べたなにかがきちんと消化されなくて、それゆえに通常よりも大量の血液が脳から胃腸に集まってしまった——数多くのさまざまな事柄のどれか、または全部が原因で、催眠状態が生じるのに必要なまさにその状況になってしまったのかもしれない。

きみの説明から判断すると、自己催眠による麻酔状態で一種の悪夢に苦しめられたのだと思うよ」

「ですが、先生」モンタギューは反論した。「あれは夢であったはずがないんです。夢は、催眠状態だろうとなかろうと、目覚めているときの知識に基づくものでしょう？　ぼくはコンソリデイティッド銀行の信託部門担当補佐ですから、経歴から考えて、テレビの複雑な仕組みを夢に見ることは不可能なはずですよね？」

「ふうむ、無理だろうね」ベインブリッジ医師は答えた。

「それなら」モンタギューは意気揚々となった。「あれを夢で見たはずはないんですよ！　イタリアには一度も行ったことがないし、十三世紀の服装も習慣も全然知らなかったし、カトリック教会の礼拝に出たこともないし、レプラ患者も見たことがないのは間違いない。それでも、ぼくが説明したことはすべて写真のように正確だというお話ですよね。そういうものの統覚的な基盤がまったくないのに、どうして夢に見ることができたのか？　いいえ、先生、どうにもなりませんよ。ぼくは過去を見たのだと確信しています。ひょっとすると、先祖の記憶をちらっと見たのかもしれない。

心理学者の話では、われわれは本当はなんでも決して忘れることはなく、個人のあらゆる経験は、最も幼いころからずっと、完璧で詳細で消えない記録が記憶の器官に残っているそうですね。なにか起こったことは——言葉でも、場面でも——記憶から完全に消されたように見えるけれども、何年も経ってから、おそらく、以前はふさがっていたか覆い隠されていた連想の経路が突然速やかに開通して、するとたちまち、その忘れられていた記憶が詳細まではっきりと完璧に見えてくる。そうですよね?」

「もちろん」とベインブリッジ医師は言った。「だが、それは個人の話で、いまは――」

「まったくその通りですが、この一見不可能な埋もれた記憶のひらめきが、個人の中に観察できるとしたら、さらに――もちろん、この上なく信じがたい話ではありますが!――各個人の先祖の経験がその人の記憶の中に詳しく刻み込まれていて、適切な連想の組み合わせが見つかれば本人の経験を意識下の資料室から持ち出せるのと同じように、適切なケースであれば先祖の記憶を呼び起こせるかもしれないというのも、あり得ない話ではないのでは?

　別の言い方をしてみましょう。たとえば、いまボートに乗っていて、土手の高い、幅がだんだん広がっていく川を下っているとします。出発地点よりも上流のことはよく知らないし、土手と湾曲があるせいでこちらからは見えない。それが普通の人の状況で、先日まではぼくも同じでした。さて、そこへ飛行士がやってきて、飛行機に乗せてもらえたとしましょう。じゅうぶん高く上がった瞬間に、川のいままで通ってきた部分すべてと、その前のすべても見えてきます。土手や湾曲部という障害物を越えた先が見えるので、ここからなら――」

「まだ通っていない場所も見えるというわけだ」医師が笑いながら口を挟んだ。「独創的な説だな、きみ。でも、無理がありすぎる。先祖の記憶に関する議論があるのは知っているが、立証されたものはまだ見ていない。スーパー物理学者の一部は、目というカメラを通して画像を記録できるのは光があるからなので、時が始まって以来のありとあらゆる行動は、まるでフィルムに焼きついているかのように光線上に撮影されていると主張している。そして彼らはさらに一歩進んで、その光線がひとたび地球に当たって跳ね返ったら、星間空間を永遠に飛び続けると断言している。だから彼らの説によれば、じゅうぶんに強力な望遠鏡を所有していれば、それを宇宙空間に向けるだけで、独立宣言の調印式や、ポンペイとヘルクラネウムの崩壊や、キリストの磔刑《たっけい》まで目撃することができるらしい。独創的だが、愚にもつかない話だ。まったく愚にもつかないね。形而上学的な急転換をしなくても科学的に実証可能なしるしや不思議が、われわれにはじゅうぶんにあるんだがな。

　きみに必要なのは」――相手の態度からくだけた親近

感が消え、再び医者らしくなった――「休養と運動を増やすことだ。コンソリデイティッドほどの大銀行の信託部門担当補佐という仕事は、三十二歳の若者にはあまりにも負担が大きすぎる。半年間の休暇を取りなさい。外の空気を吸って、ゴルフやテニスのスコアについてもっと考えて、不動産や遺言書や信託についてはあまり考えないように。そういうことを考える時間は、きみの肝臓が軟らかくなり始めて、動脈が硬くなったころにたっぷりあるのだからね」

　毎日午後三時になると、モンタギューはあの小さな球体を手に書斎の窓の前に立った。

「フルヴィア！」としわがれ声でささやく。「長い時を越えてあなたのもとへ戻ろうとしている。手伝っておくれ！」

　月曜、火曜、水曜と、彼は固く閉まった過去の入り口を通り抜けようと必死で努力した。木曜、金曜、土曜と、鍵のない扉の動かぬ羽目板を、苦しみ悶えながら押し続けた。

　日曜の午後のことだった。

　二十分ほどクリスタルガラスの中を見つめているうちに、色がゆっくりと変化していくのがわかった。透明な内部が徐々に暗緑色に変わり、さらに、まるで磨いた黒鉛の塊のような、濃い色の不透明な黒になった。氷のように冷たい風が吹きつけてくる気がした。眠れぬ人なら知っている、夜明け前の寒気が開いた窓から入り込んで毛布越しに冷たい指で触れてくるときの、あの気味の悪い、半ば麻痺したような感覚に襲われた。不思議なことに、自分が軽く、実体のない、重さの計れないものであるように感じた。まるで生き霊となって、変わりやすい空気の流れの中を力なく漂っているかのように。

　周囲は真っ暗で、長く忘れられて密閉されたままの冷たくじめじめした霊廟の暗さか、地下牢の暗闇のようだった。両手を左右に伸ばしてみると、水滴で湿った冷たい石に触れ、湿気で滑らかになったタイルの上を足が滑った。ところが奇妙なことに、自分は歩いていないらしい。それどころか、自由に軽々と、暗がりの中を浮かんでいるようなのだ。

　鉄の靴を履いた足音がガチャンガチャンと廊下を近づいてきて、たいまつの明かりが血痕のように暗闇を点々と照らすのが見え、たいまつを持った槍兵の一団が薄暗がりの中を速歩で行進してきた。彼らが持ってきた明かりのおかげで、廊下が狭くて相手を通すことができないことがわかったので、彼は壁に身を寄せて道を空けようとしたが、槍兵たちは近くに来ても歩調をまったく緩めず、たいまつが彼を照らしたはずなのに、その存在に目を留める者は誰もいなかった。

「ドタ――ドタ――ドタ、ドシン――ドシン――ドシン」鎧の鉄靴を履いた足が、石の床を踏み鳴らした。槍兵たちは彼に触れられそうほど近づき、横に並び――通り過ぎた。

一団は、彼がまるで空気であるかのようにまったく気づかず、その体を通り抜けて行進したのだ。そして彼のほうも――両手を額に当てて、くらくらする頭を押さえた――体を通り抜けられても、なにも感じなかった！

真っ暗な廊下を曲がった先で、鉄の鋲を打った扉の下から、細い光が漏れていた。扉の錠に付いた輪を両手でつかみ、力一杯引っ張ったが、扉が取り付けられている石造りの壁を引っ張ったほうがましなほどだった。三回にわたって邪魔な扉を開けようと努力したあげく、へとへとになり、うんざりため息をつきながら、扉に寄りかかった。それはまるで、触れただけで羽目板が溶けてしまったかのようだった。彼は厚さ四インチのオーク板に帯状の鉄板を張った扉を、なんの抵抗も受けずに通り抜け、天井の低い部屋に入り込んでいた。

室内の装飾は黒一色で、黒い絨毯が床に敷かれ、黒いタペストリーが壁に掛けられていた。壇上に長いテーブルがあり、黒い布で覆われている。テーブルの後ろには七人の男が並んで座っていて、全員が黒のベーズ（フェルトに似せて毛羽立てた厚手の生地）のガウンを着て頭巾をかぶり、地味な服と覆面が部屋の黒い背景に溶け込んでいるように見えた。色があるのは二カ所だけで、テーブルの上の赤いガラスのランプが血の色をした光の輪を揺らしているのと、フルヴィアのドレスと外套の菫色と金色だった。

彼女はスキピオ（紀元前三世紀ごろのローマの将軍・政治家）を前にしたソフォニスバ（カルタゴの将軍の娘で、政争に翻弄されて服毒自殺を遂げた）のように誇り高く背筋を伸ばして覆面の尋問者たちと向かい合っており、そのうちの一人が羊皮紙の巻物に書かれた罪状を読み上げていた。

「レディー・フルヴィア・マリア・カルヴィア・ディ・グラデニーゴは悪魔の誘惑により、親族であり君主であるクリストフォロ・ディ・サン・コロジェロ伯爵閣下に対し、魔術によって抽出された毒薬を悪意をもって与え、そのためクリストフォロ伯爵閣下は苦しみ悶えつつ亡くなった。

レディー・フルヴィア・マリア・カルヴィア・ディ・グラデニーゴは神への畏れをもたず、悪意をもって罪深く不正にも悪霊と交わり、親しみ、同棲し、その悪霊は冒瀆的にも、なによりも不信心にも、彼女の礼拝堂付き司祭および聴罪師である善良かつ聖なるフラ・アルベルトゥスになりすまし……」

「レディー・フルヴィア、告発に対し言うべきことはあるか？」邪悪なおこないが長々と列挙されたあと、事務官が尋ねた。

黒いタペストリーの陰で扉が静かに開いて、アントニオが足音を忍ばせながらテーブルの中央にいる人物に近づき、その耳元でなにやら熱心にささやいた。

覆面の尋問者は黙って話を聞いたのち、うなずいて同意を示した。

「レディー・フルヴィア、かつて婚約者だったわが従妹《いとこ》よ」アントニオは頭巾をかぶった裁判官に背を向けて、彼女に微笑みかけた。「わたしはこの敬虔なる裁きの場に寛大な処置を願い出て、許可をいただいた。もしきみが罪を犯したことを認め、拷問にかけるための大いなる苦労が省かれれば、鉄や鋼や、炎や麻縄のもたらす苦痛を味わうことはなくなり、長きにわたる投獄もなければ、流刑もなく、修道院で生贄《いけにえ》に供されることもない。承諾するだろう？」

フルヴィアはクリーム色の肩を片方だけ上げて、軽蔑するように肩をすくめた。「あら、あらかじめ有罪を宣告されているのに、それを認めたところでなんになるのかしら？」と彼女は答えた。

「それで、聖職者になりすましていたこの悪霊が人間でないことには、いつ気づいたのか？」この裁きの場の長がそう尋ねる一方で、事務官は鉄にやすりをかけるような音を立てながら、羽ペンを走らせて宣誓証言を書き留めていた。

「礼拝堂の入り口であの残忍なウルサルを負かすのを見たとき、アルベルティーノ神父さまではないと確信しました」と彼女は答えた。「その後、そこにいるわが従兄《いとこ》である婚約者がわたしの部屋に無理やり入ってひどい中傷で侮辱してきたとき、この一見フラ・アルベルトに見えるお方が前言を取り消すよう命じて、彼がそれを拒んだときには、まるで子供を相手にするかのように苦もなく打ち負かしたのです」

「実際、あれは人間業ではなかったのさ」アントニオがあざ笑うように口を挟んだ。

「それから、レプラの浮浪者たちに襲われたときには、わたしを実に立派に守ってくれて――」

「そして、二人だけで夜を過ごしたのだな？」と裁判長が尋ねた。その声は太く滑らかで、優しく、安心感を与えるような口調だった。

「はい――」

「では、そなたは彼に――」

「唇と足に口づけをさせただけです、本当に」

「足に？」

「はい、わたしを崇拝してくれたので――」

「もうよい！　そなたは悪魔どもの女王となり女神となるがいい！　冒瀆の罪が追加されたぞ。自白に署名するのだ、この売女《ばいた》め！」

　羽ペンの引っかくような音を立てながら、彼女は砂色の羊皮紙に自分の名前を丁寧に綴った。

「これはそなたの真実の完全なる自白で、自由意志によってなされたもので、遠慮も内心の留保もないのだな？」と裁判長が尋ねた。

「その通りです」

　黒衣の衣擦れの音をさせながら、頭巾をかぶった審判者たちが立ち上がり、覆面の穴から不気味なまなざしを彼女に向けた。

「では、判決を言い渡す」裁判長の太い声は徐々に大きくなってこの低い天井の小部屋を満たし、その力が黒い布地を震わせているようにさえ思えた。「本法廷の判決としては、レディー・フルヴィア・マリア・カルヴィア・ディ・グラデニーゴは市場にて裸体を晒《さら》され、息絶えるまで石を投げつけられるものとする。その後、死体は灰になるまで燃やされたのちに川に捨てられ、罪深き肉体がキリスト教徒の死者の埋葬地に眠ることは決してない。

　看守よ、見張っておけ！」

　黒いタペストリーがさっと払いのけられて、蝶番に油を差していない扉がきしむ音を立てた。半ダースの兵士が行進しながら入ってきて、フルヴィアの左右に整列した。

　兵士たちは彼女を隣の部屋へ連れて行き、そこには死刑執行人がいて、緋色のホーズとダブレット（ホーズはタイツ状の長ズボンで、ダブレットは胴衣）に緋色の覆面といういでたちで、覆面をつけた助手二名と一緒に立っていた。

　彼らはフルヴィアの豪華な服を脱がせて、目の粗いリネンの丈の短い囚人服を着せた。そして手首に手かせをはめ、華奢な足首に足かせをはめ、最後に鉄の首輪を首に巻いて鋲で留め、長さ一エル（昔の長さの単位で、四十五インチ）の鎖を付けた。こうして、猛獣のように首輪をつけて鎖でつながれた彼女は、慰み者にされるのを待つような状態となった。

「畜生、こいつはそそられるぜ」ウルサルが悪態をついた。彼はこの衛兵の一団を率いていて、フルヴィアのクリーム色の肢体は、地下牢のどんよりした暗闇を背に象牙色の輝きを放っていた。「男ならふるいつきたくなるご馳走だ。ひ弱すぎてすぐに壊しちまいそうだがな！」「黙れ、この地獄生まれの悪党が。さもないと、真っ赤に焼けたやっとこで肉をつまんでやるぞ！」執行人が叫んだ。その後、とても優しい口調で、彼女の首輪の鎖を持って部屋から出るときにこう言った。「よろしいですか、お嬢さま?」

床の輪付きボルトに首輪の鎖でつながれたフルヴィアは、地下牢にまき散らされた黴《かび》と虫の湧いた藁の上でうずくまっていた。鎖が短すぎるため背筋を伸ばして座ることができず、重たい手かせと足かせのせいで、動こうとするたびに柔らかい肌にあざができる。「ああ、フラ・ディアヴォロ、愛しい、愛しい悪魔さん、いまどこにいるの?」彼女はすすり泣いた。「あなたもまた、この暗い時を過ごすわたしを見捨ててしまったの?」

モンタギューは魂がばらばらに引き裂かれるかと思うほど必死になって、どうにか返事を絞り出した。「愛する人よ、ここにいます」

その声は、麦畑を吹き抜けるそよ風のささやきとほとんど変わらない大きさだったが、娘の耳には届いた。「ディアボルス?」彼女は呼びかけた。「あなた、ここにいるの？　姿が見えないわ」

「自分でも見えないのですよ」と彼は答えた。「肉体がないらしくて」

「まあ——死んでしまったの?」と彼女が尋ねた。「悪魔も人間のように死んでしまうの?」

「いえ、最愛の人よ、わたしは生きています」と彼は答えた。「なのに——」眠っている人が悪夢の中で邪魔を払いのけようともがいているときのように苦労しながら、モンタギューは彼女のほうへ体を押し出した。空気がほとんど固体のように思え、高い波の中をもがきながら通り抜けるのはこんな気分かもしれないと思ったが、断固たる決意によって、地下牢の不潔な床の上をどうにか移動した。そして、そうやって努力するうちに力が増していくのを感じ、彼女のそばにたどり着くころにはある程度は目に見えるようになっていた。ちらつく鈍い光によってスクリーンに映し出された姿のようにぼやけているが、それでもほんの少しだけ実体があり、彼が両手を伸ばしたとき、娘はその手が頬に触れるのを感じた。

「ああ——ああ」彼女の震える唇からすぐに吐息が漏れた。「あなたの手を感じるわ、愛しい悪魔さん！　もっと近くに来て、腕の中で抱きしめて、胸にわたしの頭を押しつけて、あなたの愛に包まれた残りわずかな人生を、夢の中で過ごさせて！」

彼は、悪臭を放つ藁の上にいる娘の横で身をかがめ、実体のない腕の中に抱き寄せた。

娘は口づけを求めて顔を上げ、唇の上でかすかに空気が動いただけだったにもかかわらず、歓喜に体を震わせた。

「ああ、愛しい人、愛するあなた」彼女はささやいた。「最初にあなたを部屋に招き入れて優しい瞳をのぞき込んだとき、わたしの心は、あなたの心に向かって飛び立ったの。夕暮れ時に巣へ帰る小鳥のようにね」そして、彼のかすかな姿が壊れないように、そっと抱きつくと、唇に、頬に、喉に、剃った頭に口づけをした。

すると「蜜蜂の巣のように甘く、見る者の目を喜ばす、誰よりも美しきご婦人よ」と彼が呼びかけた。「黄金の薔薇、象牙の塔、神の造りたまいしものの中で最も美しき人」などの恋人のような愛の言葉を耳にささやきかけながら、実体のない無力さにあらがい、彼女を胸にしっかりと抱きしめようとした。

「わたしの心臓が歌うのを聞いて、素敵な悪魔さん」娘はそう命じると、目の粗いリネンで覆われた胸の小さな膨らみに彼の頭を押しつけた。「歌っているのが聞こえるでしょう？　ディ＝アボ＝ルス、ディ＝アボ＝ルス。初めて会ったときからずっと、この愛しい名前を心臓が歌っているの。明日もきっと、この素敵な名前を呼ぶでしょう。そのとき――そのときは――」身震いと共に言葉が途切れた。まだ若い娘にとって、死はあまりにも恐ろしいものだった。

するとモンタギューは彼女の手に、額に、首に、足に口づけをして、そして最後に、待ちきれないようにせがむ唇に唇を重ねた。

「あなたは地獄にいるの？」二人が口づけをじゅうぶんすぎるほど堪能したあとで、娘がとうとう尋ねた。「明日、わたしもそこへ行こうかしら？」

「いえ、愛する人よ、地獄に住んでいるわけではないのですよ。少なくとも、あなたが言うところの地獄ではありません」

「では、どこに住んでいるの？」

「かの有名なアトランティスから名を取った海の向こうにある国です。いま生きている人々は誰も、夢想だにしていない国ですよ」

「日の沈む方角の？」

「ええ、西の方角です。あなたとの間に、三千マイルにわたる海と、七世紀もの年月が横たわっているのですよ」

「まあ、なんてこと！　時間も空間も、二人の間を阻む壁となっているのね！」フルヴィアは嘆き悲しんだ。「でも、愛の力のほうが強いわ。愛は二人をお互いのもとへ導いてくれるはず。愛しい悪魔さん、わたしを待っていてくれると約束してちょうだい！」

「時を越えて、永遠を越えて、あなたを探します」と彼は答えた。「そして、ほかの誰にも愛を捧げることはありません」

こうして、唇と唇、心と心をしっかりと重ねた二人は地下牢の悪臭を放つ藁の上にうずくまっていたが、やがて夜が明けて、鉄格子越しに小さな四角い光が射し込んできた。


市場の処刑台の上には大きな柱が立てられていて、これに向かって娘は導かれた。

二列縦隊の兵士たちが囚人を中央に挟んで要塞から行進すると、町の人も田舎の人もひざまずき、聖歌の声が天高く昇った。「ミセレレ・メイ、ドミネ――われを憐れみたまえ、おお神よ、深き御恵《みめぐ》みをもって、豊かな御《おん》憐《あわ》れみをもって……」

赤い袖なしのダブレットを身につけ、赤い覆面で顔を隠した死刑執行人は、娘の手かせと足かせを外したが、鉄の首輪は外さなかった。熊いじめ（熊を犬にいじめさせた昔の見世物）の熊を鎖で杭につなぐように、首輪に付けられた鎖で柱につなぐことになるからだ。

石に膝をついて足かせを外しながら、彼は低い声でつぶやいた。「あなたにこんな真似をするのはわたくしではありません、お嬢さま、教会と国家のお偉方の命令なのです。願わくは、果たさねばならぬ務めをおこなうこの卑しき男をお許しください。そして、幸福の地に至られたときには、わたくしのためにお祈りください」

「あら、わたしは破門されてしまったのよ、知らないの？」彼女は悲しげに男に微笑みかけた。「わたしのような者の祈りなど、なんの役に立つのかしら？」

「それでも、お嬢さま、頭を剃った司祭さま五十人の祈禱よりも、あなたのお祈りをいただきたいのですよ」と男は答えた。「あなたの安息のためにミサを執り行うことは許されないので、この町と田舎のすべての家々で今夜あなたのために祈りが捧げられ、その後も毎晩続けられます。われら罪深き者たちのためにもお祈りください、お嬢さま！」

「あら、そういうことなら、そうするわ」彼女は約束した。「これから行く場所でお祈りすることがあれば、あなたのために祈りましょう」

男は彼女の粗布の服の縁を唇に押し当てたのちに、時間が迫ってきたので、鉄の大鋏《おおばさみ》を取り出して、その服を裾から襟まで切り開くと、素早く引っ張って脱ぎ捨てさせた。

娘はそのすらりと美しい体を人々の目に晒された。太腿はほっそりとして少年に似て、小さな乳房は窓ガラスに張りついた雨粒のようで、その間にある丘は処女らしく控え目に膨らんでいる。

「石を持て！」命令を叫んだのはアントニオの声だったが、群衆の中のどこかから、命令し返す声が響き渡った。

「罪を犯したことのない者が、まず石を投げよ！」

同意のつぶやきが聞こえ、低く、だが近づきつつある雷鳴のように不吉で脅迫的なつぶやきが、人だかりの中で徐々に膨れ上がり、大胆な数名は処刑台を囲んで中空方陣に整列している兵士の構える槍を押した。

「急げ！」アントニオが命じた。「ろくでなしの野次馬がぶつぶつ言っている。さっさと片付けろ！」

ウルサルとほか二名が鉾槍を脇に置き、処刑台に向かって闊歩した。

死神の笑みが目に浮かび、娘の勇敢な心がひるんだ。

「助けて、フラ・ディアヴォロ、お願いよ！」彼女は叫んだ。「わたしを救って——」

柔らかな肌を丸石が直撃し、懇願の言葉は途切れた。もしかすると〝情けの一撃〟だったのかもしれないが、むしろおそらく、鬱積した恨みに駆り立てられた結果だったようで、ウルサルがこぶし大の石をみぞおちに投げつけたのだ。

彼女の苦悶は、見るも恐ろしいものだった。みぞおちに大きな石が当たったとたん、目はどんよりと曇って突き出し、唇は激痛のあまり四角く歪み、体を二つに折り曲げて、あえいで必死で息を吸おうとしながら、両手で力なく空《くう》を叩いた。

ウルサルの仲間の石のほうが、より情け深い一撃だった。手を後ろに引いてから投げた石は娘のこめかみに命中し、青い静脈の浮いた肌を切り裂き、薄い骨を粉々に砕いたのだ。柱につながれた錆びついた鎖がガチャンと鳴り、膝がぐんにゃりと折れ、彼女は意識を失ってぐったりと鉄の首輪にぶら下がっていた。

石が次々と投げつけられ、ゴツンゴツンと音が響いた。美しい腕は石を何度もぶつけられて華奢な骨が砕け、すっかり形が変わってしまった。ほっそりした脚は、形のない肉がねじられたものと化した。三十分後にすべてが終わり、かつてフルヴィアと呼ばれた麗《うるわ》しの白い肢体は血まみれの無定形の塊となり、兵士や心ない少数の町人が腕試しに石を投げつけるたび、鎖につながれたままグロテスクに飛んだり跳ねたりぴくっと動いたりした。

モンタギューは、形がないという障害に打ち勝とうと、狂ったようにもがいた。自分の体でかばおうとした。石は彼の体をなんの支障もなく通過し、彼も石が通過するのを感じることができなかった。落ちている石をつかんで、にやついているウルサルや冷酷で邪悪なアントニオに投げつけようとした。彼の努力が取るに足らないものであることを勘定に入れても、石の重さは一トンはあったのかもしれない。どれだけ懸命に試みようと、地面から持ち上げることさえできないのだ。

だがとうとう、最大限の努力によって、どうにか石をつかむことができた。激しい疲労と戦いながら、ゆっくりと石を持ち上げ、投げるために構えて、ウルサルにまっすぐ投げつけた。

力を使い果たしたせいで、彼はバランスを失った。石を投げながらうつぶせに倒れ、地面に激突し、あえぎながらそこに横たわっていた。努力で消耗してしまい、気分が悪い。

ゆっくりと無気力に、彼は目を開けた。自分の書斎の床に横たわっている。すぐそばで粉々になっているのは、あのクリスタルガラスの小さな記憶の球体だった。過去への入り口は閉ざされて、もう二度と開くことはないのだ。

一年間の孤独な生活で、アルバート・モンタギューは大きく変化していた。巻き毛の髪は白髪交じりになり、こめかみのあたりは真っ白だ。顔には苦悩を物語る皺が増え、その目は幸福の亡骸《なきがら》のそばで見守る人の目だった。

世捨て人のような暮らしを切り上げてトロッター家とドーセイ家の結婚式に参列する気になったのは、花婿とは初めてはいたニッカーボッカーズを見せびらかしていた幼いころからの付き合いだというだけの理由だった。だが当日は、来なければよかったと百回は思った。

式は芝生の上で執り行われ、淡いパステルカラーのドレスを着たブライズメイドたちは涼しげで愛らしかった。いま彼は庭の生け垣の横に一人で立っていて、あとどのくらい待てば無作法にならずに退散することができるのだろうかと考えていた。若い娘らしい会話のささやき声が聞こえてきても、不愉快な気分はちっとも減らなかった。

「あれがアルバート・モンタギューよ。びっくりするほど素敵じゃない？　あの細面の険しい顔に若白髪がよく似合って。失恋したらしいって噂だけど――」

「失恋じゃないけど、彼がここに来たときに失望するところを見ちゃったわ」別の娘が口を挟んだ。「車を降りようとしたちょうどそのとき、帽子が吹き飛んで、後ろの車にひかれちゃったの。きっと怒ってたわ！　潰れたシルクハットくらい滑稽なものはないわね――」

「あら、見て、アン・バーソロミューよ！　誇り高くて、冷ややかで、お高くとまってる女王様！　あの娘《こ》って、メアリー・スチュアート（エリザベス一世に処刑されたスコットランド女王（一五四二―一五八七））とメデイア（ギリシャ神話の魔女）を合わせた感じよね」

　モンタギューはぼんやりと芝生の反対側に目をやり、突然、喉が締めつけられるのを感じた。

　その娘は背が高く、すらりとしなやかで、超然として誇り高く、まるで魔王の腹違いの妹のようだが、あまりにも美しく、その姿を見た彼は息もつけなくなるほどだった。彼女はマーキゼット（綿・絹・レーヨンなどの薄い透けた織物）の菫色のチュニックコートを着ており、その下は薄いオーガンジーの明るい黄色のドレスだった。髪は搾りたての蜂蜜のように輝いていて、顔はパロス島産の大理石のように青白いが、柘榴色の唇だけが深紅の線を描いている。先細りの長い眉の下の瞳は、八月の空のように澄み切った青色だ。傲慢そうな細い顎の輪郭は、一瞬横を向いたときに完璧だとわかった。ほっそりした体の若さがドレス越しにきらきらと輝いていて、まるで磨き上げられた象牙越しに輝く青白く熱い炎のようだ。

「フルヴィア！」彼は声を詰まらせながらそう言うと、大股の十歩で芝生の反対側へ行き、娘の前に立った。

　アン・バーソロミューは冷ややかでけげんそうな目で、妙な名前で自分を呼んだこの若い男を見た。よくいるパンチを飲みすぎた招待客ではないのは明らかで、紳士なのも明らかだ。

「すみません、お知り合いではないような気がするのですが。以前お会いしましたか？」

「七百年前に――」

　彼女のほっそりした貴族的な眉が、かすかにつり上がった。やっぱり酔っ払いだわ。

「フルヴィア！　あなたは――あなたに、ディアボルスを忘れたとは言わせませんよ――フラ・ディアヴォロを……」

「フラ・ディアヴォロ？」滑らかな眉間に少し皺が寄った。彼女は一瞬ためらい、忘れた曲のコードやうろ覚えの詩の断片を思い出そうとしている人の表情がその目に浮かんだ。「ディアボルス……これって……礼拝堂……」

「それからウルサル……そしてアントニオ！」彼が息を

弾ませながら付け足した。

「カーニヴァル?」まだ疑いながらも、彼女は埋もれた記憶の宝庫の中を手探りしているようだった。

「霊廟での会合……シニョーリ・ディ・ノッテとの格闘……」

「古いお家が、空き家のお屋敷があったんじゃない?」恐れのようなものが、彼女の穏やかな瞳の奥にちらりと見えた。

「そして、そこの古い寝室……あなたの小さな足……」

「あの——町の広場に立てられた柱は?」高まる恐怖が、あまりにも恐ろしくて夏の陽射しも冷え切ってしまうような夢の記憶が、娘の顔をさっとよぎった。それでも

「地下牢で過ごした、あの晩のことを思い出して」と彼はせがんだ。「あなたはこう言った。『愛しい悪魔さん、わたしを待っていてくれると約束してちょうだい』と。そして——」

「あなたはこう言ったわ。『時を越えて、永遠を越えて、あなたを探します。そして、ほかの誰にも愛を捧げることはありません!』」

「フルヴィア!」

「素敵な悪魔さん——愛しいフラ・ディアヴォロ!」

二人は手をしっかり握って向かい合い、二人の瞳には楽園の夜明けの光が輝いていた。

「おい、モンタギュー君、きみの持ち物を見つけたので、直させておいたよ!」お節介焼きのトロッター氏が、シャンパンでかなり陽気になった様子で二人のところへやってきて、アイロンをかけたばかりのシルクハットを、ずんぐりとして手入れの行き届いた手に持って差し出した。

だが、アンとアルバートは——フルヴィアとフラ・ディアヴォロは——見向きもしなかった。

二人は、自分たちのものだったなにかをすでに見つけて——そして、それは元通りに直されたのだ。


今日の人権意識に照らして不適切と思われる作中の表現や語句につきましては、発表時の時代的背景を考慮し、作品を尊重する立場から、原文を逸脱することなく翻訳・収録しておりますことを、ご了承下さい。(編集室)

ショート・ショート――霊魂の不滅

燦《きら》めく手と手

井上雅彦

石礫《いしつぶて》のようなノックの果てに、扉が開いた。

中から顔を出した女は、不審そうに訪問者を一瞥したが、すぐに表情をほころばせた。

「おや、まあ、こんな夜更けに……」

愛嬌のある丸顔に、猫を思わせる大きな双《ふた》つの瞳が強い輝きを放った。

「誰かと思えば、あんたかい」

「やはり、憶えていらしたのね。私のことを」

訪問者は、静かに――しかし、力強く言った。「そうだと思っていた」

「まあね。……だって、最近、会ったばかりじゃないか」

酒焼けしたような声の女は、にやつきながら言った。「あんたみたいに、上品で、ほっそりとした別嬪《べっぴん》さんには、めったにお目にかからないからね。あの連中のなかでは、そもそも女も珍しい。でも、その程度さね……あんたの名前も知らないね」

「名前以上のことも、知っているでしょう?」

細面《ほそおもて》の訪問者は言った。

「夫が、今、どこにいるのかを」

丸顔の女の目が、ますます大きく瞠《みひら》き、輝きを帯びた。

※　※　※

博物館などと呼んでいただけるのは喜ばしい限りですな。ここにあるのは、ただの蒐集物。

でも、確かに当時のさまざまな「残留物」を、これだけ集めている例は世界でもここだけでしょう。息子の自分が言うのもおこがましいが、父は熱意の塊でした。大学の研究者にも負けぬほど詳細な記録も残している。わざわざ取材に来ていただいて、学術的価値があるとまで言ってもらえるとは、現世を離れた父も、さぞかし喜んでいることでしょう。

そう。こちらの壁際の陳列物が、お望みのものです。

たとえば、これ。

この大きなガラス瓶の底に溜まっている乳白色の物質。これが、今世紀初頭、一九〇〇年代の英国の降霊会で、霊媒ミーナ・クランドンの鼻腔などから噴き出された〈マーキュリー〉の実物です。

この降霊会は、死後の実存や幽霊の存在の有無を研究する、英国心霊研究協会の検証実験でした。当時、実際に「浴びるほどの距離」で、それを目撃した父の記述によると、トランス状態に入って痙攣《けいれん》するように前のめりになったミーナの鼻腔から白い液状のものがどろどろと噴き出して、流れ落ち、さらには、耳の孔や目からまでも、つまり、顔中の孔という孔からも、かなりの粘稠《ねんちょう》性《せい》のある〈マーキュリー〉があふれるように流出したと……。テーブル上に溜まった〈マーキュリー〉は、軟体動物のようにのたうちながら、天板を這いまわり、やがて、小さな人体めいた姿に変形して二本足で歩きまわったのちに、彼女の体内に吸収されたとのことで……。

ここにあるのは、父が自分の手で触って、掬《すく》いとった残留物なのですが、思いの外、重くて、オゾンの臭気があり、人肌以上に温かいものだったとのことなのです……。

その隣のは、もっと薄気味悪く感じるかもしれません。少しあとの時代、ドイツの降霊会で、霊媒エヴァ・Cこと、マルト・ベローの顔から生え出た〈マーキュリー〉の標本です。

父の知り合いだった医学博士のノッチング男爵の心霊学実験で得られたものですが、この灰褐色の〈マーキュリー〉が、霊媒の頭髪の間からふつふつと湧き出して、頬のあたりまで拡がった時には、すでに、このとおり目鼻など人の顔のパーツを有していて、霊媒にもうひとつの顔が生えたかのようにも見えたとのこと。まるでひとつの頭に顔が双つあるかのような錯覚すら与え、同時に、目も鼻も唇までもある肉の茸《きのこ》のようでもあり……しかも、それが、人語を発したのを父は聞いたと記しています。

父に採取されたのち、剝がされた人の顔の生皮のような姿の〈マーキュリー〉は、この瓶の中に入れられてからも、二日ばかりはなにやら奇怪な声を発していたというのですが……。

え？　この〈マーキュリー〉という言葉のことですか？

父が使っていた用語なので私も継承しているのですが、それらが今では別の名称で呼ばれていることも承知しています。死者の霊と生きている人間との媒介をする力を持った霊媒のなかでも、すべてが、これを出せるわけではないのですが……。〈マーキュリー〉とは、そうした霊媒が肉体から放出する「物質」のことです。蒸気状であったり、光り輝く蜘蛛の巣状の有機体であったり、液状、あるいは、粘稠性のあるペースト状のものであったりするわけですが、その物質を使って、死者の霊や、それ以外の霊的存在が「降霊」する。霊はこの物体を使って、自分の生前の姿を可視化させたり、聴覚や触覚に訴える物理的なメッセージを伝えるというもので、父はこうした物質を、すべからく〈マーキュリー〉と呼んでいました。

もちろん、父の造語ではありません。ヘルメス思想なる古代の神秘主義を十七世紀に研究した、哲学者にして詩人でもあるヘンリー・ヴォーンの書物の中で、この物質をそう記述しているのだそうです。

でも、今では、この物質を〈マーキュリー〉などと呼ぶ者は皆無でしょう。

第一物質、アイドロン、幽物質など、さまざまな名称で呼ばれてきましたが……現在、最も人口に膾炙《かいしゃ》しているものは、のちにノーベル賞を受賞した医学博士シャルル・ロベール・リシェが命名した〈エクトプラズム〉――ギリシャ語の「外形化《エクト》された物質《プラズム》」という名称でしょう。

そうでした。そもそも、あなたは、その取材が目的でしたね。

一八九三年、パリの降霊会。

当時、生理学のみならず精神医学をも研究していたシャルル・リシェが、はじめて目の当たりにして、〈エクトプラズム〉と命名することになった物質の一部分。

もちろん、こちらにありますよ。

その奥にあるものが……。

そう。これです。

驚かれましたか。

これを自分の体内から噴出させた霊媒の名前は、エウサピア・パラディーノ。

そう……あの悪名高いイタリアの莫連《ばくれん》。すれっからしのあばずれ女です。

父は、彼女をこう呼んでいた。

科学者誑《たら》しの雌猫と。

※　※　※

「あんたの亭主の居場所だって?」

丸顔の女は、あきれたように言った。「冗談じゃない。あたしが知るわけないじゃないか。此処《ここ》に引っ張り込んだとでもお思いかい?」

爆《は》ぜるような巻き舌の抑揚は、あたかも、イタリア・オペラの叙唱《レチタティーボ》。

「そりゃあ、あんたの亭主どもが、あたしに惹かれる理由は、よぉくわかるよ。なにしろ、お上品な淑女には無い魅力があるからね。だから、なにやら、実験と称して、女の手足を縛ったり、とんでもないところに光を当てたりしてさ。まあ、なにをやられても、あたしは嫌がらないからね。淑女のあんたには、真似できないだろうさ……いろんなことをやられているうちに、あたしは、なにやら気持ちがよくなって、意識を失ったりもする。そんなところが、ご亭主たちには、たまらないんだろ」

猫を思わせる顔で、女は、からかうように笑いながら、

「同じことを何度も何度も調べようとする。特にご執心のあの博士もね。あたしが出したもんを——その……エクスタシなんたらとかと命名した——」

「エクトプラズム」

細面の女が訂正した。「その真偽については、私にもわからない。あなたは幾度も、手品擬《もど》きの不正を行い、科学者を欺《だま》しているのだから」

「それの、なにが悪いのさ」

むしろ面白そうに、女が言った。

「恋の駆け引きと同じ。虚実のスリルが重要なスパイスなのさ。ノーベル賞だか科学的権威だかなんだか知らないけれど、馬鹿真面目な連中の視野を拡げてやることもね」

「一本だけ長く伸ばした髪の毛を使って、遠方の蠟燭立てを引き寄せる。関節を鳴らして、霊の出現音だと思わせる。……貴女のやっていたことは、まるで幼稚な子供欺し」

「その子供欺しに幾度も欺されたお偉い殿方はどうなのかってハナシ。何度、欺されても、それでも懲りずに、連中は、あたしを調べたがるんだ。何度も、何度も」

「その通り……」

細面の女は言った。「……私の夫も、そうだった。いや……夫だけではなく……」

「なんだってのさ！」

勢いづいた女が、一転、ハッとして身を強張らせた。

訪問者の手には、小さな拳銃が握られていた。

※　※　※

おや。どうされました？　ほう。この標本が。

動いたように見えた？

私も気づかぬうちに。ときおり、そんな風におっしゃる方がいる。なんといっても、この標本は特別です。これこそが、シャルル・リシエによって、ギリシャ語の「外形化《エクト》された物質《プラズム》」と名づけられるきっかけとなったものですからね。

父が、これを採取したエウサピア・パラディーノの降霊実験は、先ほどお話ししましたとおり一八九三年のパリ。

シャルル・リシエは、その後も繰り返しエウサピアを調査し、翌年には、南仏リヴィエラからもほど近い、地中海の自分が所有していたルボー島の別荘に、幾人かの科学者たちと彼女を幽閉して――いや、実際は、科学者たちが彼女に幽閉されたのだとも言われていますが、それはともかく――その後も、世紀を跨いで、長きにわたっての研究対象にしたと言われているのですが、そもそも、そのはじまりが、あの時でした。

降霊実験が行われた会場の設営担当が、私の父だったのです。

ええ。父は、科学者ではありません。アカデミックな意味での「助手」ですらなかった。

現場の実務を執り行う「監督補助員」――そのように父は呼んでいましたが、実際は雑用係ですよ。ただ、科学者たちに重宝されていたのは、確かです。

英国心霊研究協会の初代会長Ｈ・シジウィックにも、その年の年末に新たな会長に就任することになるＷ・ジエイムズにも、現場における父の采配は一目置かれていた――などと語る父の言い方は、やや大風呂敷だと思いますが、父には特別な才能がありましたから。

父は、エウサピアのことはよく知っていました。

確かに、ただならぬ霊感を持っている。真物の霊媒だ――かねがね、父は、そう言っておりました。

しかし、その一方で、彼女は、いかにもくだらない「インチキ」をやってみせる。まるで、科学者たちの器量を確かめるかのように。まるで、暴かれるのを待っているかのように。

父は、彼女のそんな性癖を知っていたので、念入りに準備しました。

身体を縛るロープの結び方も、おいそれと解けぬように、独自のものを工夫しました。

テーブルの下の足の固定。これも気をつけないと、靴からこっそりと抜き出して、足の指が器用な偽霊媒にしてやられることになります。

さらには……偽霊媒がやりがちな小道具の隠し場所も熟知していました。……つまびらかには申し上げませんが……女性の身体の綿密な検査が必要だということです。

そこで──その身体検査のためだけの「補助員」として、父が選んだのは、女子学生でした。求人の貼り紙に女学生もずいぶん応募してきたのですが、父は念のいったことに、大学で磁力の研究をしていた苦学生を選んだのです。磁石による不正の防止。これは、かなり重要なことであることは、シャルル・リシエですら、見落としていたようです。もっとも──彼女は、あまり役には立たなかった。降霊会がはじまる前から、彼女はなにか心ここにあらずといった様子で、もじもじと顔を赤らめたり、神経質そうに自分の手をじっと眺めていたりした。

「補助員」たちの話では、身体検査の時に、エウサピアから、耳元でなにやら性的なことでもを言われたからだろうとのことで……。

だから、そんな意味では、不正の余地がなかったともいえない。

ただ──その後の降霊会は、磁石程度のトリックでは説明のつかない奇怪なものとなったのです。

降霊会の間じゅう、エウサピアは縄で身体を固定され、それでも猫のような笑みをこぼしていた。若い時期に、奇術の一座で生活し、ステージの上から客に投げかける媚びた笑顔を忘れていなかったようです。ところが──彼女が、突然、脱力した。

いわゆる、トランス状態とも異なる。奇妙な様子だったといいます。まるで、人が変わったかのような。そう……あの悪名高い雌猫が、突如、毅然とした皇女のように見えたというのです。

その寸前──父は奇怪な音を聴いています。まるで、なにかの破裂音。そう、銃の暴発のような。

※　※　※

「撃てるものか、このあたしを」

銃口を見つめながら、イタリア女が言った。「そうしたら……あんたの亭主の居場所は」

「本当は、貴女は、なにも知らないようですね」

銃を構えながら、淑女は言った。「知っているのは、貴女の中にいるもうひとりの女性。貴女の中に棲んでいるのか、憑依してくるのか、それはわからない」

「なんだって？」

「その女性が、貴女の口を借りて、夫のことを教えると約束してくれたのです。彼が、今、どこに居るのか。それが、どういう場所なのか。そう……死んだ私の夫が、今はどこで、どうしているのかということを……」

「――ま、まさか……！」

「そうです。私の夫は死んだのですよ。あの降霊会から、半年もたたぬうちに。貴女の――いえ、もうひとりの貴女の予言したとおり、馬車の事故でね」

イタリア女の目の色が変わった。

※　※　※

父が奇怪な音を聴いた瞬間――

あたりが青白い光に包まれたのでした。

まるで、それは青い緞帳《どんちょう》を拡げたようだった……と、父は述懐していますが、その青い緞帳そのものが父に言わせれば、エウサピアの身体から放出された〈マーキュリー〉だというのです。青い緞帳はゆらゆら動き、まるで極地のオーロラのようでした。

例の女子学生が、陶然として見入っていたといいます。現代なら、さしづめ映画のスクリーンを眺めるかのような状態なのでしょうか。

その時――突然、その腕が現れました。

青い腕のようなもの……というのは、リシュの表現ですが、彼はそれを見るより前に、緞帳の中で「なにかの腕に触れた」とのことでした。まるで「ソーセージのように太い指」とリシュ自身が記しています。青い緞帳のような空間から現れたその腕こそが、「エウサピアの三本目の腕」と呼ばれ、のちにリシュによって外形化《エクト》した物質《プラズム》と表現されるものだったのでした。

腕については、父ももちろん目撃していました。

大きな、逞しそうな、人間の腕。

どちらかといえば、男のものに見えたそうです。

太くて長い五本の指を持った手首と上腕部……それは、明らかに青い緞帳の中から伸びてくるものでした。

腕は、ベルを持ちあげて宙で鳴らす、テーブルの上の紙をめくるなど、さまざまなことをしてのけました。これらの行為は、いたくリシュを感動させたようです。

しかし、父は、別のものを見ていました。

まるで、人格の変わったようなエウサピアの様子。毅然と背筋を伸ばし、この世もあの世も見透しているかのような、眼差し。

その背後でたなびいている青い輝き。きらめく色彩。

それをうっとりと眺める女学生の唇の形……ようせいのひかり……妖精の光……と口ずさんだように、父は記述しています。

その女子学生に向かって、太い指を持つ手首がゆっくりと近づいてくる。その手は、まるで激しい火傷《やけど》の痕のように爛《ただ》れて、襤褸《ぼろ》さながらに見えた——と父は言うのです。その不気味な手首の影が、女子学生の顔を覆ったかに見えた、その瞬間——。

再びの破裂音。

手首も青い緞帳もたちまち消え失せ、エウサピアは我に返りました。降霊会は終了したのです。

自分のショウが終わったことが不満そうに、いつもの荒々しい口調でののしる様子に、もう「皇女」のような面影は、ありませんでした。

雌猫のエウサピア。そして……科学者誑《たら》しのエウサピア。

しかし、これは、きっかけにすぎませんでした。


はじめて奇怪なスペクタクルを見たシャルル・リシェは、その後も、彼女の心霊学的な能力に興味を持ち、幾年にもわたる研究を続けたわけです。

その研究に賛同したのは、多くの心理学者や物理学者。

時は流れて、一九〇五年。

最初の降霊会から十二年後となるこの年に行われた降霊会では、立会人に、一九〇三年に放射能の発見でノーベル物理学賞を夫婦ともども受賞したピエール・キュリーとマリ・キュリーもいたほどで。そう。ノーベル賞といえば、リシェ自身も別の研究分野で「反対の保護《アナフィラキス》」——すなわち「アナフィラキシー」の発見で一九一三年にノーベル生理学・医学賞を受賞するのですが、彼にとっては、人間の免疫系も心霊学も興味の源は同じだったのでしょう。

ちなみに……リシェ自身は、死後の世界については懐疑的だったようですね。

むしろ、超自然現象を生み出せる人間の可能性を研究したかったようです。

それは、同じようにエウサピアの能力に興味を抱いたピエール・キュリーも、その研究の動機は、幽霊や死後実存よりも、放射線の正体に迫るような未知の力についての探究心だったようですが……。

※　※　※

「あんたは……そうか、あんたは」

イタリア女は言った。「やはり、あの時の……夫婦の科学者だ。確か、マリ……」

「夫のピエールは事故死の五日前まで、貴女との降霊会について、科学者仲間と手紙を交わしていました」

マリは言った。「夫を惹きつけたものは、死後の世界や魂の実存などではなく、未知なるものへの探究。夫だけではなく……私もかつては、そうだった。でも……今は」

目を真っ直ぐに向けた。

「死後の世界について知りたい……いや、なによりも、夫に会いたい。それを知っているのは――」

「やめてくれ。その銃を向けるな」

「貴女の中に棲むもうひとり。最後の降霊会の後、リシュ博士も言っていた。あれは免疫のような防衛反応。屈辱や命の危険を察した時に、現れるのではないかとね」

「知らないね！」

エウサピアは叫んだ。「あれは……あたしの一人芝居だ。ただの出鱈目さ」

「ちがう」

マリは言った。「貴女は――いえ、もうひとりの貴女は、ピエールの死も予知していた。死後のピエールのことも知っていた。それどころか……私は、やがて、ピエールと出会い、恋に落ちることも予知していた。そう……そのことを、貴女が私に告げたのは、一八九三年のパリ。あの降霊会で。ソルボンヌの苦学生で、まだ磁力の研究をしていた頃の私に……貴女にとっては屈辱的な身体検査をしていたその時に」

エウサピアは目を剝いた。

マリは続けた。「そうだったのです。あの頃の私のことは、リシュ博士ですら憶えていなかった。でも、私は忘れたことがない。あの青い不思議な光の中で、見えていた未来が……あの青い〈妖精の光〉も……はじめて発見したラジウムの光と同じ……だから、私は……この研究に邁進した。ピエールとともに……だから……私は」

銃が震えた。

「だから……私は……」

エウサピアが震え上がった。

マリの手が引き攣《つ》って、指から拳銃が放せないのだ。

引き金に触れる。凄まじい破裂音がした。弾丸は込めていなかったのに。

マリの手を、温かい手が包み込んでいた。

自分の手と同じ。ラジウム火傷だらけのピエールの大きな手の感触を忘れたことはない。

マリが大きく目を見ひらいた。

対峙していた女が、肯《うなず》いた。

青い光の中で、毅然と背筋を伸ばし、皇女のような面立ちで、その手の主を指し示した。

マリの目に涙が浮かんだ。

「あなた……」

振り向いて、自分の手を握っている夫を見あげる。忘れることのできない、その顔を。

青い光がオーロラのようにゆらめく中、誰も居ない世界の中で、再会を果たした二人の影が重なり合う。

※　※　※

どうされました？　また、標本が動きましたか？

やはり、この標本は、特別なんです。

なにしろ、一八九三年のパリで採取した〈マーキュリー〉ですから。

そう。私が思うに、これはエクトプラズムなんかじゃない。〈マーキュリー〉と呼ぶのに相応《ふさわ》しいものです。

降霊会で動き回った、奇怪な怪物めいたものを期待させたとしたら、申し訳ない。

ええ。確かに。見た目は、瓶の中の青い液体。

父は一八九三年ものの青いワインとも呼んでいましたが……それだけではない。

なにか見えてくるでしょう。

この青い液体の中に、ゆらめくように見えてくる影。

これは、時間を超えて語られた物語の欠片なのかもしれません。

見る者によってはロマンティックなものに見えるかも知れない。いたわり合い、握り合う二つの手が見える……などというものもいる。

しかし……もっと恐ろしいものに見えるかもしれない。本来、人が見てはならなかったもの……求めてはならなかったもの……危険な光を帯びて、むくむくと膨れあがっていく悪魔めいた形の雲のようにも……。

まあ、どのような物語が見えるかは、人それぞれでしょう。死後の世界についても同様で、そう……いつかは、真実を知ることになるのでしょうね。

わたしたちも、それぞれ、いつの日にかは――。

女優だった

ショート・ショート――霊魂の不滅

森青花

ふるさとでは、真奈美は「綾部小町」と呼ばれていた。けれど、小町娘が集まってくるのが、映画会社だ。

通行人役。いつも通行人役。

それでも嬉しかった。憧れの映画に端役とはいえ出られるのだもの。この一年、毎日がシーンの片隅の通行人役に過ぎなかったとしても、心に張りを持って生きていくことができた。

一九五六年、東映京都撮影所。

十九歳の村田真奈美は、今朝も掲示板を見に行った。大部屋役者のその日の役が張り出されている。掲示板の名前を真剣に見つめた。「通行人1」ではなく、名前のある役。せめて一言セリフのある役。

しかし、どれだけ見つめてみても、真奈美の名前は、なかった。

そんなはずはない。この一年、毎日、役はあったのだ。通行人だったけれども。

今日は、その通行人役、すらない。

掲示板を、隅から隅まで、一行も読み飛ばさないように見た。どこにも真奈美の視線が通らなかった場所などない。掲示板に穴の開くほど何度も見た。

肩を落とす真奈美が、大部屋に帰ろうと、きびすを返した時、突然、後ろから「村田さん」と男の声がした。

「探したんだ。社長室に来てくれ」

え？　いよいよクビか。しかし、社長室とは大仰な。

「はい」と返事をして男の後をついていく。動悸が辺りまで聞こえてしまいそうなほどに真奈美には感じられたが、「はい」という言葉の後には何も考えることもできないまま。


「うんうん、いいじゃないか。これは見つけもんだ。よくもまあこんな娘が埋もれていたもんだ」

恰幅のよい大川社長は、真奈美を見ると、丸眼鏡をつと上げて、周囲を見回した。

「儚《はかな》げなとこが実に合っとる。なあ、チミらもそう思うだろうが」

と側近たちに笑いかけた。すっかり自分が大部屋から見初めて連れてきたかのような調子に、側近たちは抗《あらが》うことなく、それでも苦笑は隠し切れない。

「村田くん、チミぃ、今度のお盆映画のヒロインに決まったよ。がんばれよ。社運がかかってる」

「え……、私がヒロイン……」

『牡丹燈籠《ぼたんどうろう》』のお露だ。がんばれ」

「あ。はい……」

「じゃ、そういうことで。村田さん、戻ろう。台本《ホン》を渡すから」

真奈美を連れてきてくれた男が言った。

真奈美は社長室からの帰りみち、雲を踏むような心地がしていた。信じられなかった。


通行人を懸命にやってきたおかげだろうか。

しかし、唐突にヒロインとは……。

それでも素直に、非常に嬉しかった。

正月映画と並び、会社が力を入れているお盆映画だ。

ホンを胸に抱く。

「牡丹燈籠」脚本は、三村伸太郎門下の逸足として期待のかかる新鋭・池上金男《いけがみかねお》。監督は、一九五三年中国から帰国し、十三年ぶりの復帰作「血槍富士」を完成させて意気上がる練達・内田吐夢《うちだとむ》。

このメンバーを見ただけでも、会社の力の入れようがわかるというものだ。

その映画で、ヒロインのお露をやる。

主役の新三郎は、今をときめく佐田啓二だ。

大金を積んで松竹から一作だけという条件で借りてきた。

そのことも話題づくりになっている。

そこで、ヒロインは新人をということで、儚い美貌の真奈美が抜擢された。

ものすごいチャンスだ。芝居の稽古は誰よりも熱心にやってきた自負がある。

チャンスには後ろ髪はないという。絶対に逃さない。

だから名前も変えることにした。

以前占い師さんにみてもらったとき、画数がよくないと言われていたのだ。

「真奈美」を「まなみ」とひらがなにすることにした。覚えてもらいやすい。

「村田まなみ」やさしげでいい名前だ。


「若い子って得ねえ」

大部屋でホンを開いていると、開口一番そんなやっかみの声が飛んできた。

まわりから、真奈美の肌にねっとりとした嫉妬の視線がまとわりつくように集まっている。

「カラダで仕事取れるんだものねえ。で、誰たぶらかしたのさ」

最初に言葉を投げつけてきた大部屋の主のようなおばさん俳優が、ことさら粘りつくような調子で真奈美の耳を刺す。

「あーあ、あたしは今日も通行人。セリフってもの言ってみたいもんだわ」

「なんであんたなのよ。あたしのほうが芝居うまいのに」

そのたびに、まなみは、彼女らに向かい、黙って、頭を下げ続けた。

それでも、ホンを読み進めることは止めなかった。


二百四十五頁のかなり分厚いホンだ。

翌日、まなみは撮影所内に一部屋個室をもらった。もう大部屋役者ではないということだ。例外中の例外である。大御所以外の役者は相部屋が普通だった。

相部屋では、まなみは稽古にも打ち込めないだろうという撮影所の配慮だった。

個室をもらった翌日には、まなみは自分のセリフは全て暗記できていた。

それを感情をこめて、声に出して言ってみる。何度も繰り返し。


三日後、衣装合わせがあった。

まなみは、自分が女優になったんだと、しみじみ思った。

通行人役の時は、「はい。これ着といて」だった着物。主役ともなると、全く違う。

まなみが最も映える、美しく見える着物を選ぶために、十数点の着物が、まなみの胸に当てられた。

儚げな美貌を活かすため、柄の大きなものは避けられ、無地と、細かい柄の着物が三着、選ばれた。

映画はモノクロなので、色は何でもよさそうだが、モノクロでも風合いの違いが見える。

衣装さんは、その違いまで考えて、まなみの着物を選んでくれた。


翌週、顔合わせ、本読み、読み合わせがあった。

顔合わせ。

佐田啓二の新三郎、まなみのお露、お露の侍女のお米、新三郎の下男の伴蔵、妻のお峰、御札を渡す旅の修験者。ナレーターの三遊亭圓生。

セリフのある役はこの七人だけだ。この七人と脚本家、監督が顔を合わせた。

「やあ、村田さん、だったね」

爽やかな男の声に振り向くと、トップスターにしかない華と空気を纏《まと》った男が微笑みかけていた。

別世界で地に足がつかない気分から、またさらなる別世界へと引き回される気分で、まなみはスクリーン越しではなく、手を伸ばせば届くほどのそばに立っている佐田啓二にただ眼を奪われた。

「いい作品にしましょう。ぜひ」

これがトップスターだ。

私にできるのだろうか。

難しい役だ。今さらながら脚が震えた。


本読み。

池上金男がよく通る張りのある声で、ホンを読み上げていく。最初は三遊亭圓生のナレーションだ。

「寛保三年の四月十一日、まだ東京を江戸と申しました頃、湯島天神の社にて聖徳太子の御祭礼をいたしまして、その時、たいそう参詣のひとが出て群衆雑踏を極めました。ここに本郷三丁目に藤村屋新兵衛という刀屋がございました」

刀屋で刀を選んでいた飯島平左衛門は、酒乱の男に絡まれて、彼を斬り殺してしまう。

飯島平左衛門の娘お露と、美男の浪人萩原新三郎が出会い、お互いひと目惚れする。

新三郎は亀戸の臥龍梅《がりゅうばい》を見に出掛けた帰りに飯島平左衛門の別荘に立ち寄りお露に出会った。ふたりは理無い《わりない》仲に。

しかし、内気な新三郎はなかなかお露に会いにいけない。

お露は恋焦がれて、やせ衰え、儚くなってしまう。侍女のお米も看病疲れからお露の後を追う。

新三郎さま恋しい。

お露の思いは死んでも消えない。

お露は毎夜、新三郎のもとへ通う。

牡丹燈籠をかかげ、カランコロンと駒下駄の音をさせ。

新三郎は喜んでいたが、お露のからだのいやに冷たいことが気になった。

昼に調べてみると、お露は半月も前に死んでいるという。

では昨夜まで通ってきていたのは幽霊か。

新三郎がやつれているのを見た旅の修験者が真言と御札を渡し、絶対に部屋の戸を開けないことを約束させる。

その夜、やってきたお露とお米は、御札の力で、中に入れない。

「新三郎さま、新三郎さま」と狂ったように両の拳で戸を叩くお露。

素晴らしいホンだ。せつなくて、悲しい。けれど、こよなく美しい。

何十回も読んできたホンだが、読み上げられると、いっそういい。これが「声の力」か。

最後に池上金男はまなみをじっと見て、力をこめて言った。

「この『牡丹燈籠』はね、江戸三大怪談なんていわれているんだけれども、元は中国の『剪灯新話《せんとうしんわ》』って短編小説集の中にあって、そのストーリーをもとにしています。伴蔵がお露から金をもらって御札をはずすのではなく、新三郎が、お露の一途さ、ひたむきさにほだされて、命より愛をとると、みずから、戸を開けて外に出るのです」

太くよく通る声が少し熱を帯びたようになって、まなみに胸に切々と沁み入ってくる。

「ラストシーンは、笑みを浮かべて死んでいる新三郎と彼の首に絡みつく骸骨です。お露さんの必死さ、ひたむきな新三郎恋しさ、ここがツボですから、村田さん、こいつは本当に大変ですが、がんばってください。この話を活かすも殺すも、あんた次第だ。頼みます」

「あ、はい」

池上金男は、ぐい、と強くうなずいた。伝えることは伝えた、とばかりに。主演男優の佐田啓二よりもわずか三歳年上とは思えない、古強者のような佇まいに気圧された。

脚本家さんといい、監督さんといい、雲の上のひとだ。

読み合わせ。

「新三郎さま……」

声が震えた。

無理もない。映画のなかのセリフなんて、「こんにちは」のひとことさえ言ったことはなかったのだから。

メンバーの中から失笑が漏れた。

不意に、佐田啓二がすっと立ち上がった。

「誰だって初めての時にはアガる。君たちもそうだったろう」

周囲を見渡しながら、強い口調で言った。

「と、この僕にしてからが、村田さんのことを笑えないわけでね」

不意に佐田は表情を緩めて続けた。

「僕のデビュー作、なんだったかみなさんご存知だと思うんだけれど……そう、木下監督の『不死鳥』でしたね。あれで田中絹代さんの相手役に大抜擢だったわけです。あのときはもう、ね。天にも昇るような、地に足が着かない気分でね」

話の結末を察したのか、部屋の隅で傲岸にさえ思える厳しい表情で見守っていた池上金男が唇の端を歪めるように笑うのを、まなみは視界のの隅で見たように思えた。

「で、見事にぼーっと舞い上がった僕は、どうしてそんなことをやらかしたのか、今もわからないのだけれど、最初の読み合わせの時、自分が演じるはずの真一の役ではなく、広也《ひろや》のセリフを読んでしまってね。小杉勇さんにからかわれたんだよ。『じゃあ田中さんとのシーン、おれが演っていいんだな』ってね」

佐田がおどけたように肩をすくめて言葉を切った瞬間に、場が爆笑とリラックスした空気に包まれる。誰もが佐田に視線を向けて、彼の失敗談に笑っている。

ああこれが、スターなんだ。スターの力なんだ。

そしてもう一同を見渡し、まなみのところで視線を止めて軽くうなずいた。

視線を受け止めたまなみはしっかりうなずいた。

「まあ最初はそんなものです。くだらない話をしてお時間とらせました。続けましょう」

佐田啓二が周囲に一礼して腰を下ろす。池上金男が、こないだ聞いた時は弘《ひろし》のセリフと間違って、だったような、と呟いたのがまなみの耳の端に聞くともなく聞こえる。

あのスターの佐田啓二が私なんかをかばってくれた。応えなきゃ。がんばらなきゃ。

まなみは大きく深呼吸をした。自分の肩から入れすぎた力が抜けていくのを感じた。

全てのセリフは暗記して、感情をこめて、何十回も声に出したのだ。稽古は充分だ。

私は女優。女優なんだ。

その後の読み合わせは、順調に進んでいった。

佐田啓二との相性もいい。

監督さんが笑顔を見せた。この調子だ。

そして、ラスト、御札の貼られた戸を必死に叩きながら「新三郎さま、新三郎さま」と悲鳴のように叫ぶシーンでは、一同が思わず、涙した。

百五十点の出来だ。

「お露、今行く。今」と佐田啓二が沁み入るような声で言った。

それで読み合わせは終わった。

誰からともなく拍手が起こった。全員が笑顔でまなみを見ている。

「監督……」

池上金男が、放心とも凝視ともつかない表情で、その場の笑顔の輪を見つめている内田吐夢に声をかける。

ぽつりと言った。

「もらった。この映画はもらった」

巨匠は眼に次第に炯々《けいけい》とした光を宿し、池上金男を射抜くように視線を向ける。

「こいつはいけるぞ、池上君」

巨匠の眼光に若い俊英が後ずさった時、ふらりと人の輪を割るともなく歩み入ってきた、着流し姿の三遊亭圓生が、まなみに声をかけた。

「あぁたは、いぃい、滑舌してるねぇ」

「ありがとうございます」

まなみは上気した顔で、けれど確かな声で答える。

気難しいと評判の名落語家がうなずく。

「がんばって、おやんなさいよ」

できた。私、できた。

みんなの足手まといにならなくてすんだ。

いや、私はヒロインなのだ。この調子でがんばろう。

「それでは、読み合わせ、これで終わりです。みなさん、お戻りください。明日から撮影に入ります。よろしく」

内田吐夢監督が言って、散会となった。


翌日、内田組撮影初日。

ナレーションはあとで入れるとして、今日はお露の自宅で、お露が新三郎と出会うシーンだ。

まなみは、振り袖を着て、部屋に座っている。

そこへ、新三郎を演じる佐田啓二が入ってくる。浪人姿も粋で、したたるばかりの男の艶が辺りに漂う。

まなみは胸でひとこと呟いた。「啓二さま恋しい」、と。

本当にこの眼の前の男に心を奪われてしまう寸前の困惑と陶酔を芝居心にすりかえるのが痛みを伴うほどに、

それでもまなみからお露へとなり変わらなければならない。

ふたりは惹かれ合い、一夜をともにした。

翌朝、新三郎を見送るお露は万感の思いを瞳に込めた。その瞳に宿るものが新三郎に向けたものか、それとも佐田啓二に向けたものか。それすらも自分でわからないほどの思いを込めた。

「必ず、近々、も一度、いらしてください。そうでなければ、私は焦がれて死んでしまいます」

そして、外に出た新三郎を家の前で見送る。


その時、「あぶない!」という声がした。

誰。本番中になんということ、とまなみは思った。

そのまなみの頭の上に、天井に据え付けてあった照明器具が落ちてきた。

鈍い、何かが潰れる音。ガラスのようなものが粉々に砕ける音。

視界が赤く、黒く、セットも見えないほどに染まり、そんな中、新三郎とも、佐田啓二ともつかぬおもかげがこちらを見つめ、遠ざかる。

「しんざぶろうさま……こい、しい」

だが声は音にもならないまま、赤く黒い世界にこぼれ落ちてしまう。

そして、ぷつりと、闇がきて、何もかもが途切れた。

まなみはうつ伏せに倒れた。

「止めて、キャメラ、すぐ」内田監督が言う。

そして、まなみに近づいた。

頭を抱えてうずくまる照明係と、凄まじい破壊音に腰が抜けたようになっている大道具を突き飛ばし、押しのけて、内田吐夢はまなみが倒れている血溜まりに駆け寄っていく。あまりの事態にスタジオのセットは音も色も失ったようになっていた。監督の駆け寄る足音と、血溜まりの赤だけをそこに残したまま。

血まみれになるのも構わず、手を腹に入れてそっと仰向けにする。息絶えていることは間違いなかった。

頭と顔は完全に潰れていた。

あの儚げなきれいな顔が、崩壊した照明器具の部品に抉《えぐ》られて、二目と見られない惨状を呈していた。

「そんな。女優なのに。ようやく本物の女優になったのに」

佐田啓二が寄ってきて、まなみの手をとる。

「まだあたたかい。こんなの……って」

内田監督が言った。

「もう無駄か……とにかく救急車。誰か、そこの助監《スケカン》、すぐ電話」

戦地でいくつもの死を見て、自らも幾度となく死地をくぐり抜けた剛愎《ごうふく》な池上金男が愕然と凍りついて、もはやまなみの姿をとどめていない、血溜まりの中の女優だった女の亡骸《なきがら》を凝視している。握りしめた手が震えていた。

内田監督は、愕然と血溜まりを見ている池上金男に顔を向けて言った。

「撮るぞ。池上君。何があろうと撮らなけりゃならん」

言葉なく見つめ返す池上を、血にまみれた内田はしっかりと見つめて言った。

「ショウ・マスト・ゴウ・オン、だよ。たとえ何が起きようとも」

内田吐夢がそう言って瞑目し、背を向けた時、赤く凍りついた時間がようやく動き出したかのように救急車のサイレンと、スタッフたちの慌ただしい足音が現場を飲み込んでいった。

撮影開始わずか三十分。

まなみが女優らしい女優でいられた時間はそれだけだった。そして彼女が二度と撮影所に戻るはずもなかった。

まなみのお骨《こつ》は故郷の綾部に送り返された。

映画「牡丹燈籠」はお露役を新たに選んで、撮影続行となった。

主演女優選びは難航した、撮影中断の事情は徹底して伏せられたが、「ここだけの話」が「ここだけ」で終わることなどないのは撮影所とて同じだ。監督とホンには魅力があっても、ことがことだけに薄気味悪がる女優は多かった。

女優の側が興味を示しても、ある時は池上金男が、ある時は内田吐夢が難色を示し、まとまる話がかえってこじれる、という毎日の中で、じりじりと人々は撮影再開に備えていた。

「お引き受けします」

スケジュールの限界も近かったその日、あるヴェテラン女優が言った。

「まなみちゃんには気の毒をしましたが、あの娘《こ》のお露さんでなく、わたしなりのお露さんでよろしいんでしたら」

彼女のセリフの覚えの早さには定評があり、もはや否を言える状況ではない。第一、芝居の実績も、まなみとは比較にならないほど確かだ。

ショウ・マスト・ゴウ・オン。たとえ何が起きようとも。

キャメラを一度回し始めた映画は、完成されねばならない。そして「牡丹燈籠」の完成は、七月始めまでに。

映画の撮影は順調に進んだ。熱気を孕んだ現場の中で、誰もが村田まなみを忘れていった。あの凄惨な血溜まりの光景さえも。


六月二十日、「牡丹燈籠」は完成《クランクアップ》した。

ラッシュの試写会当日。スタッフ、キャスト、全員で、試写室で待っている。

主演となったヴェテラン女優は、左右に得意げに頷いている。自分は自分のやるべき芝居をした、という表情で。

内田吐夢監督は部屋の真ん中にどかっと座って、じっと瞑目している。脚本の池上金男はどういうわけか、部屋の隅の壁際にもたれて、腕を組んでスクリーンを見つめている。

佐田啓二が少し落ち着かない足取りで入ってきて、主演女優の隣に座を占めた。

しばらくして、スタッフたちもそれぞれ席に落ち着き、室内が闇の中に落ちた。

部屋の後方から、かすかなカタカタという音がした。

そして闇に一条の光芒を引いてフィルムが回る。

「どういうこと！　何よこれ！」

最初のヒロインのアップショットに映し出されたのは、主演女優の顔ではない。

「おまえなにやってんだ！」

映写技師に向かって響く内田監督の怒声。

「ちゃんとアガったラッシュ回してんのか」

「何ですこれ！　どんなあてつけなの！」

主演女優は周りの誰彼構わず食って掛かる。宥《なだ》めにかかる佐田啓二まで突き飛ばして。

壁際で腕を組んだまま、池上金男が困惑しきったうめきをあげる。

怒声、足音、椅子を蹴立てて闇の中をスタッフが走り回る気配。騒然とした空気が試写室に広がる。

喧騒の中、カタカタとフィルムが続いていく。

そこで演技を続けるお露の顔は、全部、まなみの顔だったのだ。

「撮り直したラッシュはどこだ。お盆映画、どうするんだ。早くアガったラッシュ持って来い」

内田監督が怒鳴る。

佐田啓二が青ざめた顔で画面を見てつぶやく。

「こんなシーン、彼女と、村田さんと撮っていない……

そんな」

絶句する主演男優の声を耳にして、内田監督の表情が引きつる。

「彼女で撮ったのは……そんな、そんなバカな」

それきり試写室は人の言葉を失い、ただただ喧騒に包まれた。

ガシャン！

本来使われるラッシュの入ったフィルムのリールを探しているのか、ただただ困惑のなか動いているだけなのかもわからないままに、広くはない室内を走り回っているスタッフが、闇の中でひっくり返ったのか、折りたたみ椅子がいくつか倒れる音がした。その拍子に床を走っていた映写機のコードに躓《つまづ》いたのだろう。

唐突に映写機が止まり、室内は暗黒に沈んだ。

ヒッと女優の声がし、そこで屋内の物音が絶えた。

「誰か、明かりを点けろ。このままじゃあ埒《らち》が明かない」

戦場の号令のような太い声で池上金男が怒鳴る。

すぐ近くにいたらしいスタッフが手探りで明かりのスイッチを触ったらしい。パチン、と音がした。

試写室は暗黒に包まれたままだった。

「何やってる。早く点けろ」

どこかで内田監督の怒声が響く。

「点けました！　間違いなく点け……」

スタッフは言葉を続けることなく、床にへたり込んだ。

闇に引く光芒もないまま、スクリーンにだけ、明かるみが戻った。

そこに何か黒い影のようなものがじんわり、ぼんやり、浮かび上がる。

それは次第に結い髪の女の顔のように見え始めた。あたかもピンボケからフォーカスされるように、次第に明瞭に浮かび上がってくる。

誰もが言葉を失い、ただ、そこに映し出されるであろう、けれど映し出されてはならない、女優だった女の顔に視線を奪われていた。

スクリーンの中、ひどく明瞭に浮かび上がったままなみの唇がはっきりと動いた。

「新三郎さま、恋しい」

そして、そのまま、スクリーンの明るみとともにプツリと消えて、映写室のすべてが闇と静寂に沈んだ。


本作は第一回『幻想と怪奇』ショートショート・コンテスト応募作を加筆改稿したものです。

なお本作は、歴史上の人名、事項などを用いておりますが、フィクションであり、実在の人物、事象とは関係がありません。（編集室）

生者と死者の物語

降霊会奇譚

Das Wunderbare

リヒャルト・フォス　Richard Voß

前川道介 訳

十九世紀の降霊術流行の理由に、大切な人を失った悲しみを、死後の世界を考えることで和らげようとした人が多くいたことが挙げられています。本作のハラルドもその一人ですが、彼が頼りにした霊媒は若い女性。それぞれの生死を超えた思いは複雑にからみあっていき、物語は思わぬ方へと流れていきます。

リヒャルト・フォス（一八五一―一九一八）はドイツの小説家・劇作家。歴史に材を取った作品を数多く手がけており、本作は一九〇八年に発表。竹内節編・前川道介訳『独逸怪奇小説集成』（国書刊行会　二〇〇一）から再録しました。

この物語に序論をつけねばならないだろうか?

いや、この短い物語そのものが序論なのだ。

この話はわれわれが何ひとつ知らない――知り得ない暗く神秘的な国に読者を連れて行く。万が一にも霊の国の陰気な黒い門が開いて黒いカーテンが引き揚げられ、認識のまばゆい閃光が深い暗闇を刺し貫き、燃えあがらせる事態になれば、われわれはすばやく肉眼を閉じ、閾から怖れ戦《おのの》いて後ずさりし、面《おもて》と精神《こころ》を恐ろしく魂消《たまげ》るような光景から背けねばならない。

ザイスの弟子（ノヴァーリスの小説。自然の秘密に迫ろうとする人々）を演じようとすることは、人間の理性にとっていいことではないからだ。

……

面《おもて》と精神《こころ》を背けようとはしたが、私は生命をもたず、幽霊じみて恐怖に満ちているものの意識を錯乱させる世界で起こることをいろいろ経験しなければならなかった。だが——経験したために罰せられたのだ。だから、「諸君、手を出すな。退いて逃げろ！」と忠告し、警告する権利はあるわけだ。

　以下の物語はローマでの、多方面に及ぶ体験から生まれたものだが、私はアスンタ・デ・マルキスと呼ぶ霊媒に関しては、ほかにもいろいろ奇怪な体験をした。まさに体験しなければ解らないことで、「そんなことは信じない！」と言うのも——もっともだと思う。だがおそらく私のほうも自戒して、疑い深い読者諸君に、これ以上第二、第三の怪談を披露することはないだろう。

I

　三十年ばかり前のことだ。ローマに滞在中の私はスカンジナビアの人々とのつきあいが多かった。イプセンと知りあい、ステファン・シンディング（一八五六―一九四一 ノルウェーの彫刻家）とつきあっていたが、とくにデンマーク人の金髪の青年の魅力に惹きつけられていた。ハラルドという名前で……天才的な両親をもつ画家であり、音楽家であった。だが両親のすぐれた素質は、結婚後ずいぶん経ってから生まれたこの息子には悪い作用を及ぼして、その感じやすさはほとんど病的と言ってよかった。また肉体的に一日として健康だったことはなく、荒涼とした北国からこの南国へやって来たのは、すこしでも健康を回復するためだった。すこしでも、というのは快癒など望むべくもない身体だったからである。あれから長い歳月が流れたいま回想してみると、かつて会った人々のなかでももっとも美男子に数えられると思う。白樺のようにほっそりし、北国のこの木特有の何か光り輝くようなところをもっていた。髪、顔、眼、心と、すべてが明るかった。大きて明るく、夢見るような芸術家の眼と、人生の穢《けが》れに染まっていないが、人生の苦しみや悲しみ、断腸の想いを知っている魂の持ち主だった。この光り輝く人間の上には薄い憂鬱のヴェールのようなものがかかっていた。何か不吉なこと、忘れ得ないことを体験したに違いなかった。すなわち魂を病気にした——私には不治の病だと思われた——あることを。私の印象では、彼はいつも眼に見えない合唱団の奏でる心のなかの旋律に耳を澄ませているようだった。誰でも彼を愛さずにはおられなかった。とくに女性はそうだったが、女性には無関心で——まったく関係をもとうとしなかった。

　彼がピアノにむかって即興演奏をするたびに、私は何時間も聴き惚れたものだった。その音楽は彼の言葉であり、また彼自身だった。これほど芸術家らしい、しなやかで神経質で苦悩に満ちた手は見たことがない。まったく血が流れていないのではないかと思われるくらい蒼い手だった。右の薬指に大きなすばらしいルビーの入った細い金の指環をしており、そのルビーが白い手に落ちた一滴の血のように輝いていた。

　ハラルドはローマが初めてだったため、一種の眩暈と陶酔の状態に陥っていた。ローマの太陽と美しさ、空と花々、この町の民衆の親切さと優雅さ、この町の芸術家生活の自由さと楽しさは、人生の啓示そのものだった。気が塞ぐことさえなかったら申し分なかったのだが、私の推察によれば、これは何らかの事件に由来するもので、それを秘密にして心の奥にしまい込み、誰にも洩らさなかったし、つきあった唯一の人間であるこの私にすら打ち明けなかったのだった。

　もうひとつ気がついた奇妙なことは、ハラルドを訪問するたびに、みごとなヴェネツィア製の台つきグラスに一枝の白薔薇が生けてあることだった。しかもいつも飛びきり美しい薔薇だった。その白い花はハラルドの神妙な音楽と蒼白な手と神秘的な悲しみの表情にふさわしく、いわば彼の花と言ってよかった。

　永遠の都ローマは当時、もはや法王のローマではなかったが、まだ現代式ローマ、新しいローマ《ローマ・ヌオヴァ》に変貌を遂げてはいなかった。まだサンタンジェロ城の周辺のテヴェレ河とマリオ山の間が広々とした平野をなしていて――メレンダと称する市民たちの野外パーティーが催されていた。コロセウムの座席には名も知れぬ草花が咲き乱れ、私自身が白昼、マルヴィーダ・フォン・マイゼンブルク（ドイツの閨秀詩人。ニーチェの友人として有名）を訪問した帰り道、ティトゥス浴場附近の葡萄山《ヴィーニア》で追い剝ぎに遭って、ネロの黄金宮殿の恐ろしい洞窟に転げ落ち、かろうじて死を免れたことがあった。このロマンチックな雰囲気にもかかわらず、ローマはもはや聖ペテロの都ではなく、カトリック教会の権威は、やがて二千年にもなろうという歳月にわたって勝利をつづけてきた頭《こうべ》を痛ましくもヴェールで覆い隠しており、法王はヴァチカンにおいては囚人にすぎないという評判だった。

　ハラルドのあまりにも感じやすい心には、ローマの太陽や美しさより、打ち負かされたかのように見えるカトリック教会の喪に服しつつある栄光が強い印象を与え、できるかぎり教会の祝典やミサや連禱に参加していた。あらゆる聖遺物に関する知識は驚くばかりで、修道僧や聖職者たちと親交を結び、カタコンベに感動し、最古のバジリカ様式による初期キリスト教会、とくにサン・クレメンテ教会やサン・ロレンツォ教会のなかで長い時間を過ごした。カトリックへ回心したわけではなかったが、神秘的なものへの傾倒ぶりはこちらがはらはらするほどだった。

ちょうどこの頃、ローマでは心霊術の流行が見られ、それも知識階級で著しかった。ある著名な芸術家がこの運動の中心となり、贅を尽くし、最高の趣味で飾ったピア門近くの別荘で降霊会が何度も行なわれ、やがてそれがローマ全市の評判になった。この別荘での降霊会《セアンス》は、ひとりの新しい女霊媒の出現とともに社交界と——学界で注目される出来事となった。

この女霊媒のアスンタ・デ・マルキスという響きのいい名前を初めて聞いたのは、友人ハラルドからだった。彼が男にしてはやさしすぎる口許をさらにやさしくする微笑を浮かべ、あたかもメロディーをつけようとする詩の一句のように発音するのを奇妙に思ったものである。以後、彼がアスンタについて話し始めると、この愛撫するような微笑と声の歌うような調子といったものが眼つきに現われるのだった。

「すばらしい人です。あんな人とあんなことがこの世にあり得るとは全然知りませんでしたね。でもぼくは体験したんですよ……ぼくの哀れな同郷人ハムレットが天と地の間には人間の理性で測り知ることができないものがあると言っているのは実に至言ですね。実際、人間はそういったものを全然理解できないようにつくられています——そういったものは信じなければならないんですよ」

「ならないって?」

「まるでファウストがグレートヒェンに訊くようにお尋ねになりますね。いいですか、あなたは信じなければならないんです。もし一度、降霊会にお出でになる気になられたら、ぼくの言っていることがもっとよくお解りになるでしょう」

そんなことをしなくても、きみの言うことはよく解っているつもりだ、残念ながらきみの性格にはそうした神秘的なものを好むところがあるからな、と私は答えた。さらに、こんなことになるんじゃないかと最初は心配しながら見ていたが、だんだん怖くなってきた、ローマが悪い、ここで身体と心を癒やすどころか、災いの元になったんだ。——何百という金髪碧眼の青年にとってと同様にね、もちろん、とくにきみにはね、と言って、最後に声を大きくして、「きみがせめて歳相応に、義務として——たった一度でも本当の恋というものをしていたらねえ! ローマの女性のそばを冷たく無関心に通り過ぎるなんて、まるで奇術を見せられるような気がするよ。きみのような美青年《アドニス》がさ。しかも芸術家のきみが……いったいどうなっているんだ？　まったくの恥さらしだよ！　あの美しい女たちがそっときみを見つめている眼に気がつかないのかね？」

このお説教の結果、彼は人生でももっとも悲しい出来事を打ち明け、自分は恋を、永遠の恋をしているのだから、もうこれから恋をすることは決してないと断言した。

「そいつはすてきじゃないか！　おめでとう。でも、それならどうしてそんなに憂鬱そうにしているのかね。幸せのあまり歓声をあげ、人生全体が青春と幸福への讃歌そのものになっていてもいいはずだよ。私から見れば、きみは驚くほどの偽善者ということになる」

「ぼくの愛している女はもう亡くなっているんです」

こう言ったときの様子ときたら！　彼が譫言《うわごと》を言っているのかと思い、黙って顔を見つめているばかりだった。顔や視線、声にこの世のものとは思われない表情を湛えて、こうつづけた。「ぼくは永遠に彼女と結ばれているんです。この婚約指環を見て下さい。ふたつの指環とふたつの魂がひとつのものになるのです」

彼が手を挙げて光に翳《かざ》すと、手はまるで亡霊の手のように透け、大粒のルビー入りの細い金の指環が透けて見えるこの手のうちでただひとつの現実ではないかと思われ、事実、ルビーの輝きはほとんど神秘的な感じだった。

彼はピアノに向かって坐り、弾き始めた。眼は前に置いてある咲いた白い薔薇に注がれていた。それから次のように話してくれた。彼女はメーリッド・アストンといい、少年時代からの知りあいで、恋人でもありました。荒くれた水夫の娘で、海の上で生まれ、強大な元素の海に対する彼女の愛は鷗《かもめ》に似たところがありました。おとぎばなしのような孤独さに包まれ、ハラルドの祖父が代官をしている小さな岩島に住んでいました。母親は肺病で亡くなっており、メーリッドも同じ病気で――早死にすることは周知のことでした。彼女自身もそれは知っていました。それだけにますます空と海と太陽と現世の美しさを愛し、また金髪の遊び友だちのぼくを愛してくれ、ぼくも彼女を愛したのです。それぞれの父親が反対したにもかかわらず、ふたりは婚約したのです。メーリッドが十七歳、ぼくが十八歳のときのことでした。かつてお互いにこれほど似た許婚者《いいなづけ》がいたでしょうか。甘美で憂いを帯びている点で、どこか民謡を思わせました。荒涼として絶えず波が打ち寄せ、嵐が吹き荒れる島には花の木は一本しかありません――それは白薔薇の木でした。島では百年以上たっている奇蹟の木とされ、夏になると輝くような花をいっぱいつけたのです。この白薔薇はメーリッド・アストンの知る唯一の花で、彼女の化身でした。――ちょうどこの花の盛りに――亡くなったとき、彼女の亡骸《なきがら》はこの花で包まれました。その年の秋、この古木が枯れ、メーリッド・アストンの死後、島には花がひとつもなくなってしまったのです。……

臨終のとき、メーリッドはあの世ではなく、この世で再会するでしょうと言いました。それで許婚者だった亡き恋人との再会を待っているのです。

「ぼくはいつも再会を待っています。まもなくその奇蹟が実現するでしょう。解って下さいましたね？」

そのときの表情や眼つきときたら……

次第に呑み込めてきた。……なるほどこれだからキリスト教神秘主義というものが存在し、心霊術による不吉な亡霊が出現して、ハラルドの人格が全面的に浄化変容しつつあるのだ。もうあまり待たなくてもいいと思っていると言ったときの微笑は永遠に忘れることはないだろう。

きみは身の破滅に向かっているんだ、どうか正気を取り戻してくれ、と必死に頼んでみた。

「幸せに向かっているとおっしゃるべきですよ。……それじゃピア門の近くの別荘について来て、アスンタに会って下さい。そうしたら……」

私は激しい口調で、「きみはその女霊媒にはめられているんじゃないか？ 彼女の力でメーリッドに再会したいとおもっているんじゃないのか？」

「ええ、そうですよ」

「じゃ、その正体の知れない女に秘密を打ち明けたのか？」

「一言も。ところが全部知っていたんですよ」

「そのアスンタがかい？」

「何もかも。メーリッドの名前も言いました。死んだメーリッドの霊がぼくの近くにいると言って、黄泉《よみ》から消息を伝えてくれ、その霊を物質化する作業にとりかかったのです」

私は思わず、「そんなの、みんなでたらめだ！」と叫んでしまった。

「いいえ、本当なんです。……二三日前、メーリッドの手を見たんです。あの蒼白い、可哀そうな子供のように頼りなげな手を！ すぐ判りました。たとえ手が判らなかったとしても、ぼくの指環をはめていましたからね。ぼくが彼女の指環をはめているようにですよ。ルビーがどんなにキラキラ光っていたか、お話ししても信じてもらえないでしょう。まるで墓のなかで何千倍も輝きを増したようでした。彼女の手がぼくに触りました。……ぼくの頰、頭、手にあんなにやさしく天上のもののように触れるのは彼女の手だけです」

　恍惚としている男の顔、幻想を追う男の眼を見た私は深い悲哀に襲われた。

「きみは病気だよ。ピア門近くの別荘に行くのはやめて、精神科医のところへついていってあげよう」

　だが彼を動かす力はなかった。翌日、バルベリーニ広場の住居を訪《おと》なうと外出中だった。友人は下宿の主人夫婦のお気に入りだった。かれらは昔気質《かたぎ》のローマ市民で、夕刻、下女がピカピカに磨きあげた真鍮の蠟燭立てを食卓に置くと、古風な夕べの祈りフェリチッシマ・ノッテが厳かに唱えられるといった具合だった。

　ちょうど今日、あなたのところへ行こうと思っていました、あなたがあの可哀そうなハラルド《ポヴェロ・シニョーレ・アラルド》さんのローマでのご親友であることを知っていましたから、わたしにはもうあの方を助けてあげられません、日ごとに蒼ざめて、変になっていくのです、あのカラブリア（イタリアの南端の西武地方）の若い女が訪ねて来るたびに——と主婦《おかみ》は言った。

「アスンタ・デ・マルキスが彼のところへ来るのですか?」

「毎日ですのよ。毎日、白薔薇を一本持って来るのです。あの人はそれを待っているのです。まるで……ああ、リカルドさん！」

　人の善い主婦《おかみ》はハラルドの部屋に案内してくれた。いつものようにヴェネツィア製のガラスの花瓶には白い花が挿してあった。しかも小さな部屋が薔薇の山になったような異常な香りだった。そのために息が詰まり、眩暈を感じた私はすぐテラスへ通じるガラス戸を開けた。テラスは誇り高いバルベリーニ宮殿に向かい、広場を見おろす位置にあった。ずいぶん後のことになるが、ハラルドのこの住まいにニーチェが住み、このテラスで『ツァラトゥストラ』を執筆したのである。

　興奮している善良な主婦《おかみ》から可哀そうなハラルドさんのことをいろいろ話してもらった。

「彼女が白い薔薇を持って来ると、あの人がピアノをお弾きになるんです。リカルドさん、信じられないでしょう！　まるで聖者が音楽を演奏するようにです。演奏中、彼女はこのテラスに立って、身じろぎもせず、魅せられたように一心不乱に聴いています。でも、あの人の金髪と碧い眼に魅せられているためだと思いますわ。あれは恐ろしい女です！」

「恐ろしいって、なぜですか?」

「あの女をご存知ないのですか?」

「ええ、でも話には聞いています。若いんですか?」

「ずいぶんと」

「美人ですか?」

「変わっているのです。どんなに変わっているか、想像もつかないでしょうね。まったく女らしさも、人間らしさもないんですのよ」

「じゃ、妖精のようで……」

私はつとめて笑おうとした。だが善良な主婦《おかみ》は真剣な口調で、「リカルドさん、あなたはプロテスタントですから、本当のクリスチャンとは言えません。でも、きっとヤイロの幼い娘の話はお聞きになったことはあるでしょう。イエスさまが死者の間から甦らせたもうた異教徒の娘の話ですよ。ヤイロの娘が死者の間から立ちあがったときには、あなたのお友だちに惚れ込んでいるあの奇妙な女《ひと》のように見えたに違いありません」

「アスンタ・デ・マルキスはハラルドに惚れているんですか?」

「愛のためでしたら、あの方を殺すのも厭《いと》わないほど。でもあの方は何も気づかずに、サン・クレメンテ教会でミゼレーレを演奏するような様子で、彼女のために演奏してやっています。きっと悪いことが起こりますわ」

私は急いで身をひるがえし、ハラルドの部屋にとって返すと、お邪魔したのはアスンタ・デ・マルキスと知りあいになりたかったからで、よい機会があったらピア門近くの別荘に連れて行ってもらいたい、と鉛筆で紙切れに書いた。

それから心配そうな主婦に、あなたが怖れておられる不幸を避けるために最善を尽くしますと約束し、暗い気分になり、悪い予感を抱いて家に帰ったが、同時に強い怒りも感じた。女が毎日ハラルドのところへ持って来る、あの強烈な香りを発する白い薔薇をはじめ……すべてがまやかしで詐欺と思われたからだ。しかもハラルドは何も気づいていない。いまこそ何とかして真相に気づかせてやらねばならない。

ハラルドははやくもその日の夕方、願いが聞き入れられたことを歓んでやって来た。だが私は、「きみが降霊会で体験すると約束した奇蹟を見に行くんじゃない、霊媒を見に行くんだ。そのアスンタ・デ・マルキスという女性がひどく胡散《うさん》臭く思われるんでね」と言ってやった。

「あの可哀そうな娘《こ》が胡散臭いですって?」

「じゃ、どう説明するのかね?」

「あるがままです。いいですか、十八歳の若さで死んだメーリッドと同《おな》い歳ですし、やさしさもほとんど同じです。あなたはきっと子供だと思うでしょう。可哀そうな子供なんです。限りなく悩んでいるのは、自分のすばらしい才能のなせる業なんですから。メーリッドを思い出させてくれることはほかにもたくさんあります」

「なるほど、メーリッドが亡くなったのは十八歳のときだったから……」

「違います。ちょっと違うんです。うまく説明できませんが。降霊会のとき、アスンタは本当にひどく苦しみ、臨終のときのメーリッドと同じようになるんです。ぼくの言うことが解っていただけるでしょうか?」

面と向かって言うのは失礼だったが、とにかくきつく諫《いさ》めるつもりだった私は、「いずれにしても、きみに死ぬほど惚れてはいるが、そのアスンタという女性は死にはしないよ」

「惚れているって? アスンタがぼくに惚れているって……」

「だから注意しろと言ってるんだ。きみはイタリアの女というものが解っていない。ひとたび恋をしたら、可愛くて頼りないねんねが猛烈な女に変身する。人殺しにもなるんだ。……それに、良家の若い娘が若い男の部屋を訪れるのはローマの良俗に反することなんだよ」

「じゃ、ご存知なんですね」

「毎日、白い薔薇を持参するようだね」

「メーリッドがアスンタを通して贈ってくれるんですよ」

しかしハラルドはメーリッドの薔薇のことより、アスンタの愛のことを問題にした。

「どうして彼女がぼくに惚れているなんて言えるんですか。あのような使命を果たさなければならない女性は現世での愛情を感じないはずですよ」

私は彼が熱病にうなされたように蒼ざめ震えながら言う言葉を聞きすてにした。霊媒が死んだ許婚者からと称して持って来る白い薔薇の花のことを思うと、腹が立ってきて、「あれはスペイン広場で売っている薔薇さ。アスンタは二三ソルディで買って来て、きみをたぶらかしているんだよ」

ハラルドは微笑しながら、あの薔薇は地上のものではありません、あんなに匂うのはあの世の花だけです、だからあれは本当にあの世からの贈り物なのです、とたわけたことを自明のことのように言った。こんがらがって、どう考えたらいいのか判らなくなった私は並んで騒々しい町を歩きながら、〈どうしても彼を救ってやらなくては〉というただひとつの感情に支配されていた。だがいったい、どうやって? もちろん、女ペテン師、女詐欺師の仮面を引っ剝がしてやるのだ! アスンタ・デ・マルキスが悪質な欺瞞者であることは否定しようもない事実だと思われた。

　ピア門の手前まで来ると、やっと静かになって、私はほっと一息ついた。友人のハラルドの眼にはっきりとした狂気の炎が燃えあがるのを見てからは、押し合いへし合いしてせかせかと動き廻っている民衆の群れが何かグロテスクなものに見えてきた。どんなことがあってもあのインチキを暴いてやるという決意で、私は氷のように冷静になっていた。

　こんなことが起こるのはローマの町をおいてほかにはない。世界的な都市のひどい喧噪の只中にあったかと思えば――いまは墓地の静けさが私を取り巻いているのだ。ノメンターナ通りから右の露地《ヴィコロ》に折れ、高い白壁の間を抜け、暗い門道に達した。それから鉄のノッカーを定《き》められた数だけ鳴らすと、音もなくドアが開いた。松と糸杉の老木のためにひどく暗く、月桂樹の並木が交叉している庭に入った。薄暗がりの中をしばらく黙って歩いて行くと、芝生の上に白い建物が建っているのが見えた。建物の玄関は何本もの円柱で支えられていた。あたりはローマ平野《カンパーニア》にいるような静けさだった。事実、かなり近くで家畜の群れを護っている大きな犬たちが猛り狂って吠えている声が聞こえた。

　大理石、ゴブラン織り、石像、油絵、古風な家具、高価な生地などで飾りたてられた豪華な玄関の間だった。同じような装飾をした部屋がたくさんあったが、明るい灯火はひとつもなく、いたるところに神秘的な感じのする薄明かりが漂っていた。厚い絨毯で足音は聞こえず、影になったところに幽霊のように大理石像が浮かび上がっていた。召使いの姿はなく、ハラルドがまるで我が家のように、この美しいが気味の悪い家を案内してくれるのだった。

　そからこの家の主に紹介された。……貴族的な蒼い顔と黒い髪、口から顎にかけて黒い鬚《ひげ》を生やした背の高いりっぱな男だった。降霊術師として知られる例の有名な芸術家が丁重で控えめな態度で私を迎えてくれた。我々がいた広間のような部屋は青味がかったガラス製の吊り灯火《アンペル》で照明されていた。それは格子づくりの木製天井から低く吊り下げられ、広間にただひとつある絵画を照らしていた。大きな壁画で、死者たちの中から甦ったキリストが三人のマリアのもとに現われたところを描いていた。復活したキリストの白衣は暗がりに光り輝き、神々しい姿を包む衣服の襞のように白い手を挙げていたが、その手は、「わたしである。わたしを信じなさい」と言っているように思われた。

「アスンタはすぐ参りますので……彼女の右側にお坐り

下さい。そして彼女の手を握って下さい。つまり霊媒の手をテーブルの上において——力をこめて握り——テーブルの上に押さえつけておいて下さい。反対側で私が検査します。検査と申しますのは、あなたが——信じておられるように、アスンタ・デ・マルキスが決してペテン師や詐欺師でないことを認識していただきたいからです。……どうか周囲をよくご覧下さい。この会のために使うこの広間はほとんど空っぽです。このテーブルの周りに我々が坐り、吊り灯火はつけたままにしておきます。暗くしたり、何か準備しておく必要はないのです」

抑制された声と、丁重だがよそよそしい口調で、こう指示され説明を受けた。我々は黙って待った。私はいままでどうにか保っていた平静さを失わぬよう必死にならないわけにはいかなかった。ハラルドは私のそばに立っていた。深い息づかいから興奮していることが判る。急に彼が身をこわばらせた。壁からひとつの影が歩み出て広間を通り、こちらへ滑るように近づいて来た。だがそれは亡霊ではなく、アスンタだった。青味がかった照明の効果のせいか、姿がもっと妖精らしくなり、顔も蒼く非現実的な感じになっていた。

〈主が死者の間から甦らせたもうたあとのヤイロの娘のごとく〉——この奇怪な人物にこれ以上適切な形容は考えられなかった。実際、まだ幼かった。小さくてやさしく、優美で象牙細工の人形のようだった。ぴったりあった黒い服を着て、聖母の絵によく見かけるように頭に白いヴェールを巻いて、顔だけ出していた。幼く白い顔に、黒い眼が大きく見開かれ、燃えるように光っていた。夢遊病者、見霊者、巫女《みこ》の眼であり、狂人の眼であった。その恐ろしい眼がぴたりと私の金髪の若い友人にそそがれていた。まる三十年も経った今日でも、その表情は忘れることができない。

誰ひとり一語《ひとこと》も発することなく、楕円形の重々しい樫のテーブルに歩みよって坐った。たちまち奇怪なことが起こった。アスンタが——雪のように白い子供のような手を——テーブルの上に翳すと、テーブルが浮上し、手をゆっくりと下ろして床に着地させるまで空中に漂っていたのである。

その後起こったこと、自分の耳で聞き、眼で見、手で触って感じたことはこの話と関係がない。あくまで不信の態度をとっていた私には幽霊の出現は信じられなかった。だが自分が聞き、見、手で感じたのは、この世のありふれた現実の物体の存在と同じだった。私はアスンタの隣に坐って、その手を握っていた。彼女の表情のどんな動きもはっきり捉えることができた。彼女は非常に苦しんでおり、その苦しみが次第に高まっていった。見開かれた恐ろしい眼はどんなことが生じてもハラルドにそそがれていて、向かい合って坐っている彼の顔と物腰が、やがて体験はしても、説明のつかなかったすべてのことよりも私を興奮させたのである。私は幻覚を見ているような感じで、次第に死人に似てくる彼の顔を見ていた。跳びあがって、「ハラルド、きみは死ぬぞ！」と叫ぼうとした。しかし身体が動かず、呪縛され、悪夢に取り憑かれたような状態だった。突然、友人が息が詰まったような音を出した。それから恍惚としてつっかえながら、「メ、メーリッド！」と叫んだ。

それから二三度、「メーリッド！」

同時にほとんど聞きとれないほど低く、この世のものとは思われない楽器によって奏でられる階音と旋律が聞こえてきた。その不思議な音は部屋を通ってテーブルの上まで流れてくると、頭の上から我々のところへ降りてくるような気がした。そして――突然、テーブルの上に霧の環ができた。はじめはほとんど眼につかなかったが、やがてはっきりしてきた。本当に明瞭に見えるようになったのだ！　次第に明るさを増し、ゆっくり形をとって、凝視している私の眼の前に一本の手が、この世のものとも思えないほどやさしく白い女の手ができあがった。

……いったい、あれは何だったのだろう？　薬指に細い金の指環がはまっていて、宝石が、ルビーが光りだした。それは湛えられた神聖な血をあびたい一心で世界の悲惨さが打ち砕いた聖杯《グラール》の破片のように赤々と輝いていた。

そして――またしても突然――あまりにもお馴染みの匂いが拡がった。それは今朝、友人の部屋であやうく窒息しそうになった匂いで、この世のものではないあの白い薔薇の匂いだった……

凝視している私の眼に、亡霊のような手の中で次第に一枝の薔薇が形造られていくのが見えた。

「メーリッド！　メーリッド！」

神秘的な薔薇の枝をもった手は、私の前をかすめてハラルドのほうへ漂っていった。そのとき、全身の感覚を捉えようとしていた麻痺状態からやっと脱け出した私は幽霊のような手を摑まえようとした。……

手はふっと消えた。

同時にアスンタ・デ・マルキスは意識を失った。

私はいまでも友人の夭折した許婚者の手が物質化して現われたとは信じない。しかしハムレットのあの言葉を身をもって体験しなければならなかったのである。それは私の霊魂の救いのためにはいいことではなかった。慈悲深い神がヴェールをかけているあるものを摑まえ、捉えようとすることが人間の精神にとっていいはずがない。

Ⅱ

友人に対する心配が次第に私の生活を束縛するようになった。事情が許すかぎり、私は友人のそばにいた。だが彼は次第に私から遠ざかり始めた。毎夕、彼はピア門の近くのあの白い家で過ごし、毎朝、アスンタ・デ・マルキスが訪れ、何時間もテラスに立ち尽くし、彼のピアノを聴き、その姿をじっと見つめているのだった。一度、この時刻に押しかけてみたが、けんもほろろに門前払いを食った。彼に会おうと思えば、夕方家の前で待ち伏せしなければならなかった。そしていっしょに白壁の間にある暗い門道までいった。玄関は音もなく開いたが、どうしても中に入る決心がつかなかった！　摑もうとしたとき、眼の前で消え失せた女の手が怖かったのだ。

この日の夕方、道中で話すのはもっぱらハラルドだった。しかも話題はただひとつ、死んだメーリッドとの再会のことだった。待ちこがれていた再会は——霊媒が語ったところによると、次第に近づいてきているらしかった。私は黙って聞き役に徹しなければならなかった。アスンタ・デ・マルキスがペテン師にすぎないという確信にもう自信がもてなくなっていたからである。ついでながら、実際、霊媒の仮面を剝がすには遅すぎたが、たとえ剝がしたとしても彼が信じただろうか？　万一、幽霊との再会が起こったとすれば、どうなるというのだ？　しかもきっと再会できるというのだ！　生きているものは、こうして死者と再会した後、どうやって生きつづけられるのだろう？　それもあのハラルドに！　絶対そんなめに遭わせたくなかった。とにかく救ってやるために何か手を打たねばならなかった。が、いったい、どんな——どんな手を打ったらいいのだろう？

ハラルドの同国人に助けを求めた。しかしハラルドはとっくにかれらと疎遠になっていた。それで自分の友人たちに相談してみたが、誰も乗ってくれなかった。私は例の有名な芸術家を訪ねた。だが神秘を確信し、熱狂している男で、お前には友人を奇蹟に近づかないように引き留める権利はない、と言った。ハラルドに、いっしょにローマから逃げ出そうと勧めたが、それは彫像に向かって哀願するのも同然だった。せっぱ詰まった私は友人を救うために霊媒のアスンタ・デ・マルキスの助けを求めることにした。

彼女は追われているもののように隠れ住んでいるので、

所在を確かめるのに苦労した。隠れ家は悪評高いモンティという黒く汚れた露地の汚い家で、同郷人といっしょに住んでいた。一家全員が私のそばに寄ってきて、貧窮していることを訴えた。この娘を引きとったのは、奇蹟の才能でひと財産つくってくれるかも知れないと期待したからです、ところがこの奇妙な娘はその技術を売ろうとしないのです、いくらでも金持ちになれたのに！　私は主婦《おかみ》に金をやり、アスンタのところへ案内してふたりきりにしてくれるように頼んだ。有名な霊媒の部屋は見るも哀れな独房のような部屋だったが、痛々しいまでに清潔にしてあった。霊のように白いシーツで覆われたベッドの上には、聖痕を受けている聖クララの彩色画がかかっていた。私が入っていったとき、この絵の前に跪いて祈っていたようだった。では――敬虔なクリスチャンなのだ！　私を知っているはずだったから、ここに来たのは友人から手を引くようにお願いするためだ、と言ってやった。

「手を引けと申されましたが……それはどういうことでしょう?」

　彼女は身を起こして私の前に立った。そして生ける彫刻のように動かなかった。まるで聖クララのように苦悩に満ちた様子だった。私はできるだけ冷静に自分の意見を述べて、最後に、「あなたはあの幽霊現象で彼の気を狂わせるでしょう。それにあなたは彼を愛しておられるから……」

　彼女がぎくっとして震えだしたのに気がついたが、何も言わないので、声を強めて繰り返した。「あなたは彼を愛しておられる。だから助けてやって下さい。助けられるのはあなただけです。可哀そうな夭折した女性を遠いお墓の中で憩わせておいて下さい。死者はそこでとっくの昔に塵芥に帰しているのです。彼はもう充分不思議なことを味わいました。これ以上のことは彼の精神に耐えきれないのです。ですから手を引いて下さい」

　アスンタは次第に哀れな可愛い娘から情熱的な女に変身していった。この眼で見ていなかったら、こんなにも変わるとは思えなかっただろうし、信じもしなかっただろう。アスンタは眼をギラギラさせながら叫んだ。「どうして手を引けるのですか?　まるでわたしの意志でどうにでもなるようなお話ではありませんか。わたしに自分の意志があるのでしょうか!　わたしは道具にすぎません。務めを果たしているだけです。どんなに辛いことでしょう!　この世にわたしほど惨めな人間はいませんわ。あなたが救えとおっしゃるお友だちの、外国の方について、わたしが何を知っていたでしょう?　ある日、あの方がおいでになって、わたしは自分の仕事をしなければならなくなりました。あの方はわたしを悩ませました。こんなに悩まされた方はほかにいません。そうです。あの方と亡くなった女性がわたしを苦しめたのです。この女性がわたしと何の関係があるのでしょう。わたしは彼女を憎みます。さあ、わたしの顔を見て下さい！　もう生きている人間の顔をしていません。わたしのところに来て、生きている人間のところへ行こうとする死者たちがわたしを殺すのです。わたしは死者たちに自分の命を与えるのです。かれらを忘れられない人々のために死者を甦らせるのです。どうかわたしの顔を見て下さい。どうか！」

こう言って彼女は顔をあげた。その顔は歪み、眼にはまたあの恐ろしい狂人の燃えるような光が宿っていた。私は理解してもらうように努めた。「手を引いてくれないと、彼は死にます。だから彼を哀れと思って下さい」

「あの方はわたしを哀れだと思ってくれますか?」

彼女の唇から悲鳴のような絶叫がほとばしり出た。

私はそばに歩み寄って腕を摑み、怒鳴りつけた。「なぜ彼があなたを哀れだと思わなきゃいけないんだ?」

「わたしが愛しているのに、判ってくださらず、この気持を感じていないからです。あの方の冷淡さでわたしが殺されるからです。あの方が愛しているのは亡くなったあの女だけです。わたしと同じように、あの女を気が違ったように愛しているのです。これでわたしの死ぬほどの苦しみが解っていただけましたか?　メーリッドという女がまだ生きていたら、そう、たとえ地の果てでも探し出してみせます。そして探し当てたら匕首《あいくち》で一突きで殺してやります。見て下さい。こうやって、こうやって！」

こんな気違いじみた言葉を吐きながら、哀れな娘は衣服の下から匕首を抜いて、とっくに死んでいるメーリッド・アストンが眼の前に立っているかのように、宙を突き刺すのだった。そして犠牲者が突き刺されて頽《くずお》れ、十ほどの傷口から血を流しているのを見すえているように身を屈め、復讐に成功してもまだ満足していないようだった。

私は彼女の腕に跳びついて匕首をもぎ取ろうとしたが、胸の中に隠すと、突然おとなしくなって、次第にイエスが死者たちの間から甦らせたもうたヤイロの幼い娘のような幽霊を思わす人間に戻っていた。

ハラルドは亡くなった許婚者メーリッドの霊の物質化は復活祭の夕に行なわれる予定だと言った。かつて奇蹟が起こった日に奇蹟が起こるというのだ！　それまで一週間しかなかった。しかも眼が眩んだ不幸な友人を助けてくれる人は皆無なのだ。この偉大な夕までの一週間、彼はまるで聖職禄受領者で復活祭の日曜日に叙階式に臨む人のように、パラティーノ丘のフランチェスコ僧たちのところへしばしば出かけた。聖者中の聖者フランチェスコの修道僧たちは、この新教徒を聖者が客を好んだ伝統の精神で歓待し、すでに仲間の一員と見なしていた。彼は断食をし、聖母に仕える修道僧のように亡き恋人を偲《しの》びながら、毎晩徹夜していた。こうして熱病的な空想は極端な禁欲によって法悦感にまで達し、その状態でメーリッド・アストンと再会することを望んだ。

　灰の金曜日（復活祭直前の金曜日のこと）になった。前日の夕、ローマ中の教会の鐘は縛られた。永遠の都の三百の教会の鐘は沈黙した。このため歓ばしい鐘の音が世界中で沈黙してしまったようだった。恐ろしい静けさと悲しみが上空にたちこめていたが、この都では現世の王が支配していて、神の代理人たる法王は虜囚となっているのだった。教会という教会で聖墓地《セポルクロ》が設けられた。すなわち蠟燭の海に照らされ、春を思わす花で囲まれて、致命傷から流れ出た血で覆われた蒼白な死体を入れたキリストの墓が設けられたのである。壁面と円柱は黒い布で包まれ、開いた墓だけが罪深く罰されねばならない存在で、救いを待望する人類にとり、唯一の救済であり光であるかのように輝いていた。信仰の薄暗い広間に香と花の香りがむっとするほど漂い、人々が黙々とひしめきあっていた。

　心配でいたたまれず、友人を捜しに出かけたが、住まいにもパラティーノ丘の修道僧のもとにもいなかった。そして次第に私も聖なる記念の日、復活祭の気分に染まってきた。アスンタのことが頭から去らず、たえずその姿を思い浮かべていた。可哀そうな可愛い娘が激情的な女に変貌する姿、直立して匕首を衣服の下から取り出すと、突いて突きまくる姿……。匕首は短く、斬れ味を感じさせるほど鋭い鋼《はがね》でできていた。殺人者アスンタが想像上の犠牲者から容易に離れようとしないものだから、匕首の握りが古くて美しい金属細工であることになかなか気がつかなかった。嫉妬に狂う女から危ない武器を取り上げなかったので、いつまでも不安だった。だがアスンタの手を摑まえたとき、武器を私に取られまいと、あのたおやかな女が本当は超自然的な力をもっているのかと驚くほどの莫迦力を出したのだ。私はあの手をずっと思い浮かべていた。鋭く研ぎすまされた鋼が危ない玩具のようにギラギラ光っている、蒼い子供のような手。こうしたことは奇怪なことに、いまになってようやくはっきり思い出されたのである。

むなしくハラルドを捜しながら、バルベリーニ宮殿の近くのカプチン僧の修道院教会まで来た。そこには有名な納骨堂がある。どうしてこんな恐ろしい場所に行ったのか、神のみが知っていることだ。死者――死者―見渡すかぎり死者の群れ！　天井、壁、祭壇が土気色の骸骨でできている。この建築の装飾は歯をむき出して笑っている髑髏《どくろ》なのだ。脆《もろ》くなった骨でできた壁には僧衣をつけ、茶色の帽子をかぶり、骨の手に燃える蠟燭をもったカプチン僧の死体がよりかかっている。死んだ僧の一群が生者のために復活祭のお祝いの火を点しているのだ。

この恐ろしい寺院の中で――会ったのはハラルドではなく、アスンタだった。彼女は床に腹這いになり、祭壇の前に身を投げ、頭を死者の骨の中に埋めていた。幼いが清楚でぴったりした黒服を着、頭と頸の周りに聖母のようにリンネルを巻きつけた姿はまちがいない。祈りを捧げ、懺悔《ざんげ》しているように見えた。一心不乱に懺悔するあまり、身体が戦き揺さぶられているようだった。何を祈っていたのだろうか？　愛のためだろうか？　何を懺悔していたのだろうか？　神が恩寵を与えて下さるようにだろうか？

お祈りを盗み聞きする権利はなかったので、その場を離れ、私は恐ろしくまた神聖な納骨堂からローマの星空の下にこっそり忍び出た。しかし祈り、懺悔しているアスンタ・デ・マルキスの姿は妙に私を不安にさせた。

それからリペッタ通りの住居に帰り、ぐったりして長椅子に寝ころんだ。灯を点けて本を読み、気を紛らせようとしたが、思いは千々に乱れ、心に浮かんだもろもろの姿をまざまざと見ずにはおれなかった。玄関が三回強くノックされたときは、真夜中近くだった。住まいは三階だったので、私を起こそうとするノックだった。直感的に、〈ハラルドだ。彼の身に何かおこったのだ〉と思った。

やはりハラルドだった。蒼ざめ、取り乱してびくびくしていた。「別荘から来たのか。メーリッドの幽霊を見たのか？　もう今日のうちに例の奇蹟を体験したのか？」

「今日は降霊会はありませんでした」

「じゃ、どうしたんだね」

彼は打ち明けようとせず、家では淋しくてたまらなくなったからやって来た、と言いはった。キリストの死の日が始まって復活祭の朝が近づき、キリストのためにひとつの墓が開いて、死んだひとりの女性が肉体を得るかと思うと――と言った。骨を折り、やっとのことで詳しく話をさせることができた。「今朝、アスンタが来ました。あなたのおっしゃるとおり、彼女はぼくに惚れています。いや——愛していると言ったほうがいいでしょう。こんな情熱を持っているとは知りませんでした。過去も現在も……どう言ったらいいのか判りません。恐ろしいことでした。まだ夢を見ているような気持です。あの哀れな女！　いったい、どうなるんでしょう？」

　ハラルドは椅子にへたり込んで、茫然と宙を見つめていた。だがその心は今度はメーリッドではなく、アスンタにあった。激しい愛情で愛されてはいるものの、亡くなった許婚者に憧れているハラルドの浄らかな魂はそのことに一向に気づかず、いまやっと悟ったのだ！　ひょっとしたら、これがまだ唯一の救いかも知れない。私は横に立ってそっと身体に手を触れ、はっきり眼を覚まさせてから、「それで、きみは？」と訊いた。

　彼ははじめは私が言った意味がまったく解らなかった。悲鳴のような溜息をつくと、「ぼくが？　ぼくが何を？」

「お前なんか愛せない、と言ったんだね？」

「ええ、そう言わざるを得ませんでした。どうしてほかに言えましょう。断わりましたよ。厳しく、むごいほど厳しく。愛する人はただひとり、愛することができる人はただひとり——メーリッドだと。でも——それは嘘でした。そうです。愛しているのは死んだメーリッドではなく、生きているアスンタなのです。恐ろしいことです。恐ろしいことだと解ってもらえますか？」

「アスンタを愛しているのに、残酷なほど厳しく拒否したんだね？」

「そうすることしかできなかったのです。この愛は死んだメーリッドに対する大きな罪です。それに——アスンタの愛は恐ろしい。ぞっとします。彼女は途方もない、無茶苦茶な情熱そのものです。あんな女に愛され、愛さねばならないなんて、ぞっとします。ね、ねばならないんですよ！　何しろ彼女はぼくをどうにでもできるんですから。……彼女が怖い。ぼく自身が怖い。それにメーリッドが……復活祭の日曜日に現われたら、どうしたらいいんでしょう？　でもこの再会を本当に待ち望んでいたのです。この奇蹟はぼくの人生の絶頂であり、成就であり、あらゆる秘密が解かれることになるはずだったのです。それなのにいまは……」

「いまでもメーリッドと再会したいのか？」

「したいとかしたくないではなく、しなければならないんです。彼女は出てくるでしょう——出てこないわけにはいかないんです。彼女を物質化させたのはぼくのためですから、アスンタから逃れることはできないのです。彼女の手に落ちたも同然です。でもぼくは生きているアスンタより、死んでいるメーリッドの手から逃れたいと思います」

「ふたりから逃れないといけないんだ」

「ぼくはメーリッドと再会しなければならないんですよ」

ハラルドはこう言いはった。私は彼を帰さず、私のベッドで寝るよう勧め、一晩中起きていてやった。彼は熱に浮かされ、譫言を言いながら一晩すごしたが、たえずメーリッドとアスンタを取り違えてふたりに怯え、救いようがなかった。明け方になってようやく疲れ果てて深い眠りに落ち、眼を覚ましたのは午後も遅くなってからだった。最後の望みは明るい昼が彼を正気に戻してくれることだった。事実、彼は落ち着いたように見えた。静かにきっぱりした口調で、ふたたび復活祭の日曜日の夜、どうしてもピア門近くの呪われた別荘に行くと言ってきかなかった。口を酸っぱくしてとめたが、私もその不吉な行動に同道し、恐ろしいことが起こる時間は彼の横に坐っていること、それにそこへ行くのはこれが本当に最後だ、と約束させた。ひとりになるのを怖れ、アスンタが待ち伏せしているかも知れないと、怯えきっていたので、彼も私の家にいることに同意した。それで下宿の主婦《おかみ》のところへ使いをやって、身のまわりの品物を取って来させ、彼のそばを離れなかった。

復活祭の日曜の夕べ、ローマの鐘は縛めを解かれ、三百以上の鐘が復活の日を告げた。殷々《いんいん》とした鐘の響きは天上の音楽のようだった。大気そのものが音と化したように鳴り響いて、復活の日を告知し、救いを求める人類にやがて奇蹟が起こり、磔《はりつけ》にされて葬られた神の子が死者の間から甦り、昇天して神の右手に坐ることを知らせていた。

ピア門近くの別荘の広間は青いクリスタルの吊り灯火の光で、いまにも亡霊が出そうな雰囲気だった。大広間には花の鉢は一箇しかなかったが、大量の白い薔薇の花が盛られ、頭上で強烈な香りの波がぶつかりあうような感じで、重く暑苦しい芳香に満ちみちていた。

今日、テーブルについたのは我々三人だけだった。この家の主人は今朝突然、ナポリに行かねばならなくなったのだが、家は使わせてくれたのだった。いつも主人が坐る場所にハラルドが坐り、それで今日は彼がアスンタの片手を握ることになった。彼女は高い背もたれのある椅子に立像のように坐っていた。頭をうしろにもたせ、両眼を閉じて一度も開かず、ハラルドの顔を見なかった。手は死人の手のごとく、顔は死人の顔に似ていた。しかし今日は奇蹟を起こす力に見放されたようで、亡きメーリッドを最終的に物質化させることができないようだった。――よき守護霊たちよ、讃えられてあれ！

我々は坐ったまま身動きせず、一語も発さずに待っていた。まる一時間が過ぎた。それは冥界のような暗がり、感覚が麻痺させられるような不可視の花の香り、墓のような沈黙のなかで、亡骸のような手を握りながら死者の出現を待つという、生涯でいちばん不気味な一時間だった。頭が混乱し、手足が重くなって、意識が薄れるのを感じた。私が正気を保てたのはハラルドの顔のおかげだった。ハラルドの顔はいまかいまかと、奇蹟への期待に満ちていた。しかしついにその顔にも耐えられなくなった。

私は生気のない手を放し、跳び上がって――ただ人間の声を聞くために――大声で、「私たちは発狂するぞ！いや、もう狂っている！」と叫ぼうとした。ハラルドのところに突進し、強引に連れ去ろうとした。この恐ろしい女、この不気味な家から出て行こうとした。外に出れば人間たちがおり、生活の流れがあり、生者の間にあってふたたび生を与えられるはずなのだ。まさにこの瞬間、アスンタが溜息をつき、呻《うめ》き、譫言《うわごと》を言い、メーリッド・アスントンの霊の出現が近いことをきれぎれに告げた。

私が叫ぶことができず、呪縛を破れないまま、驚くべきことを生じさせてしまったのは、悔いを千載に残すことになった。その後の生涯にわたって長く、ハラルドを殺したのは自分だと、呪うべきあの時の重荷を担いつづけたのである。

アスンタ・デ・マルキスの手はわたしの手の下で震えつづけた。必死になってやっと押さえつけることができたほどだった。どうしても押さえておかねばならなかったのだ！ 彼女の右手をだ。突然、私は心の眼で、アスンタの手が胸のほうへ伸び、衣服の下から匕首を摑み出すのが見えたのだ。押さえておけ！ しっかり押さえておくんだ！ 彼女は死の苦しみに襲われ、全身が痙攣しているようだった。驚いたハラルドは彼女の左手を放した。私がそれを摑んだ。これで私が両手を摑んだことになる。そして万力のような力で押さえつけていた。

押さえつけておくんだ。何が何でも！

それから起こったことは……説明が不可能である。ただ私は体験した……身をもって体験したのだ。そうだ、私は説明が不可能なこと、恐ろしいこと、奇蹟を体験した……アスンタ・デ・マルキスの手は、私の手の下で見えないあるものを摑み、この存在していないあるもので突いて突いて、突きまくっているようだった。氷のような戦慄が背中を這い昇って頭にまで達し、脳髄のなかでのたうち、穴を開け、髪の毛を逆立てさせた。亡霊は近づいた。死だ女が墓から立ち上がって、私の背後に立ち、前へ来た……前かと思えば——後ろへ……そしてハラルドのすぐ近くへ。

私が見たのはまさしくメーリッド・アストンだったのだ！

私は跳び上がって逃げようとしたが、アスンタの両手を押さえつけていなければならなかったので、できなかった。どんなことがあっても、恐ろしく痙攣しながら、必殺の気迫で宙を突いている両手を放してはならなかったのだ。私は万力のような力を弛めなかった。

悲鳴があがった。だがそれは亡霊の悲鳴ではなかった。人間の、死に瀕した男の悲鳴だった。ハラルドの悲鳴だった。友人のハラルドは匕首で心臓を貫かれて死んでいたのである。心臓を貫いたのは見覚えのあるあの匕首だった。

それなのに私はアスンタ・デ・マルキスの両手をしっかり摑まえていたのである。

生者と死者の物語

モード＝イヴリン

Maud-Evelyn

ヘンリー・ジェイムズ　Henry James

植草昌実訳

哲学者のウィリアム・ジェイムズは心霊現象も研究対象とし、アメリカ心霊研究協会の設立にも尽力しました。彼の弟ヘンリー・ジェイムズ（一八四三―一九一六）も、『ねじの回転』はじめ数々のゴースト・ストーリーで有名であることは、あらためて言うまでもありません。『アトランティック・マンスリー』一九〇〇年四月号に発表された本作には、幽霊は出現しませんが、愛する者の死と折り合いをつけようとする人々の奇矯ながら真摯な生活が語られます。「奇妙な味の物語」と呼んでもいいでしょう。

私は面識がないが、その場に居合わせたうちの何人かは顔見知りだという、ある女性の噂話になり、孤独で目立つこともないその人が、人生の黄昏《たそがれ》を迎えようという頃に急に得た幸運のいきさつについて、誰か聞いてはいないかと、中の一人が尋ねてきた。知る者はいなかったので、一座はただ羨《うらや》むばかりだったが、それまで黙っていて、話を聞いていた様子もなかったレディ・エマが、やおら口を開いて、ラヴィニアの身に起きたことは素晴らしいが、長年のあいだ彼女が関わってきたことや、今に至るまでの過程は奇妙だった、と言った。レディ・エマは事情を知っているのだと、みなは気づいた。話題になった当の静かな女性の知人たちも、その話を耳にしてはいなかったようだ。あとでわかったのだが、その奇妙な事情は、彼女の人生に深くかかわっていた。「あとで」

というのは、集まりが終わってからのことだ。その場で話を聞くことができたのは、一座が熱心に懇願したからだった。レディ・エマと顔を合わせるたび私が思い出すのは、弾く前に丁寧な調律を必要とする繊細な古楽器で、そのときは一座の二、三人が、ご存じなら聞かせていただかずには済みません、と爪弾くように言いすがったので、彼女は話しはじめた。話のあいだ、レディ・エマはその人をラヴィニアと呼んでおり、ただ旧知の仲というだけではないようだった。彼女が何を知っていたか、私はここからは、できるかぎり聞いたままに書いていくことにしよう。レディ・エマがソファの隅に掛けて語るあいだ、その顔にゆらめく暖炉の火明かりは、その胸の内から湧きあがる追想の輝きにも、空想の閃《ひらめ》きにも見えた。

I

「だったら、どうしてあの人の申し出を受けないの」と、わたしは尋ねました。そう尋ねたことが、これからお話しする出来事のはじまりだったのかもしれません。ラヴィニアが二十歳《はたち》の頃――あなたたちの中にはまだ生まれていなかった人もいるくらい、昔の話です。そう尋ねたのは、彼女がよい機会を得たと思ったからで、逃してしまったときの痛手までは考えてもみませんでした。気を惹かれたのは、彼女も、相手も好きだったからですし――今も若い人たちは好きですよ――初顔合わせがわたしの家だったので、二人の間柄に責任があるようにも思っていたからです。ラヴィニアの母親は、わたしの最初の、そしてほぼ唯一の家庭教師でした。わたしは先生をながらく慕《した》っておりましたが、先生はわたしのもとを去ったあと、家庭教師としては良い御縁に恵まれました。マーマデュークは（本当はこんな名前ではありませんよ）は、わたしに求婚してくださった聡明な男性たち――わたしにも可愛らしい頃はあったのです――のうち、何年も早く申し出てくださった方のご子息でした。その方が寡夫と聞いて気が進まず、おことわりしたのですが、あとで他の方と御結婚されたあとも、わたしが継母《はは》になったかもしれないと思うと、ご子息とは御縁があるような気になりましたし、わたしが継母になっていたら、彼にとってもっとも親切な人の一人になれたのに、という自負もありました。お父上が結婚なさったご婦人が、そういう方ではなかったので、彼もなおさらにわたしに懐いたのでしょう。

ラヴィニアは九人きょうだいの一人で、八人とも彼女には何の援助もしていないものの、みな外国に行ってそれぞれ平穏に暮らしているという話でした。彼女は不思議なことに、普通は排除しあう二つの性格を併せ持っていました——極度の臆病さと、小さくても邪悪な道に踏みこみかねない欠点である、思いもよらないところに現れる自己満足とを。なので、わたしは彼女を心配していたのですが、あとになって、その性格が残りつづけていれば、彼女の平穏にすぎる人生にも何かの変化を与えたのではないか、と思いました。幸せであれば魅力を得られた人なのか、魅力があれば幸せになれた人なのか、どちらかはわかりませんが、ラヴィニアのような人は、世間にはよくいるものです。彼女がマーマデュークの求婚に飛びつかないので、わたしはちょっと苛立ちましたが、それはおそらく、彼女が目を向けていたのが彼がもたらす変化ではなく、まだ考えてもいない自分の先行きだったからでしょう。彼女はあとになって、すぐに応じなかったのは間違いだったと認めました。そして、また申し出てくれるわ、と言ったのを覚えていますし、そのあとで彼と話して、その可能性はおおいにあると思いもしました。「ラヴィニアはあなたのことを気にしているの」と、わたしははっきり言ってやりました。昔の話なのに、ぽかんとしていた彼が、整った顔を考え深げにしたのを覚えています。さらに推しはしませんでしたが、それは彼がけっして裕福ではなかったからでした。それでも、何も言わないでおくよりも気が軽くなりました。彼は母親から一年に三百五十ポンドの送金があり、わたしが覚えているかぎりでは、おじたちの一人から、送金でないものの、就職先を確約してもらっていました。彼はまっすぐな思いを——いかにも二十二歳の青年らしい口調でしたよ——宣言しました。よそ事に迷うことなく、男に二言はない、と言いたげに。

「ならば」わたしは言いました。「これからどうするかは決まったわね」

「もう一度、申し出るんですね」

「そう——おやりなさい」

彼はそのときのことを想像したようでした。そのあと言ったことに、わたしはちょっと驚きました。「彼女のほうから言ってもらうのはおかしいでしょうか」

わたしは彼をまじまじと見ました。「求婚してもらいたいの？　もしあなたが逃げる気なら——」

「逃げはしません！」きっぱりした口調でした。「でも、あれだけはっきり言って——」

「それ以上はできないとでも？」わたしはそっけなく言いました。「そのつもりなら『結婚』とは口にしないほうがいいでしょうね」

「でも、あの人への思いは変わりません」

わたしはかぶりを振りました。「お高くとまっていないかぎり、そんなことは言えないものです！」わたしは彼から目をそらしましたが、視線を戻すと、言われたことを認めたかのように黙っていたので、ちょっと驚きました。が、認めたのではないと、すぐにわかりました。自分が馬鹿なことを言ってしまったのに気づきました。それまで聞いたことがないほど、彼はさらに言葉を続けました――そして、そのあいだに浮かべていた笑みは、呆《ほう》けたようにおおらかで、彼が置かれている立場にしては、なんだか悲しげに見えました。

「なにもお高くとまっているわけじゃありません。もとよりそんなつもりもないし。ご覧のとおりの者でしかないんです。一度くらいお高くとまってみたいものです」

この人の言うとおりかも、と思いました。彼を嫌いにはなりませんでしたが、わたしの口調はちょっときつくなりました。「それで、どうするつもり？」

気持ちを口に出していくぶん楽になったのか、彼は部屋の中を歩きながら言いました。「あれ以上のことは言えそうにありません」何を言ったのか聞いていない、と言いかけたとき、彼はこう続けました。「あなたの他の誰とも結婚する気はありません。これは十分な言葉ではありませんか」

「彼女から求婚させるのに？」

「ちがいます――そんな意味で言ってはいません。彼女がぼくを信じ、待っていてくれるのに十分だろう、ということです」

「待つって？」

「ぼくが帰ってくるのを」

「どこから？」

「スイスからです――お話したかと思いますが。来月、おばといとこと一緒に旅行するので」

たしかに、お高くとまらない人でした。これはむしろ謙虚なもの言いでしたから。

Ⅱ

それからどうなったか――ことの次第を、わたしはその年の秋のはじめにラヴィニアから聞きました。マーマデュークとはまだ友達どまりでしたが、旅先から手紙が届いたとのことでした。手紙には、おばさんといとこは、彼を残して先に帰国したと書かれていました。彼は旅程を延長し、さらに遠くまで足を延ばしていました。イタリアの湖水地方からヴェネツィアに行き、手紙を投函したのはパリでした。お金に余裕のある人ではないから、おじさんから旅費を援助してもらったのだろうと、わたしはぼんやり思うばかりでした。「旅先で誰かと仲良くなったのかしら」と言ってから、ラヴィニアが顔を赤らめたので、しまった、と思いました。女遊びでもしたかのように聞かれかねませんからね。もっとも、そんな余裕はなさそうですし、もしそうだったとしても、彼女に宛てた手紙にはかかないでしょう。

「たしかに、あの人は人と知り合うのが早くて、二分も一緒にいたらもうお友達ですから」ラヴィニアは言いました。「どんな人でも、彼を好きになることでしょう」

マーマデュークはそのとおりの人だったので、わたしは彼女が何を言おうとしたか察しました。「そのとおりね。あの人はあなたのまわりにも人を集めるでしょう」

「でも」と彼女は言いました。「わたしたちについてくる人たちがいても、誰もわたしには目を向けないでしょう。目的は彼のほうで、わたしはいないも同然。楽しみにしていることもありますが、それは追々おわかりになるでしょう」彼女が何を考えているか、わたしにはわかりました。お洒落《しゃれ》をして客間に集《つど》う女性たちの中で、天使のように振る舞う自分の姿を想像しているのでしょう。

「旅に出る前に、あの人がわたしに何といったか、わかりますか」と、彼女は続けました。

彼はやはり、あのあと彼女と話したのね、とわたしは思いました。「こう言ったんでしょう。結婚は絶対にしない……」

「そう、わたしの他の誰とも！」彼女は無邪気に口を挟みました。「ご存じでしたか」

たやすく想像のつくことです。「そう思っただけ」

「信じられますか」

わたしはちょっと考えました。「信じますとも」でも、彼女が顔を赤らめたのはなぜかは、まだわかりません。

「誰といるかは書いてなかったの？」

「ありました。良い人たちのようです。あなたが彼のことをよくご存じなので、ちょっと驚きました――すぐに帰ってこないのは新しいお友達ができたからだと、お見通しなのですから。デドリック家の人たちのご厚意で」ラヴィニアは言いました。「一緒に旅行を続けているのだそうです」

やはり、不思議な話です。「その人たちの旅行についていっている、ということ？」

「はい――お誘いいただいたのだそうです」

お高くとまる質《たち》ではないと、彼は言っていました。ですが、私はこう尋ねました。「デドリック家というのは、どういう人たちなのかしら」

「とても親切な、いい人たちで、先月たまたま出会ったんですって。彼はそのときスイスで、だらだら長くて退屈な峠道を一人で歩いていて、たぶんおばさんといとこは、あとで合流する場所を決めていたのでしょう。急に雨が降りだし、雨宿りしているところを馬車が通りかかって、中の人たちが親切なことに、乗るように言ってきたんですって。で、乗せてもらっている何時間かのあいだに仲良くなって、そのままご一緒させてもらっているみたい」

わたしはちょっと考えてから、言いました。「女の人たちだったのかしら」

ラヴィニアもちょっと考えましたが、わたしとは違うことのようでした。「たぶん四十くらいかも」

「四十人もいたの?」

彼女はすぐに気づきました。「わたしったら。デドリックの奥様のことでした」

「四十歳くらいの方なのね。娘さんはいるのかしら――」

「いないそうです」

「お子さんはいないの?」

「少なくとも、ご一緒ではないみたい。お連れはご主人だけだとか」

わたしはまた考えました。「ご主人のお歳は?」

ラヴィニアもまた考えました。「たぶん、同じくらいでしょう。四十歳《しじゅう》にいくつか……」

「四十二歳《しじゅうに》かも」とわたしは言い、彼女と声を合わせて笑いました。「よかったじゃないの」と言いましたが、そのときは本当にそう思ったのでした。

マーマデュークは帰国する気配もなく、わたしはラヴィニアとちょくちょく会っては、そのたびに彼のことを話しました。自分でも、それほどまでに彼を心配しているとは思いませんでした。お父上とも縁者の方々とも親しくはありませんし、旅行に同行したというおばさまやいとこの方もお目にかかったこともなく、旅先で別れてからどうなったかも、彼女から遠回しな話を聞いただけだというのに――おまけに、わたし同様、彼女もそのお二人と面識はありませんでした。このかわいそうな二人のご婦人は、彼が自分たちを顧みることなく、路上で知り合った人たちについて、身勝手にも一人で行ってしまった、と考えているようでした。ラヴィニアはこの非難にひどく怒っていましたが、デドリック夫妻のことも快く思っていないのが見てとれました。「あの人は誰にでも好かれるのだから」と彼女は言いました。おばさまといとこを怒るぶん、デドリック夫妻の肩を持とうとしていたのでしょう。たしかにマーマデュークは人の心を惹きつける若者でしたが、デドリック夫妻にはどこか普通でないところがある、と、わたしも彼女も思うようになってきました。彼の手紙から感じたことでしたが、やがて手紙も来なくなり、それがなおさら夫妻の普通でなさを裏付けるような気がしてきました。そのあいだ、わたしが考えていたのは——人間について考えるのは、もともと好きでした——彼の魅力はどこから来ているのか、ということでした。結論は、結局はわたしの経験則なのですが、ただ単に彼がそういう人なのだから、ということにとどまりました。それは、他の誰も持っていないことです。でも、マーマデュークは他に何も持ってはいませんでした。それ以上の何がいるというのでしょうか。

Ⅲ

ようやく彼が帰ってきました。わたしのところに顔を出して、新しい友達の良いところを並べ立てましたが、人さまざまという言葉をあらためて感じはしたものの、会いに行ってみるよう勧められても、どうにも気が進みませんでした。どう言えばいいのか、ふさわしい言葉が見つけられませんが、自分が良く思っている相手に好意を持っている人には、なかなか会う気にはなれないものです。もちろんマーマデュークには何の咎《とが》もありませんが、デドリック夫妻が彼に夢中だと聞くだに、訪ねてみようとは思いませんでした。それをおくびにも出さずにおりましたが、すると彼は、夫妻をわたしのところに連れてくると言いだしました。「いいじゃないですか」と笑いながら。どんなことを言うときでも、彼は笑っていました。

「なにもそこまで。上手にお付き合いしているのだから、人の手を借りることはないでしょう。ご自分が始めたことですから、ご自分できちんとおやりなさい」

「そんな」彼は言いました。「イングランド銀行くらいに信頼できる人たちですよ。身分も、人柄も」

「そういう方々がお付き合いするには、わたしなど何の利もない者でしょう」と答えてみましたが、デドリック夫妻が楽しいお付き合いのできる人たちだとは、彼は言いませんでした。そのかわり、夫妻はウェストボーン・テラスに住んでいると言いました。四十そこそこと聞いていましたが、二人とも少し年嵩《としかさ》の四十五歳でした。それでも、デドリック氏はかなりの財産を得て、長年の仕事から引退している、ということでした。きわめて質素で、このうえなく親切な、非常に個性的な人たちで、そして何をさておいても、彼にすっかり心を奪われているらしいのです。マーマデュークがそう言うさまは、傍目には苛立たしいほど冷静でした。もし彼が、夫妻の好意を受けていながら、それに飽き果てているようなもの言いをしたら、わたしは軽蔑したことでしょうが、そんなそぶりも見せないので、驚くよりも戸惑ってしまいました。「ご夫妻には、こちらにお知り合いが?」

「ぼくだけです。このロンドンには、そういう人が結構いるものです」

「あなたしか知り合いのいない人が?」

「いや、知り合いがまったくいない人のことです。ロンドンには変わり者が大勢いますが、そのほとんどは良い人たちです。想像もつかないことかもしれません。すべての人と知り合うことは誰にもできませんし。自分の生きたいように生きている人たちがいます。そういう人たちと知り合えるのは、何と言えばいいんだろう――人が良いものを、たとえば本とか、知的なものと言っていいのかな、音楽とか絵画とか、宗教でもきれいなテーブルでもいい、そういったあらゆる楽しいものを見つけるのと同じです。どれも機会が巡ってこないかぎり出会えませんが、機会というものはいつでもあるのです」

彼の言うことはもっともでした。世界はすばらしく、どれだけすばらしいか、追い求めるに値《あたい》するものです。わたし自身、自分なりに懸命に追い求めてきました。「だからあなたは」わたしは尋ねました。「あの人たちを気に入っている、と――」

「あの人たちがぼくを気に入っているのと同じくらいに、ということですか」言おうとしたことをすぐに察したようで、彼は曇りのない目でわたしを見ました。「まもなく、そう信じられるときが来るでしょう」

「そのときは、ラヴィニアを連れていくの――?」

「いや、彼女は紹介しません――けっして」自分がまずいことを言ったと、すぐに気づきました。「そんなことができるとお思いですか?」

わたしは言葉を選びました。「あなたたちがまだ婚約していなかったのを忘れてたみたい」

「もちろん」しばしの間をおいて、彼は言いました。「他の女性《ひと》と結婚する気はありません」

何度も聞いてきたもの言いが気に障りました。「そうよね。でも、わたしが言うからじゃなしに、このまま結婚しないでいて彼女に何かいいことでもあるの？」

彼は答えませんでした——目をそらし、部屋のどこかを見ていました。しばらくして、わたしに目を向けたとき、その顔は上気していました。「あのとき、ぼくの申し出を受けていてくれれば」落ち着いた口調でしたが、声は沈んでいました。他にもっと言いたいことがありそうでしたが、そのあとはわたしにじっと目を向けるばかりでした。

その落ち着きぶりに苛立ったのを覚えています。もし彼に怒っている様子でもあれば、二人の間柄をつなぎ直せたかもしれません。でもそのときは、たいしたことではないと思って、話をデドリック夫妻に戻し、仕事もせず人付き合いもしないで、いったいどのように毎日を過ごしているのかと尋ねました。彼は当惑したようでしたが、すぐに適切な答えが浮かんだのか、ラヴィニアのことを話すよりは目に見えて気楽そうな様子で言いました。

「お二人にはモード＝イヴリンがいますから」

「そのモード＝イヴリンって、どういう人？」

「娘さんです」

「ご夫妻の？」てっきり、お子さんはいないものと思っていました。

彼は言い加えました。「残念なことに、今はいないのですが」

「いない、というのは？」わたしは続きを求めました。

今度は口ごもりました。「去ってしまった、と言ったほうがわかりやすいかもしれません。が、ご夫妻はともにそうは思っていないのです——けっして」

わたしは推察しようとしました。「家を出ていったけれど、ご夫妻は帰りを待っている、ということかしら」

「世間の人たちなら、忘れようとすることでしょう。でも、デドリック夫妻にはできないのです」

その娘さんがいったい何をしたというのでしょう。よほど悪いことなのかもしれません。でも、そこまで関わることもないと、わたしはこう尋ねました。「ご夫妻は娘さんと連絡を取っておられるの？」

「ええ、いつでも」

「なのに、一緒にはいないのね？」

マーマデュークはちょっと考えました。「一緒にいますよ——今は」

「今はって、いつから？」

「そう、去年からです」

「でも、いないって言ってたでしょう」

「はい」彼は悲しげに笑うと、こう言いました。「ぼくとしては、そう思ったからです。だいいち、彼女には会ったこともありませんし」

　腑に落ちない話です。「別居中なの?」

　彼はまた考えました。「そうとも言えません。夫妻は彼女のために生きているので」

「でも、あなたには同じようにしてほしくない、ということかしら」

　すると彼は、わたしをこの日初めて——と思います——まっすぐ見ましたが、なんとも言いようのない顔をしていました。「ぼくにはできません」

　できない自分を咎めているような口調でした。わたしは、この話は終わりにするにかぎる、と思いました。「できないものよ。しなくてはならないものでもないでしょう。あなたにはラヴィニアがいる。彼女のために生きていきなさい」

Ⅳ

　残念なことに、この忠告にうんざりしてしまったのか、言われても反撥しなかった彼が、その後何週間も姿を現さなかったので、わたしは悪いことを言ってしまったと、つくづく思いました。その間、うちの娘《こ》——ラヴィニアのことです——とは顔を合わせていましたが、マーマデュークについて話すのはできるだけ避けていました。ですが、ラヴィニアが彼のことばかり考えているのは目にも明らかでした。その様子から、デドリック夫妻には子供がいない、という彼女の誤解を正しはすまいと、わたしは決めました。それでも、わたしが話さないようにしていても、彼女はあの青年の名を口に出さずにはいられないでしょう。まさにそのとおりで、月末になって言うには、彼は二度、彼女の母親を訪ねたので、そのたびに顔を合わせた、とのことでした。

「彼、元気そうだった?」

「元気で、幸せそうでした」

「それで、相変わらず——」

「ええ、前にも増して、あのご夫妻とは親しくしているようです。自分からは言いませんでしたが、わかりました」

　わたしにも見てとれたので、彼女が何を言いたいかはわかりました。「彼は何か話した?」

「何も——でも、話したいことがありそうでした。あなたが気にされていることの他に」と、彼女は言いました。

　前に会ったときに話したことかもしれません。「そう、どうして話さないのかしらね」

「どうしてでしょう。わたしにもわかりません」

彼女の口調は始めのうち、なぜか起きていることを受け入れて堪えるように聞こえ、それだけに腑に落ちないものを感じずにはいられませんでした。「話せないなら、なぜ来たのでしょうね」

彼女は笑みを浮かべかけました。「そのうちわかると思います」

わたしは彼女をじっと見つめると、キスをしたように覚えています。「見上げたものね。彼はあの様子なのに」

「いいえ」彼女は答えました。「あの人は、親切であろうとしているだけです」

「あの夫妻に？　そのつもりなら、彼は他の人たちとは関わらないようにすればいいだけよ。あの様子と言ったのは、彼が恩義に甘えているからで――」

「デドリック夫妻に甘えている、とおっしゃるのですか」彼女の見方はわたしとは違っていたのでしょう。「彼はお二人に良いことをしているのではないのですか」

わたしには、そうとは思えませんでした。「マーマデユークにできる良いこと、ね。一つあるわ。もし、彼があなたにデドリック夫妻を紹介したい、と言ったら、そのときはお断りすると約束してくれる？」

彼女は途方にくれたように見えました。「知り合わないように、ということですか」

「会ったり、近づいたり、その他のどんなことでも」

彼女はしばし考えました。「あなたもそのおつもり？」

「もちろん、絶対に」

「でしたら、わたしもそうしようと思います」

「ねえ、それじゃ約束にならないわ」わたしは言いつのりました。「はっきり言ってほしいの」

彼女は躊躇しました。「でも、なぜそこまで？」

「少なくとも、彼があなたを利用しないようにするために」わたしは力を込めて言いました。

わたしの語気に圧された様子だったので、彼女はそのままにしておいたら、彼に従ったことでしょう。「約束します。わたしが何を知っているか、彼も尋ねないことでしょうし」

そのときのわたしの考えは、ラヴィニアとは違っていました。マーマデュークが話したがっていた、と彼女が思っていたことを、はっきりしないままの求婚の件についてだと信じて疑わなかったのですから。でも、次に会ったとき、たいそう興奮した様子で入ってきた彼女が始めたのは、わたしが想像もしていなかった話でした。

「ご夫妻の娘さんのことをご存じだと、わたしにはお話ししてくださらなかったんですね。昨日、彼から聞きました」咄嗟《とっさ》に何のことかわからず、ただ見ていると、彼女は話を続けました。「あの人が何を話そうとしていたか、わかりました。やっと聞かせてくれたんです」

　わたしは彼女から目がそらせずにいました。「聞かせてくれたって、何を？」

「何って、一部始終です」彼女の目には驚きが浮かんでいました。「彼からモード＝イヴリンのことはお聞きになっていたでしょう」

　わたしはそのことをすぐに思い出しましたが、少し考えるふりをしました。「彼からは、娘さんがいるけれど、なんだか事情がありそうな様子だというくらいしか、聞いていないわ。何かあったの？」

　彼女はおうむ返しに言いました。「何かあったの、ですか？　あったというのは正しい言い方かしら。娘さんはいましたが、お亡くなりになっています」

「お亡くなりに？」わたしは当惑するほかありませんでした。「それはいったい、いつのこと？」

「もうずいぶん昔のことで、十五歳くらいで亡くなったと聞いています。まだお若かったのですね。ご存じなかったのですか」

「初耳よ。ご夫妻は娘さんのために生きていて、今は一緒にいるとしか、あの人は話してくれなかったし」

「彼が話したとおりです」年若い友達は説明してくれました。「ご夫妻は娘さんの思い出のために生きておられます。一緒にいるというのは、他のことは考えようともしない、という意味でしょう」

　そうと知って驚きましたが、すぐに安心が取って代わりました。ですが、同時に腑に落ちないことが浮かんできました。「娘さんの思い出に生きている人たちが、あんなにマーマデュークと親しいのは、なぜかしら」

　難しいことを尋ねたのかもしれませんが、ラヴィニアがマーマデュークの身になって考え、自分には良いことはないはずなのに、デドリック夫妻に同情している様子が、うすうすながら感じられました。それでも彼女は思いのほか早く答えました。「そのわけは簡単なことです。彼が娘さんの思い出を聞いてくれるから」

「なるほどね」かえって納得がいかなくなりました。「でも、彼のほうが興味を持っているかどうかは――」

「ご夫妻のところに足繁く通っていますから」ラヴィニアは答えに困ったようでした。「きっと、娘さんは魅力のある人だったのでしょう。きれいだったそうですし」

　わたしは呆れました。「そんな、エプロンドレスを着ていたような年頃の子を」

「もうそんな歳ではありませんでした。亡くなったのは十四歳か、十五歳か。たしかに十六歳には届きませんでしたが。いずれにしても、とても美しいお嬢さんだったとか」

「そういうお話なのね。でも、会うこともかなわないのに、彼には何かいいことがあるのかしら」

彼女は考え込みましたが、今度は良い返事が浮かばなかったようでした。「それは、あの人に聞いてください」

そのつもりだとすぐに答えましたが、彼女にはまだ聞きたいことがありました。「そのとき聞いてみるつもりだけれど、ご夫妻は娘さんと〈連絡〉を取っている、と彼が言っていたのは、どういうことかしら」

答えは単純でした。「ご夫妻はしばしば霊媒のところに行って、娘さんを降霊してもらったり、テーブルを叩く音で連絡を受けているのです。二年ほど前に始めたそうです」

「なんてばかばかしい！」狭量にも、わたしは大声でそう言ってしまいました。「彼も連れていく気じゃ――」

「それはないでしょう。お二人は考えてもいないようですし、彼もついていったことはないそうです」

「なら、彼は何が楽しくて続けているの？」

ラヴィニアは目をそらしました。やはり彼女にもわからないようでした。が、しばらくしてこう言いました。

「小さな写真を見せるよう、彼に言ってください」

それだけでわかるものとは思えませんでした。「彼を引き留めているのは、小さな写真だけ？」

彼女が顔を赤らめたのは、彼の代わりをしたかのようでした。「とても美しい方でした」

「彼はその写真を人に見せてまわっているの？」

彼女は口ごもりました。「見たのはたぶん、わたしだけです」

「よりにもよって、あなたに見せるなんて」と、わたしはつい言ってしまいました。

「でも、本当にきれいな方でした」

ラヴィニアのこともわからなくなってきて、わたしは彼女をじっと見つめました。「あなたがそう思うほど、きれいな人だったのね」

「見た目の美しさだけではありません」彼女は続けました。「他のすべてのことも――ご両親がなさっていることも、信じる思いの並外れた強さも。彼が言っていましたが、娘さんの思い出がお二人には信仰に等しいものになっているのです。彼が来て話そうとしていたのは、そのことでした」

わたしは彼女に目を向けていられなくなり、彼女も話し終えると帰っていきました。でも、別れ際にわたしは、マーマデュークがそこまで愚かだとは思わなかった、とつぶやかずにはいられませんでした。

V

もし、わたしがみなさんのご想像どおり皮肉屋だったなら、この件にわずかに残る興味は、マーマデュークが思ったとおりの愚か者であることを確かめるだけだったと、はっきり申し上げるところです。ですが、この件は結局、わたしのほうが愚かだったと知ることになりました。彼の話を信じなければ、この件をすっかり知ることはできませんでしたし、その話がけっしてばかばかしいものではない、と気づかなければ、信じることはなかったでしょうから。でも、はじめのうちはばかばかしいどころか、とうにそんなところを通り越してしまったような気さえしていました。ラヴィニアが帰ったあとすぐ、わたしは彼に来てくれるよう連絡しました。そして、彼が来ると、彼女から聞いたことについて問い詰めました。知りたかったのは、モード＝イヴリンの髪の色や、エプロンドレスの丈の長さなどではありません。この青年の誠実さでした。彼は本当の愚か者なのか、それともデドリック夫妻の財産を目当てにしているのか。わたしは、そのどちらかだと思っていました。

「ばかばかしいこととお思いになるでしょうが、ぼくはデドリック夫妻の養子になりました」と彼から聞いて、わたしはすぐさま、恩人のその処遇にたいして、自尊心を失うことなく、どのように応えるつもりなのかと、率直に尋ねました。彼の人当たりの良さは、喧嘩するつもりで来た相手さえ落ち着かせるほどのものでした。どのように応えているかは当の夫妻にしかわからないものだ、というのが彼の言い分でした。夫妻の好意に合うよう自分を装ってもいない、近しくなったのは夫妻の方からはたらきかけてきたからで、それは奇行とも言える。わたしが思うに、二人とも正気ではないのかもしれません。

マーマデュークがわたしにまっすぐ目を向け、彼が夫妻に心からの好意を抱き、夫妻も彼のことを少しも疎《うと》ましく思っていないと言明するのであれば、それで十分ではないでしょうか。わたしは彼がこうあってほしいという、理想の姿を心に作っていたのでしょう——でも、実際の彼は、その理想のままの人ではありませんでした。彼の言葉を聞き、あつかましさよりむしろ筋の通ったものを感じて、わたしは何も言い返せなかったと申し上げておかなくてはなりません。「ぼくはジェックス夫人のところには行きません」と彼は言いました——ジェックス夫人というのは、夫妻が頼りにしている霊媒です。「不快で下品なイカサマで、見ちゃいられませんし、もともと興味はかけらもありませんからね。それに」と彼が続けたのを、あとになって思い出しました。「ぼくにはそんなものはいりません。一切無用です。でも、あのご夫妻は、あなたには馴染みのない質《たち》の人たちでしょうが、不快でも下品でもなければ、おかしなことをしてもいません。変わってはいますが、むしろ付き合いを深めたくならずにはいられない人たちなのです。親しくなるほど興味が増していきます。素敵なほど奇妙で、古風で、思いやりがあります——昔の小説の登場人物のように。いずれにしても、これはぼくたちの——ご夫妻とぼくとの事柄であって、同じことをあなた以外の人から言われても、意に介することはないでしょう」

その三か月後に自分が言ったことを覚えています。

「あのご夫妻があなたに何を望んでいるのか、まだ話してくれないのね」もっとも、答えの見当がついたからこそ、このように咎めるような口もきけたわけでした。かなりのところまでわかっていましたし、可哀想なラヴィニアも気づいていましたから——むしろ彼女はわたしよりも深く察していて、お互いに伝えあい、この先どうなるかをある程度はっきりと見通せるようになりました。ラヴィニアがいてくれたからこそ、できたことでした。長く生きているぶん、死んでしまった子供たちのことは何度となく耳にしてきましたが、それでもデドリック夫妻の亡き娘さんの写真を見ると、どこかしら心惹かれるものがありました。そして、彼女の両親が悲嘆と崇拝の神殿に作り変えたかれらの部屋に、マーマデュークと共に座っているかのような心持ちになるようになってきました——そこには二人が大切にしてきた小さな遺品ばかりでなく、共に悲しみ、忘れまいとするあまりに空想した娘との思い出や、所縁《ゆかり》の品々もありました。その美しい少女を両親は心から愛しており、偶然のなせる業と思いますが、二人とも愛情を向ける先が他になく、世間の人たちが経験するような喜びも悲しみもなかったので、娘の思い出にだけ心を傾けることになってしまったのです。それは穏やかな狂気とも呼びうるものでした。夫妻の心は亡き娘だけに向かい、他のものをすべて閉め出してしまいました。世間づきあいがあれば、その悲しみが儀式のような行いに向かう余地もなかったことでしょうが、この率直で内気な夫妻は誠実なうえ繊細で、物腰も口調も古風でかしこまったものだからか、世間からは取り残されていました。

はっきり申し上げておきますが、関心を向けるあまり、自分の時間をすべてこのことに費やすようなことはしませんでした。わたしには頼まれたことも、片付けなくてはならない問題も、他のさまざまな関心事も、マーマデュークより大きな気がかりもあったのですから。ラヴィニアにも彼女なりに、人付き合いも用事も——気の毒なことに、別の悩み事もいくつかありました。そんなわけで、マーマデュークと会うことも、デドリック夫妻の噂を聞くこともない日々がしばらく続きました。一度だけ、ほんの偶然ですが、ドイツを旅行中に、鉄道駅で夫妻と同行している彼に会いました。デドリック夫妻はとりわけ人目を惹くこともない年配のイギリス人で、使用人のお仕着せか旅行鞄のステッカーで見分けをつけるほかないような、平凡な人たちでした。遠目に気づいたとき、わざわざ挨拶に行ったり言葉を交わしたりするのは避けようと、わたしは決めました。でも、マーマデュークは気づいて、わたしに歩み寄ってきました。前に会ったときよりも、彼は生き生きと活気に溢れていました。肉付きが良くなっていましたが、太ったというほどではなく、むしろ男ぶりが上がったようで、見栄え良く陽気そうに見えました。デドリック夫妻が彼の実の両親で、彼を目の届かないところにやりたくないほど愛し、敬意も気遣いも向けているかのように。マーマデュークがわたしに近づいたときも、二人は彼を穏やかな目で嬉しそうに追いはしても、紹介を乞いもせず、ただ黙って待っているようでした。そんな人たちと共にいて、彼が気負わずごく自然に、それでいて気遣いを忘れずにふるまっているさまに、わたしは心惹かれたと正直に申します。その気遣いは、会わないでいるあいだにわたしが彼について知ったことがあるのを、気取《け》られていたのでしょう。笑顔を向かいあわせて立っているうちに——この状況を受け入れると、むしろ興味が湧いてきました——わたしが何を知っているのか、彼が推し量ろうとしているのがわかりました。養父母のもとに戻っていくさまに、彼は溺愛されているかもしれないが、甘やかされてはいない、と気づきました。今いる立場にはふさわしくないかもしれませんが、彼はすっかり大人らしくなっていました。三人と別れ、ひとり列車に乗ってから、二年ほど前にラヴィニアに言ったことを思い出し、後悔に駆られました。あのときは互いにマーマデュークのことをよく話していて、どんなものだったかは忘れてしまいましたが、新しく得た証拠について彼女はこんなことを言いました。「あの人は今、ご夫妻と同じようにモード＝イヴリンのことを考えているの」

「そう」わたしは答えました。「そうしてお礼をもらっているのは残念ね」

「お礼って?」彼女はぽかんとした顔で言いました。

「同居して、贅沢で不自由のない暮らしをしているのでしょう」わたしは言い加えました。「お礼をもらっているも同然よ」

　でも彼に会って、自分がどれほど間違っていたかを知りました。彼が受けていた恩恵は、わたしが思っていたようなものではないと、駅で出会ったときに驚きとともに感じたのでした。この出来事から、わたしは少しずつ、彼を追っていくことになりました。

Ⅵ

　母親が亡くなった直後に、ラヴィニアが体に合っていない真新しい喪服を着ていたのを、思い出します。長期間の介護で彼女はすっかりやつれて、年老いてしまったかのように見えました。そのときマーマデュークはお悔やみのあと身を気遣ってくれたと、彼女はあとで話してくれました。

「あの人が今何を考えているか、わかりますか」彼女はためらいなく切り出しました。「娘さんのことです」

「あのご夫妻のお子さん?」うすうすですが、わたしもそう思っていました。

「子供ではないような口ぶりでした」彼女は笑おうとしたようですが、顔が強ばって妙な表情になっていました。「もうすっかり大人になったかのような」

　わたしは彼女をまじまじと見ました。「大人ですって? そんなことはないでしょう。事実は変えられないわ」

「まったく」ラヴィニアは言いました。「でも、あの人たちの考え方は違うみたいです。彼はずいぶん長く話していきましたが、彼女のことしか話しませんでした。いろいろ教えてもらいました」

「どんなことを? 降霊術で姿を見たり、声を聞いたりしたなんていう戯言《たわごと》でなければいいけれど」

「まさか。マーマデュークはそんなことはしません。それはご夫妻の領分です。お二人とも霊媒だのみで、降霊会を開いてはテーブルを叩く音を聞くのが慰めだったり、楽しみだったり。彼はそういったものが害になることはないと考えて、寛容でいます。わたしが言っているのは、彼から聞いたことです。娘さんとどんな話をしたか、一緒に何をして、どこに行ったか——そんな話ばかりしていました」

わたしは考えこんでしまいました。「今の彼は正気じゃないと思う?」

彼女は青白い顔を横に振りました。「とんでもない。とても良いことじゃありませんか」

「なら、あなたも納得したの? あの荒唐無稽な話を——」

「一つの考え方です」彼女は口を挟みました。「荒唐無稽と言い切れるものではありません。どんな考え方にも寄って立つものがあります」ラヴィニアったらご立派なこと、とわたしは思いました。「何を根拠にしているか。それが明らかになるのは、すばらしいことです」

「たしかに、伝説ができあがっていくのが見られるのは、すばらしいことね」わたしは笑いました。「あなたはそれを目の当たりにできる。三人とも誠心誠意で作っているのだから。彼がした話は、そのことだったのでしょう」

血色の悪い彼女の顔が明るくなりました。「はい——よくおわかりになりましたね。それればかりか、わたしが言うよりずっと上手なおっしゃりかたをしてくださいました。思いを馳せれば馳せるほど、過去が育っていきます。だから、あの人たちは過去を作りつづけているのです。お二人が——ご夫妻がお互いに、実に多くのことを信じあってきたので、マーマデュークまで信じるようになったのです。伝染したように」

「あなたの言い方も上手だわ」わたしは答えました。「こんな奇妙な話、聞いたためしがないけれど、それはそれであり得ることね。でも、誰にも話さないでおきましょう」

彼女はこの提案にためらいなく同意しました。「ええ——誰にも。彼も話していませんし。話したのはわたしだけと言っていました」

「特別な贈り物なのね」わたしはまたも笑いました。「あなただけの特権よ」

彼女は黙りこみ、目を伏せました。「彼は誓いを守りました」

「他の人とは結婚しないという、あのこと? あなたはそれでいいの?」わたしは尋ねました。「まさか、彼は——」言いかけて、冗談では済まないような気になり、口を閉じました。

心配する必要はないと、すぐにわかりました。「彼は娘さんに恋をしました」ラヴィニアは言いました。

これほどひどいことはない、と思い、わたしはつい声高になってしまいました。「作り事だからって、そんなことまで言ったの?」

彼女が向けた目が、その答えでした。「彼が自分のことをわかっているのか、わたしにはわかりません。もう、向こう側の人になっていますから」

「あの二人と一緒に、妄想の中に?」

彼女はまたもためらいましたが、考えには確かなものがあるのでしょう。「どんなふうに言われたとしても、わたしはこれでいいと思っています。あのお二人のように――今は三人になりましたが――亡くなった人のことを考え、ふるまうことは、世間の目からすれば正常ではないでしょう。たしかに自己欺瞞でしょうけれど、それには理由がありますーー」彼女は一度、言葉を切りました。「なぜかを知ったとき、その美しさに気づくような理由が。ご夫妻が娘さんに歳をとらせているのは、そのぶん長く一緒にいたと思いたいから。そのあいだにいろいろなことがあったことにするのは、娘さんがより豊かな人生をおくったと思いたいからです。ご夫妻は娘さんが経験したことを作りつづけていて、マーマデュークもその一部になっています。そして、あの人たちには何にもまして、自分の娘にさせておきたいことがありました」この若い友人の顔は、謎解きを進めていくうちに輝いていくように見えました。デドリック夫妻の考え方に彼女も同調しているかのような気がして、わたしはちょっと怖ろしくなりました。「それができたのです!」ラヴィニアははっきり言いました。

わたしはすっかり彼女に敬服してしまい、気をたしかに持ちつづけていられるのであれば、彼女がどう考えたかをしっかり聞きだすのが何にもまして大切だ、と思いました。「それで娘さんは、マーマデュークと知り合うという幸運を得たわけね。もういない人なのだし、そう言っても失礼にはお思いにならないでしょう。でも、彼はそれで満足できるのかしら」そのとき、わたしがその思いを抑えられなかったことは、おわかりいただけるでしょう。彼への苛立ちがあまりに大きく膨れ上がっていたので、言わずにはいられなかったのです。「あの人は、あなたと結婚したがっていたのに!」

でも、言ってしまってから、ラヴィニアが動転するのではないかと怖れました――彼女の顔がほんの一瞬、泣きだしそうに見えたのです。でも、わたしが思うよりも彼女はしっかりしていました。「彼がわたしと結婚したがっていたわけではありません――けっしてそうではないのです。わたしが彼と結婚したかったのですから。これまでのことも、そこからは外れていないのではないでしょうか。誰からも求められなくなったときに初めて、彼はわたしのものになるのです。これまでのことが、彼のこの先の人生をどれほど変えられるものでしょうか。

彼は娘さんとは結婚しないと、わたしは今まで以上に信じています」

「もちろん、結婚はしないでしょう――もし結婚したら、あの人たちと不仲になってしまうから」

彼女はしばらく黙っていました。それから「しないでしょうね。どんな理由であっても」とだけ言いました。その目に涙が浮かんでいるのに気づいて、わたしはこの雲を摑むような茶番劇を、頭から追いやりました。

Ⅶ

追いやろうとはしても、このことと縁を切ることはできませんでした。それに、わたし自身、したくなかったのです。納得のいく答えがでそうにない問題に向かっていれば、生きているかぎり何年も、頭を働かせつづけていられるでしょうから。お互い誰にも話さないようラヴィニアと約束しましたが、その必要もありませんでした。彼女は自分の直感と意志に従って、沈黙を守りました。かくて、わたしたちは共に、マーマデュークについては語りませんでした。それだけ、彼に対しては優しい気持ちを抱いていましたし、さらに彼女には誇りがありました。彼自身も、このロンドンのどこにも、胸の内を打ち明けるほど親しい人が他にいませんでした。彼がどんな役割でいるかを、わたしたちが知ることはありませんでしたが、ただその事実は少しずつ、彼が何に魅了されたのかを伝えてきました。彼とは長い間を置きながら、また顔を合わせるようになり、そのときは夕食を共にしました。マーマデュークは地位も経験もある人のように成長していました。健康そうで身なりも良く、肉付きがよいどころか、目に見えて太っていました。家業を継いだ、温和だがお人好しではない若主人といった面持ちでした。デドリック家が銀行業だったとしたら、頭取にふさわしく見えるほどに。疎遠になりがちだったとはいえ、三人ともロンドンにいるというのに、わたしがラヴィニアのことを話しても、彼は答えようとはしませんでした。ラヴィニアもわたしも、会わないでいるあいだ、彼のことをいつも気にしていたのですが。でも、そのあいだに彼女と会っていたかどうかは、マーマデュークがわたしに話すことでもありませんでした。実は会っていると、わたしは確信していましたし。わたしには、彼と会ったうちで、忘れようのないことがありました。

気が塞ぐほど雨の降る日曜の午後、誰も訪ねてこないだろうと、わたしは暖炉の前に本を携《たずさ》え――その頃評判になった小説でした――読み終えてしまおうと思ったところでした。そのとき突然、ノックの音がして、わたしは思わず不満の声をあげてしまいました。でも、来たのがマーマデュークとあっては、まったく予期していなかった訪問ではありましたが、小説どころではありません。彼にとっても、わたしを訪ねたのはまったくの偶然で、この日を選んだわけではありませんでした。知らせがあって来たわけではなく、わたしと話がしたかったのでした。知らせることがなかったとしても、お互いが長い付き合いの友人であることを確かめたかったのでしょう。でも、場の雰囲気で彼の気持ちも変わったようでした。暖炉の火に照らされた、薄暗い部屋の調度のあれこれに、よくここに来ていた若い頃を思い出しもしたのでしょう。自分を迎えるためにわたしが開いたまま置いた本を見て、それを書いたウィルキー・コリンズ顔負けの話をしてみたくなったのかもしれません。強まる雨が窓を叩く中、この部屋には彼のためであるかのように、親密さも話を切り出すきっかけも備わっていたわけです。相手はわたし一人なので気も楽で、彼には何の心配もありませんでした。

そのように、話をする条件は整っていたのですが、あとで聞いたところ、話をするのにふさわしい日と場所だと彼が思ったからではなく、胸が幸せでいっぱいだったからのようでした。誰かに話さずにはいられなくなったのでしょう。何年ものあいだに培《つちか》われたものが、ついに実を結んだようでした。もっとも、それは彼自身が驚くようなものでしたが。何がきっかけになって彼が切り出したかは思い出せないのですが、何かを説明したついでに、急にその話になりました。「ここ二、三か月のうちにあったことといったら！　普通でないところに身をおけば、道徳も薄らぐほどのすばらしい経験をすることができる、と彼は言いました。何を言っているのかわからないので、わたしが当惑していると、彼はあけっぴろげな笑顔になりました。「ぼくが言おうとしているのが、口にするのも憚《はばか》られるようなことじゃないかと、心配なさっているようですね。ぼくたちの婚約は間違っても非難を受けるようなものではないと、はっきり申し上げます」

「婚約ですって?」思わず、咎めるような口調になってしまいました。そのときに彼がどう答えたか、わたしはけっして忘れないでしょう。彼がただ黙って見つめ返したので、わたしは何も言えなくなってしまったのです。その視線から目を逸らし、暖炉の火に目を落としました。そのとき、自分の顔が上気するのがわかりました。そうしているあいだも、続けてどう言おうかを考え、言葉を選びました。目をあげて彼を見ると、こう言いました。「それで今も」責めるのではなく、思いやる口調で。「どれだけすばらしかったかを思い返しているのね」

最初からこう言えばよかったのだ、と気づきました。わたしが言うと、彼の態度がすっかり変わりました。このまま会話を続けられるかが、いちばんの気がかりになりましたが。二、三分のうちに、その気がかりはさらに湧きあがってきました。彼はよどみなく、言葉を尽くして語りました――人の死というものは、その人の生前の小さなことまで際立たせるものだ、と。聞いているうちに、彼が怖くなってきました。なので、使用人にお茶を持ってこさせようと、わたしはベルを鳴らしました。彼は語りつづけました。モード＝イヴリンのことを、彼女が自分にとってどんな人であるかを。使用人が来たので、わたしはわざと、できるだけ時間をかけて、お茶をどんな風に淹れてほしいかを伝えました。時間を稼いで申しつけたのですが、そのあいだにはお茶のことは考えていませんでした。本当に考えていたのは、彼の話を中断させたものかどうか、ということでした。割って入りたい気持ちがありました――マーマデュークの語りたい衝動が、ほんの一、二分とはいえ、わたしにも響いていたのです。彼に遠慮せず、率直にこう言ってやったほうがいいのか、と。「はっきり言ってちょうだい、今はいない女性の思い出と財産目当てに結婚しようなんて、あなたはそこまで恥知らずなの？　それとも、わたしにはその方がありがたいけれど、あなたの頭はちょっとばかりおめでたくなってしまったの？」なんて。でも、その機会を逃しました――惜しかったとは思いませんが。使用人が部屋を出て、二人だけになると、マーマデュークは話を続けました。彼の目には、話しはじめたときと変わらない輝きがありました。頭の中で何かが起きているのか、その眼差しは正気をなくしているようにも見えました。だが、もし狂気に陥《おちい》っていたのだとしても、彼はおとなしく御しやすいままでした。使用人がお茶を持ってきた頃には、わたしはすっかり彼の話に聞き入っていました。この一件についての態度が、これまでとは一転するほどに。彼が語ったのは、なんともすばらしいことでした。そのあいだのことは、今もはっきりと思い出せます――春の嵐の雨風の音も、人も車も通らない窓の外の淋しい眺めも、何の邪魔も入らず話し込んでいたあいだの、部屋の暖炉もテーブルのお茶も。わたしが話を聞いてくれるものと彼は信じ、わたしは彼の話をただ虚心に、静かに聞いていました。「彼女のご両親は、初めて会ったあの日から――シュプリューゲンの峠で馬車に拾ってから――ぼくのことをふさわしい者だと思っていたのです」

「ふさわしい、というのは?」

「婿にするのに。モード＝イヴリンにふさわしい、ということです」と彼は続けました。「彼女が経験するはずだった、さまざまなことの一つを実現させるために」

「で、そのとおりにできたわけね」わたしは努めて明るく言いました。「よかったじゃない」

「ええ、よかったんです」彼は答えました――「もう準備も整いました。娘の相手としてふさわしいと思わなければ、あの人たちがぼくをここまで気に入りはしなかったでしょう」わかってもらいたい、という思いが、口調から伝わってきました。

「わかるわ――当然の流れね」

「かくて」マーマデュークは言いました。「この件は誰からも邪魔されることがなくなりました」

「誰か他の人が割って入ったら大事だわ」わたしは笑いました。

感心なことに、彼は嬉しそうなそぶりは見せようとしませんでした。「ご夫妻はお歳もお歳ですし、未来に向けてのことは何もできませんでした――今はなおさらにできません。なので、過去に向けてのことをしなくてはなりませんでした」

「それで、成し遂げたのね」わたしは先を促しました。

「それも、見事に」

「おっしゃるとおりです。まさにそのとおりに」彼は言いました。何か思いついたのが顔を見てわかりましたが、それを強く主張するつもりはないようでした。「ウエストボーン・テラスの屋敷にお越しいただければ――」

「それは言わないで」わたしは割って入りました。「今うかがったら失礼になります。十年前ならばともかく」

彼は気を悪くしてはいないようでした。「お気持ちはわかります。でも、前よりは物もずっと増えています」

「それはそうでしょう。新しい物を手に入れていくのだから。それにしても――」わたしはただ、湧き起こる好奇心を抑えるのが精一杯でした。

マーマデュークは無理を求めはしませんでしたが、わたしには知ってほしがっているようでした。「ぼくたちの部屋も揃っています――何一つ不自由ない場所が。一度はお目にかけたいのですが、彼女の趣味はすばらしいものです。ぼくが口を出してはいけなかったか、と思うほどに」わたしが途方に暮れてしまったのを見て取ったか、彼はこう続けました。「結婚して一緒に暮らす部屋のことです」王位継承者のような口ぶりでした。「ご両親が念入りに用意してくださったので、それ以上何もお願いすることはありませんでした。今は準備を終えたばかりになっています。何も動かしていませんし、ぼくたちの他は誰も入りません。すばらしい整いようです。お祝いの贈り物もみな、そこにあります――ぜひご覧いただきたいのです」

　わたしはもうこれ以上、彼の話を聞いていられませんでした。自分の間違いに気づきました。それでも、その気持ちを抑えました。「いたたまれなくなりそう」

「見て悲しくなるようなことはありませんよ」彼は笑顔になりました。「幸せな気持ちになれます。何を見ても」そのさまを目の前にしているように、彼は興奮した口調になりました。

「それは見事なものでしょうね」

「念入りに選んだ調度品ですから、どれも貴重なものです。まるで美術館のように。モード＝イヴリンには最も良いものを、とご両親はお考えになりました」

　結局、わたしはその〝美術館〟を見ることはありませんでしたが、そこにあるもっとも貴重なものはマーマデュークではないか、と思いました。「あなたがご夫妻を支えて、ここまで来たというわけね」

　彼の同意には心がこもっていました。「ありがたくも、ここまで来られましたよ！　最初から信じていました」そして、ついでのように言いました。「ぼくの贈り物もみな、そこにあります」

　わたしは少し考えました。「あなたの贈り物って？」

「ぼくが贈ったものです。どれも気に入ってもらえて、一つ一つに彼女が言ってくれたことも覚えています」彼は続けました。「自分で言うのもなんですが、誰からの贈り物も、ぼくのものの前では見劣りがします。毎日見ていますが、恥ずかしくなるようなものは何一つありません」彼はモード＝イヴリンに惜しみなく与えたことを、いつまでも話しつづけました。その顔は誇らしげに見えました。

Ⅷ

　それからどれだけの月日が過ぎたのか、あの雨の午後の訪問が春早い頃だったとすれば、これからお話するのは何年かあとの、秋も晩《おそ》くなった頃のことです。ケンジントン・ガーデンズを通って近道をすると、黄色や茶色になった木の葉を太陽がぼんやりと照らしていました。人気《ひとけ》のないあたりを歩いていると、木立の下のベンチに座っていた二人連れが、わたしに気づいて立ち上がりました。誰なのかすぐに気づかなかったのは、おそらく本喪服を着ていたからでしょうが、男の人のほうはマーマデュークでした。思わぬところで出会って戸惑いましたが、それは向こうも同じだろうと、わたしは二人に座るように言い、そばのベンチで少し休むと言い加えました。わたしもラヴィニアも座って少しすると、落葉の中に立っていたマーマデュークが時計を見て、残念ですが失礼します、と言いました。ラヴィニアは何も言いませんでしたが、わたしは残念だと答えました。もっとも、自分が恋人たちの語らいの邪魔をしたなどとは言えませんでした。わたしは喪服姿の彼をじっと見ました。彼はもう遅くなったから家に帰らないと、と言うばかりでした。〝家〟がどこかは知っています。ウェストボーン・テラスに住んでいると聞いていましたから。「うかがいますが」とわたしは言いました。「お亡くなりになったのは、わたしも知っている方でしょうか」

マーマデュークがラヴィニアに目をやると、彼女も視線を返しました。「彼の奥様が亡くなったのです」答えたのはラヴィニアでした。

どうしたことか、わたしは彼にひどいことを言ってしまいました。「奥様ですって？　ご結婚されていたのも存じませんでした」

「はい」スーツも手袋も、帽子のリボンも黒いのに、彼は明るい口調で答えました。「過去に生きれば、それだけ多くを見つけるものです。揺るぎない事実を。人生のうちに過去に向きあうときが来れば、あなたもおわかりになることでしょう」

「わたしも過去に生きています」ラヴィニアの静かな口ぶりは、彼とわたしのあいだを取りなすようでした。

「でも、それは驚くべき大発見なのかしら」言いだした手前、引き下がるのもばかばかしい気がしました。

「彼女の発見が、ぼくのものほど重大でありませんように」彼の声は大きくはなく、もの言いは率直でした。落ち着きはらって続けました。「あの人たちが彼女に望んだことから、ぼくたちはこの先どうするかを決めました——ラヴィニアが言ったように」そして、少しためらってから、明るい口調で言い加えました。「モード＝イヴリンは、若い頃に出会うすべての幸せを得ることができました」

わたしは彼をまじまじと見ているばかりでしたが、ラヴィニアは不思議なほどに明るく振る舞っていました。「彼女は結婚もできたのですから」彼女が静かに言うのを聞き、わたしは驚きました。

何か言わなければと、わたしは思い切りました。「すると、今のあなたは寡夫《やもめ》なのね。その身なりからして」

「はい、喪に服しています」

「ずいぶん遅くはないかしら」

馬鹿なことを尋ねてしまった、とすぐに気づきました。でも、気にするまでもありませんでした――彼がそんなことを気にしたためしはないのですから。「ぼくは待たなくてはならなかったのですよ。結婚してすべてを知り、自分が喪に服してもいいのだと納得するまで」そして、また時計に目を落としました。「失礼――もう行かなくては。ごきげんよう、さようなら」わたしとラヴィニアは彼と握手を交わし、見送りました。マーマデュークには今の自分の立場がすっかり身についているようでした。ラヴィニアもそう思っているかと考えながら、彼の姿が遠ざかり見えなくなるまで、わたしは黙っていました。それから、同じものを感じたかのように、顔を見合わせました。

「結婚はしないと思っていたのに」わたしは声を高めました。

彼女はやつれた顔で言いました。「彼は結婚はしません――誠意を示すためにも」

「誠意って、誰への?」

「誰って、モード=イヴリンでしょう」わたしは黙っていました。口を開けば叫んでしまいそうでしたから。彼女の手を取り、そのまましばらく、二人とも黙っていました。「もちろん、想像の中でのことです」彼女が口を切りました。「でも、美しいことではありませんか」そして、あきらめたような口調で続けました。「これであの人たちも安心して死ねるでしょう」

「デドリックさんご夫妻のこと?」わたしは声を低めました。「お具合が悪いの?」

「そうではないのですが、奥様のほうがたいへん弱っておられます。ご病気ではなく、自分がしようとしていたことをやり終え、マーマデュークの言葉を借りれば、わずかな気力さえ使い果たしたからです。死後の世界を信じておられるから、むしろ早くわが子のもとに行きたいのでしょう。彼が言っていましたが、デドリック夫人が亡くなったら、ご主人も長くはないことでしょう。バーンズが『ジョン・アンダースン、わが愛しき人』*に詠《うた》ったように」

「手を取りあって丘を下り、麓《ふもと》で共に眠るのね」

「ええ、すべてを成し遂げたあとに」

ラヴィニアと公園の外に向かいながら、モード=イヴリンの尊厳を守りマーマデュークの良いところを活かすために、デドリック夫妻が何を成し遂げたかを、わたしは考えていました。その午後、彼女と別れるときに――ベイズウォーター通りで馬車を拾い、彼女はわたしの家まで付き添ってくれたのです――わたしはこう言ったのを覚えています。「では、ご夫妻が亡くなっても、彼が自由になるわけではないのね」

彼女は何を言われたのかわからないようでした。「自由というのは?」

「自分のしたいようにすることよ」

彼女は考えこんでしまいました。「あの人は今もしたいようにしています」

「なら、あなたの好きなようにすること、と言ったら?」

「わたしの好きなように、とおっしゃっても――」

わたしは最後まで言わせませんでした。「自分に嘘をつくんじゃありません。わかっていますよ!」

彼女が話してくれたことは、ほどなく現実のものとなりました。翌年にデドリック夫人が亡くなったという知らせがあり、マーマデュークがご主人の身のまわりのお世話をするようになって、こちらに顔を出さなくなりました。ご主人はさほど間をおかず、二、三か月してあとを追うように亡くなったと聞きました。その知らせのあと、わたしはイギリスを離れました。その間の資金のために、家を人に貸しました。三度の冬をイタリアで暖かく過ごし、イギリスに帰ったときは知人たちとは面識のない親戚の家に身を置いていました。ラヴィニアはこまめに手紙をくれました――さまざまなことがらの中に、マーマデュークがデドリック家の遺産のほぼすべてを一人で相続したことも、彼が〝家族〟を失ってから病気がちであることも、書かれていました。帰国する前から、彼女がまたマーマデュークと会うようになり、気力も体力も衰えた彼を支えていることは知らされていました。

ラヴィニアに会うや、彼の容態を尋ねると、彼女は答えました。「あの人はもう長くはありません」わたしが驚く間もなく、こう続けました。「精一杯生きてきたのですから」

「彼がデドリック夫人のことを言っていたみたいに、自分も気力を使い果たしてしまったのかしら」

彼女は目を逸らしました。「おわかりにはなれないかと思います」

わたしにはわかっていました。あとで彼に会い、それを確かめました。でも、そのときはラヴィニアに「すぐにでも彼に会いにいきたい」と言っただけでした。わたしの長い話も、ここまでくればそろそろ終わりです。「あの人は、今はウェストボーン・テラスの屋敷にはいないのです」わたしに目を戻すと、彼女はそう告げました。

「ケンジントンに小さな古い家を借りています」

「では、お屋敷にあったものは手放したの？」

「今もあの人のものです」彼女は、わたしにはわかるまい、と言いたげな目をしました。

「今の住まいに移したのね」

彼女は根気よく答えました。「何も移してはいません。そのままあって、同じように管理されています」

わたしにはわかりませんでした。「でも、住んではいないのでしょう」

「あの人は努めて、そこにいるようにしています」

「今住んでいるのはケンジントンなのよね？」

彼女はためらいましたが、はっきり言おうと思い切ったようでした。「ケンジントンに身を置いています――でも、あの人がそこにいるわけではないのです」

「というと、お屋敷のほうに？」

「はい。一日のほとんどを過ごしています。毎日行っては、何時間も。それが日課になっています」

「そうなの――今も美術館のままなのね」

「むしろ神殿です！」ラヴィニアは厳しい口調で言いました。

「なら、彼はなぜケンジントンに引っ越したの？」

「なぜって――」彼女はまたためらいました。「わたしが行けるからです。あの人も来てほしがっています」今度ははっきり言いました。

どういうことなのか、だんだんわかってきました。

「ご夫妻が亡くなってからも、あなたはあのお屋敷に行っていないのね」

「ええ、一度も」

「なら、何も見てはいないのね」

「彼女のものを、ですか。見ていません」

ようやく、すっかりわかりました。でも、わかると同時に失望したことも否めません。彼が褒め称えていたものをラヴィニアの口から聞けるかも、と思っていたのですから。でも、彼女が避けていることなのだから、わたしがしてはいけない、とすぐに悟りました。その後ほどなくして、わたしはケンジントン・スクエアで二人に会いました――ラヴィニアが彼を訪ねるたび、二人はきまってそこで時間を過ごしていたのです。マーマデュークの新たな暮らしぶりは、質素ながらみすぼらしくはないようでした。二人のようやくの結びつきは――ごく自然で、この言い方で良いのかはわかりませんが――胸に迫るものがありました。ただ、マーマデュークが病気であることは――とくに目を病んでいることは見てわかりました。彼を気遣うラヴィニアは、そのちょっとした仕草までもが、カトリックの修道女のように見えました。彼はもう太ってはいなく、血色もよくなく、何かを予期し、待っているかのように、落ち着きを欠いていました。しかし、マーマデュークは根っからの紳士でした。衰弱しきっていても礼儀正しさを忘れはしなかったのです。彼は十二日前に亡くなりました。遺言状が開封され、その内容をラヴィニアから知らされて、つい先週に彼女と会ったばかりです。彼は自分が相続したものをすべてラヴィニアに遺していきました。わたしは話を聞いて驚き、こう尋ねました。「まだお屋敷には行っていないの?」

「ええ、まだです。弁護士さんからお話を聞いて、何の問題もないとは聞いていますが」

その口調に、わたしはさらに尋ねずにはいられなくなりました。「何があるか、見てみたくはない?」

彼女が困っているような、哀願するかのような目を向けてきたので、わたしは何が言いたいのかを察しました。彼女は言いました。「一緒に来ていただけませんか」

「ええ、よろこんで。でも、いつかね。最初はあなた一人で行くものよ。お屋敷の遺品は」と言って、わたしは彼女に目を向けました。「あの女性《ひと》のものではなくて――」

「彼のもの?」

「彼は亡くなる前に、もっとも近しい人――あなたに遺すと決めたのでしょう?」

彼女の顔が明るくなりました。わたしが言葉にしたことに、感謝しているようでした。「そうですね――わかりました。彼が遺してくれたものですね。わたし、行ってきます」

ラヴィニアはまず一人で行って、三日前にわたしを訪ねてきました。屋敷の中は宝物に埋め尽くされていて、彼女はたいそう驚いたそうです。来週には、わたしも彼女についてお屋敷に行ってみます――どんなものか、やっと見られるわけです。何があったかお聞きになりたい? では、今度お目にかかったときにでも、お話ししましょう。


【訳注】

『ジョン・アンダースン、わが愛しき人』

スコットランドの詩人ロバート・バーンズ(一七五九―九六)の作。夫ジョンに長く連れ添った妻が、共に過ごした日々を思い、世を去るときは共に丘の麓で眠りにつこう、と詠うもの。


【訳者付記】

翻訳にあたり、行方昭夫訳「モード・イーヴリン」(福武文庫『嘘つき』所収 一九八九)を参考にしました。ここに記して感謝いたします。

第二回『幻想と怪奇』ショートショート・コンテスト開催のお知らせ

1：募集原稿

自作未発表の創作。怪奇・幻想の要素を含むもの。「怪奇」「幻想」の解釈は作者によります。言語は日本語、分量は八千字（四百字詰原稿用紙二十枚程度）以内。

2：選考

『幻想と怪奇』編集室で厳正に選考。経過・結果は新紀元社ＨＰで発表。入選作は本年六月刊行予定の『幻想と怪奇ショートショート・カーニヴァル2』（仮題）に収録。

3：賞金・賞品

最優秀作／正賞：賞金三万円　副賞：『幻想と怪奇』最新平常巻一年分

優秀作／正賞：小社規定原稿料　副賞：『幻想と怪奇』最新平常巻一部

（作品収録巻は献本いたします）

4：応募原稿の形式

本文冒頭に「題名」「著者名」を、末尾には住所・電話番号・メールアドレス」を記載してください。原稿記載の個人情報は当コンテスト以外の目的には使用しません。

メール添付の場合、原稿はテキスト形式で。事故防止のため、word、一太郎等、他の形式はご遠慮ください。手書き原稿をメール添付する場合はＰＤＦファイルでお願いいたします。

郵送の場合、印刷原稿はＡ４判用紙の横位置に、手書原稿は四百字詰原稿用紙に、縦書き、ページ番号記載でお願いします。なお、受信確認の返信と、郵送応募原稿の返却はしません。

5：応募先

左記のメールアドレスまで。件名は「応募原稿」でお願いします。他の件名では迷惑メールと誤認された場合、回収できなくなる可能性がありますので、厳守をお願いします。

romanfantastique@shinkigensha.co.jp

郵送の場合は「新紀元社編集部『幻想と怪奇』コンテスト係」まで。送り先は奥付に記載。

6：締切

二〇二四年四月十七日。郵送の場合は必着。メールは送信日付有効。

7：応募資格

ありません。プロ、アマ不問で御応募をお待ちしております。

『幻想と怪奇』では随時、自由投稿を受け付けています。創作、評論、書評など、幻想と怪奇に関する文章をお寄せください。採用の際は所定の原稿料をお支払いします。

御投稿は日本語で。創作は二万字まで、評論は一万字まで、書評は二〇二二年以降の本を、九百字以上一千字以内を目安にお寄せください。

共に、原稿の形式と投稿方法は、《ショートショート・コンテスト》の応募に準じます。なお、こちらもプロ・アマ不問です。

創作

昨日の友人

相川英輔

ドアを開けた瞬間、引っ越さなかったことを強く後悔した。

就職が決まったとき、両親やゼミ仲間は転居を勧めてきた。ここは学生向けアパートなので社会人には適していないし、新たなスタートを切るのだから場所も変えたほうがいい。皆そうしている、と。だが、僕はアドバイスを受け流し、四年間過ごしたこの古いアパートの一階に住み続けることを決めた。壁は薄くチャイムすらついていないけれど、住み慣れているし、配属先の販売店に通うのにさほど不便でもない。購入した自動車のローン返済を考えると、無駄な出費は極力抑えておきたかった。それに、どうせ三年おきに転勤になるという噂だ。必要に迫られたときに引っ越せばいい。そう考えていた。だが、その判断は誤りだった。

「――久しぶり」はにかむような笑顔で兼介《けんすけ》が片手を挙げた。

とっさには言葉が出てこず、僕はその場に立ち尽くした。夏の夜に現れた亡霊かとも思ったけれど、どうやら違うようだ。エアコンの冷気が外へと逃げていく。

「あのさ、悪いけど、何か食わせてくれないか?」彼が遠慮がちにそう頼んでくる。

「え?」

「すごく腹が減ってるんだ」

「あ、うん。じゃあ、ちょっと探してみる」

部屋に戻ると、兼介も勝手にあがってきた。帰宅途中に買った菓子パンを差し出すと、彼はもどかしそうに包装を破りかぶりついた。

　彼は頬がこけ、ずいぶん日焼けしていた。荷物はなく手ぶらで、半袖のシャツとジーンズはずいぶん汚れていた。たしか二年前もこんな格好だったような気がする。まるで過去から時空を飛び越えてきたようにも見える。

「……生きてたんだ」

「ああ、なんとか」彼は食べながらそう答える。咀嚼《そしゃく》する口の中が見える。

　彼がむせたので、コップに水を注いで渡す。

「ありがとう」

　兼介はあっという間に食べ終え、人心地ついたのか腹をさすっている。

「これまでどうしてたんだ?」僕はそう訊く。

「日雇いの仕事をしながら全国を転々としてた。静岡とか大阪とか。一番遠いときは函館まで行ったな」

　知りたいことはそういうことではない。僕は質問を変える。

「なんで戻ってきたんだ?」

「なんか、もういろいろ無理になってさ」

「いろいろって何だよ?」

「いや、俺もそれがよく分からないんだ」と言って兼介は頭を掻いた。


　他人事のような言いように苛立ちを覚える。僕は表情を見られないよう背を向け、散らばった雑誌を片づける振りをした。

　生きていてくれたのは嬉しい。だが、どうして今頃になって姿を現したのだ。しかも、自分の前に。同じサークルだったので行動を共にすることは多かったけれど、正直そこまで親しかったわけではない。

「実は浩平《こうへい》と巧《たくみ》のところにも行ってみたんだ。でも、二人とも引っ越してたさ。チャイムを押したら、知らない人が出てきた」こちらの思いを読み取ったかのように兼介がそう説明した。

　浩平は愛知に配属され、巧は茨木に戻り父親の会社で働いている。自分たちはもう能天気な大学生ではないのだ。だが、僕は言葉を呑み込んだ。

「あのさ、よかったら一晩泊めてくれないか。お金が全然ないんだ」

　学生時代は友人たちとこの部屋で何度も夜を明かした。酒を飲んだり、ゲームをしたり。浩平や巧のアパートでもそうだ。だが、最近泊まりにくるのは恋人の千佐季《ちさき》だけだ。

「実家に戻ればいい」彼だけは親元から大学に通っていた。

「いやいや、さすがに帰れないだろう」と兼介が苦笑いを浮かべる。

「親は何にも知らないんだろ。早く伝えないと」

「もう少し時間がほしいんだ。頼むよ」

学生時代の兼介は温厚で口数の少ない人物だった。ゲームで負けても大声を上げないし、酒で乱れることもない。控えめだった彼がずうずうしく主張する姿は驚きだった。この二年間で彼も変わったということか。

「じゃあ、今晩だけだぞ。明日には絶対実家に行けよ」

似合わない無精ひげを生やし、哀れなほど痩せ細った兼介を追い出すような真似はできなかった。学生時代、留年の危機を救ってもらった恩もある。布団代わりに座布団を三つ敷いた。

「兼介、少し匂いがするぞ。シャワー使えよ。シャンプーとかタオルも自由にしていいから。俺のでよければTシャツと下着も出しとくよ」

「助かる」

「朝早いから俺は先に寝るからな。あの棚にカップ麺が入ってるから朝飯として食べてもらって構わない。部屋を出るときは鍵をかけて、郵便ポストに入れておいてくれ」どうしてもぶっきらぼうな口調になってしまう。

「ありがとう。親切なんだな」

僕は答えず、灯りを豆電球に変えた。パイプベッドに横になり背を向ける。あの夜については訊かないと決めた。深く関わればきっと面倒なことになる。暴風雨と同じだ。下手に抗《あらが》わずじっとやり過ごすのが最も賢明な方法なのだ。演技で寝息を立てると、彼はそっと立ち上がり洗面所に向かった。

朝、アラーム設定していたスマートフォンの振動で目が覚めると、兼介は部屋の端で眠っていた。めくれたTシャツからあばら骨が浮かび上がっている。

音を立てないよう室内を動き、出勤の準備を整える。彼の体をまたいで洗面所に行き、顔を洗い歯を磨いた。朝食用のパンは昨夜兼介に食べられてしまった。

通帳と印鑑を取り出し、仕事のバッグにしまう。昔の兼介は窃盗行為を働くような人間ではなかったけれど、正直、不安はゼロではなかった。最後に千円札二枚とスペアキーを折り畳み式のテーブルの上に置いた。

もう会うこともないだろう。

バスの中で浩平と巧にメッセージを送ろうとした。卒業以降、まともに連絡を取っていないものの、まだ一応つながってはいる。文章を書いては消す。書いては消す。なんと伝えていいのか分からず、まとめられない。そうこうしているうちに最寄りのバス停に着いてしまった。

僕は諦めてスマートフォンをバッグにしまった。今さら連絡して何になる。悔恨はいくらか消えるかもしれないが、それを上回る感情の洪水に見舞われるだろう。困惑、腹立ち、不快感。やはり知らせないでおくことにした。

販売店に入り、上司や同僚に挨拶をする。洗車、朝礼、書類の整理、取引先との連絡や調整、飛び入り客の応対、電話営業。いつもの日常だ。売上ノルマはすでに達成しているものの、来月の店内イベントを考えると憂鬱になる。自動車販売店に就職して二年。初めての仕切りだ。失敗は許されない。日々の業務にプラスで準備することになるので、どうしても夜遅くなってしまう。

「おつかれ」

夜、一人残って事務所で図面を見つめていると、不意にそう声をかけられた。驚いて顔をあげると、千佐季がコンビニエンスストアのビニール袋を片手に立っていた。彼女は一時間ほど前に退勤したはずだ。

「びっくりした」と僕は胸を押さえる。

「だって、驚かすつもりだったもん」そう言って彼女は笑った。

「忘れ物?」

「違うよ。応援にきたの。はい、差し入れ」

ビニール袋の中にはおにぎりやお茶が入っていた。たしかに空腹ではあった。

「すごい集中してたね。準備は順調?」彼女は向かいに座る。

「いや、全然。かなり煮詰まってるよ」

「別にめちゃくちゃ斬新なことしなくてもいいんだよ」

「そうなんだけどさ」と僕は口ごもり、ペットボトルのお茶を飲む。

子ども向けのヨーヨーすくいに綿菓子のサービス。風船と抽選会。いつもと同じレイアウト、いつもと同じ催事。それなら誰だってできる。自分が担当する意味はない。新卒二年目でイベントを任されるのは異例らしい。店長の期待はひしひしと感じている。何か目新しいことに挑戦したい。

「このレイアウトだと、お客さんの動線が新車に向かわなくない?」と彼女が指摘する。

「あっ」僕は息を呑んだ。

「お客さんを店内に引き込むのは大切だけどさ、楽しんで終わりじゃ意味ないよね。ベタなやり方にだって意味はあるんだよ」

僕は頷《うなず》く。

千佐季は同じ販売店の二年先輩で、いろいろと相談に乗ってもらっているうちに交際へと発展した。職場恋愛はリスクが高いことは承知しているが、想いあってしまったのだからしょうがない。周囲には秘密で、勤務中は敬語で接している。

「今日はもうやめたほうがいいよ。夜遅くまで残ってても能率が悪くなるばっかりで良いことないから。思考力は午前中が一番冴えるっていうし」そう言うと、千佐季は有無を言わさず僕のデスクを片づけ始めた。彼女にはかなわない。

彼女の運転でアパートまで送ってもらう。ディーラーに就いて最初に自動車を売る相手は、自分自身だ。六年ローンを組み購入することで初月のノルマをクリアするのが慣例となっている。だが、せっかくの新車も、販売店の駐車場が埋まっているため当面はバスで通勤しなくてはならない。

車内で千佐季はいろいろな話題を振ってくるが、疲れもあり、うまく返事ができなかった。アパートの前で降ろしてもらい、手を振って別れる。

ドアを開けると、兼介が正座し、拝むように手を合わせていた。

「悪い！　実家に帰る勇気がどうしても湧かなかった。あと一日だけ泊まらせてくれ」

部屋に入る前から嫌な予感はしていた。明かりが外にこぼれていたのだ。消し忘れを願っていたが、案の定違った。千佐季に気づかれなかったのがせめてもの幸いだ。

「何も食べてないのか？　カップ麺があるって言っただろう？」僕は上着を脱ぎ、ネクタイを外す。怒るほどのエネルギーが残っていない。

「いや、なんか申し訳なくて」

「カップ麺くらい気にしなくていいよ。腹減っただろ。食べたら？　俺は済ませてきたから。あれ？　冷房、つけてないの？」

「それもなんか悪くて」

「悪くないって」僕は乱暴にリモコンのスイッチを押した。

無言で着替えを取り、洗面所に向かった。追い出さない代わりに宿泊の許可も与えないことにした。

シャワーを浴びて戻ってくると、彼は申し訳なさそうに正座を続け、顔をうつむかせていた。勝手にすればいい。僕は無視して電気を消した。

目をつむると二年前の光景が浮かんできた。

八月の夜、浩平、巧、兼介と僕の四人でドライブをした。浩平が、先週の合コンで仲良くなった子とデートをするつもりでレンタカーを借りたが、今日になって突然断られたのだという。

「お泊りもあると思って一泊分レンタルしたんだ。あの女、俺のバイト代返せよな」とハンドルを握る浩平が口を尖らせる。

「下心が見え見えだったんだろ」後部座席から巧がそう茶化した。

「違うって。ドライブを希望したのは向こうだったんだよ。メッセージのやり取りもずっといい感じだったし」

「だからっていきなり一泊レンタルするか？　きっと文面からお前の性欲が滲み出てたんだよ」

「そんなことあるか。ずっと紳士的にやりとりしてたよ。一泊は、なんだ、その、一応の準備だよ。いい雰囲気になったのに、返却時間だからって慌てて帰るのはダサいだろ」

「デートを断られて男三人を誘うのはもっとダサいけどな」助手席の僕も口を挟む。

「うっせーよ。このレンタル代、全員で割り勘だからな」

「なんでだよ！」巧が突っ込み、皆で笑う。

目的地はなかった。しかし、アテのなさが逆に四人の気分を浮かれさせていた。夜の市街地から国道を通って海岸線へ。兼介はいつもどおり口数が少なかったが、ニコニコしていてこの時間を楽しんでいる様子ではあった。

全員就職活動を終え、今が一番自由な時間だ。働き出したら、平日の深夜をこんなふうに無為に費やすことはできなくなるだろう。

休憩を兼ねて海浜公園で車を停めた。ベンチで体をまさぐりあうカップルやダンスの練習に励むグループを横目にぶらぶらと歩く。巧が自動販売機でコーラを買った。じっとりとした熱帯夜ではあるものの、ときおり吹いてくる海風が心地いい。浩平が再び女の子の愚痴を言い出し、巧と僕が茶化す。砂浜を歩き、誰ともなくL字になった防波堤に向かい始めた。距離にしておよそ二百メートル。先端には赤く光る灯標が立っている。なんとなくあそこを目指す流れになった。

「腹減ってきたな。あとでラーメンでも食いに行こうぜ」歩きながら巧がそう提案した。

「こんな時間に空いてる店あるっけ？」浩平が訊き返す。

「ここからはちょっと遠いけど、大正軒ってのが有名で、長距離トラックとかタクシーの運ちゃんたちの御用達らしい」

「へえ、じゃあ行ってみようか。なあ、兼介は……あれ？」

声色の変化に、僕と巧も背後を振り返る。

兼介の姿がなかった。

「ん？」巧が首をかしげる。

「トイレかな?」と浩平。

「電話してみたら?」僕がそう言うと、浩平がスマートフォンを取り出した。

だが、呼び出し音が続くばかりでつながらない。三人で引き返したが、公衆トイレにも姿はなかった。彼はこの手の冗談を行う人間ではない。とっさに脳裏に浮かんだのは海に転落した可能性だ。だが、そうであれば大きな着水音がするはずだし、助けだって求めただろう。途中でガラの悪い男たちに絡まれたのではとも思ったが、そんな輩も見当たらない。だんだんと皆の顔が強張っていく。

「どうするよ」と浩平が訊いてくるが、僕らだって回答を持ち合わせない。浜辺と防波堤を何往復もするが手がかりは何も見つからない。彼のスマートフォンは車の後部座席に置きっぱなしになっていた。

二時間ほど探し回った挙句、警察に連絡した。そこからは大変だった。捜索の立ち合い、連日に及ぶ刑事からの事情聴取。大学でも職員から呼び出され尋問めいた聞き取りを受けた。警察も転落を第一の線に考えているようだったが、同時に、僕たちが共謀して彼を海に突き落とした可能性も視野に入れているようで、質問に悪意が感じられた。僕たちは憤慨し、身の潔白を主張した。学内でも誤った噂がさざなみのように広がり、ひどく居心地が悪くなった。警察署で鉢合わせした兼介の母親はほとんど気が触れたような状態で、僕に摑みかかったところを警察官に取り押さえられた。

「あんたら兼介に何したのよ! あの子を返してよ。人殺し!」髪を振り乱し、つんざくような高い声で一方的に責められた。

三人で何度も話し合ったが、真実を見出すことはできなかった。兼介は忽然《こつぜん》と消えてしまった。俺たち悪くないよな、と同意を求める浩平の声が虚しく響く。僕たちは次第に疎遠になり、卒業を迎えた。

目が覚めると、兼介が昨日と同じ位置で横になっていた。身じろぎ一つしないが、彼が眠っていないことは気配で分かる。僕は声をかけずに支度を整え、いつもより早く部屋を出た。今さら真実など知らなくて構わない。早く出ていってほしい。

洗車、朝礼、書類の整理。ルーティンから順番に済ませていく。昨日の夜はあまり眠れなかった。業務時間なので眠気は感じないが、さすがに体が重い。社会人になってからは常に疲労感を抱えていて、休日でも仕事のことが頭から完全に離れることはない。

実家の両親に内定を伝えたとき、お前は昔から車が好きだったからなぁ、と妙に納得された。五歳のとき、車が擬人化されたアニメを見て、僕はすぐに引き込まれた。親にＤＶＤの購入をせがみ、何度も繰り返し再生した。車の図鑑を買ってもらい、モーターショーにも連れていってもらった。硬く、銀色に輝くボディ。恐竜の咆哮を思わせるエンジンの振動。リズミカルなウィンカーの音。さまざまな要素が僕を魅了した。外を走る何十台、何百台もの車種を覚え、通りを歩くたびに「あれはジムニー」、「あれはビートル」と指さし、母親に記憶力を褒められもした。

だが、最近悟った。僕は車を運転したいわけでも、売買したいわけでもない。アニメのように車そのものになりたかったのだ。

いつの間にか少しぼおっとしていた。千佐季が僕だけに分かる目配せを送ってくる。体調を心配してくれているのだろう。彼女には大学時代の出来事は話していない。話せるはずがない。

今夜も一人残り、企画を組み立てる。千佐季には来ないようあらかじめメッセージを送っておいた。連日つき合わせるわけにはいかない。

十一時を回り、バスの便がなくなる前に販売店を出た。ほとんど進展しなかったにもかかわらず、「遅くまで頑張ったこと」にどこか満足している自分に腹が立つ。コンビニエンスストアで弁当とつまみ、ビールを半ダース買った。

電気がついている。僕はアパートの前で大きなため息をついた。

「すまない！」

手を合わせる兼介。繰り返しだ。大声で一喝して追い出すべきなのだろう。甘やかすのは彼にとっても良いことじゃない。だが、今は無理だ。体内のガソリンが底をついている。

「飲む？」僕は冷房を入れた後、ビニール袋の中身を見せる。

「いや、そんな」

「下戸じゃなかっただろ。俺は飲むよ」僕は部屋に上がるとネクタイをむしりとり、スーツ姿のままフローリングの床に座った。

彼がまだ居座っていることを想定して、つまみはソーセージやちくわなど腹にたまるものを中心に買っておいた。僕はすべての包装を剥ぎ、折り畳みテーブルの上に並べた。ほら、開けちゃったから食べてよ、と強引に勧める。ビールもプルタブを開け、乾杯、と言って渡す。半ば投げやりだった。

「――アルコールなんて久しぶりだよ」兼介がおずおずと口をつける。

　僕は弁当を食べ、彼は遠慮がちにつまみに手を伸ばす。会話はない。僕はスマートフォンでたいして興味のないニュースを見ながら二本目のビールに移った。

　三本目の途中で千佐季から電話がかかってきたので、僕はスリッパを履いて外に出た。仕事の話ではなく明後日のことだった。休みを合わせて日帰り旅行に行く予定にしている。どこで何を食べるとか、寄り道して何を見るとか、彼女は楽しそうに話した。生ぬるい夜風が頬を撫ぜる。僕は適当に相槌を打ち、適当に笑い返した。

　十分ほどで通話を終え、部屋に戻るとつまみがなくなっていた。押し入れを漁り、非常用の乾パンを取り出す。ついでに、普段は飲まないウイスキーのキャップも開けた。

　再び黙って食べ、飲む。読みかけの雑誌をめくる。次第に頭がぼんやりとしてくる。もともと酒に強いほうではないし疲労も溜まっている。日付はとっくの前に変わっている。夜更かしも深酒も良くないと理解できていたが、どうしても止められない。

「――あのとき、何があったんだよ?」

　ほとんど無意識だった。アルコールのせいかもしれない。質問した自分自身に驚いたが、発した言葉は取り消せない。

「……」

「無理に訊くつもりはないけど」

「その、本当に悪かったとは思ってるんだ」

「いや、そうじゃなくて」

「妙な話だから、説明しても理解してもらえないと思う」

「いいから話してみろって」煮え切らない返事にこちらの声がささくれ立つ。

「……あのとき、確かにいろいろ悩んではいたんだ。大手から内定をもらってるって言ってたのは嘘だったし、バイト先では後輩たちから蔑《さげす》まれていた。つきあってた彼女は知らない男に横取りされた。でも、誰にも、何も明かせなかった。ひどく混乱していてどう話していいか分からなかったんだ。とにかく、人として呼吸をして、生き続けていることが辛くてしょうがなかった。

　逃げ出してからはずっと惨めだった。どこまで遠くに行っても、細い縄が自分とあの防波堤を結びつけてるように感じてた。自分自身が情けなかったし、日雇いの仕事で荒っぽい現場監督に怒鳴られるのもしんどかった。でも最近、正解らしきものの輪郭が少しずつ定まってきたんだ。この二年間は、きっと正しい答えを得るために必要な時間だったんだと思ってる」

「正しい答え?」

「俺さ、あのとき水になりたかったんだよ。海に溶けて海水と一体になりたかった。そこには太古からの記憶が共有されてるんだ。海の生物だけじゃない。植物や土、人間のDNAだって川をつたって海に流れ込む。水は自由だし、海は命そのものなんだ。自分はそんな大きなものの一部になりたかったんだ。たぶん、子どもの頃に見た映画か何かの影響かもしれないけど。

あの日、海浜公園を歩いていると、海に飛び込むイメージが唐突に浮かんで頭から離れなくなった。三人の後をついていきながら飛び込むタイミングを計ってた。でも、どうしても踏み出せなかった。あれだけ明確なビジョンが浮かんでいたのに防波堤の端から進めなかった。理由は今でも分からない。単純に意気地がなかっただけかもしれない。背中を押す誰かが必要だったのかもしれない。ともかく一人じゃ無理だったんだ。体が真っ二つに引き裂かれるような痛みを感じて、あの場から逃げ出した。あのとき、三人のうちの誰かが海に飛び込むのを手伝ってくれたらこんなに苦しまなくて済んだのかもしれない」

「はっ?」思わず怒気が漏れ出る。

「だから理解してもらえないって言っただろう」

「そんな話、理解できるか」

「ウソをついてるわけじゃ――」

「俺らがどんな仕打ちを受けて、どんな思いをしてきたか分かってんのか。ふざけたこと言うのもいいかげんにしとけよ。何が『水になりたかった』だ。馬鹿か。恨まれてないとでも思ってたのか。俺たちを疑う刑事の視線、大学で向けられる白い目、お前の母親には人殺し呼ばわりされたぞ。なんで俺らがあんなのに耐えなきゃいけなかったんだよ。全部お前のせいだろ。平気な顔してよく姿を見せれたもんだよな」頭に血が昇っていることは自覚できていた。だが抑えることはできそうにない。

「お前が現実から逃げ出してお気楽な自分探しをしてる間、俺たちは必死で働いてきたんだよ。現場監督に怒鳴られて辛かった? 甘えるな。どうせ嫌になったら辞めて、別の働き口に移ってたんだろう。細い縄? そんなものどこにもない。俺らはどこにも逃げられない状況で叱責されて、ノルマを背負わされて、深夜までサービス残業して。それでも耐えてるんだ。何が大阪だ。何が函館だ。ふざけんな!」僕は立ち上がり、見下ろすように怒鳴りつけた。

兼介はうつむき、青ざめた顔で黙り込む。学生時代、彼と喧嘩をしたことはなかった。こんなふうに激高されるとは思ってもみなかっただろう。舐められているのだ。そう考えるとなおさら腹が立ってくる。

無言。

冷蔵庫の稼働音が唸るように低く響く。

「出ていけ」

僕は相手の襟首を掴み強く引っ張った。だが、彼はマリオネットのように無気力で動こうとしない。殴りつけたい衝動に駆られる。

「出てけって」

力づくで立たせ、戸外に突き出した。ぼろぼろのスニーカーも放り捨てる。力任せにドアを閉め、鍵をかけた。二年間分の感情が噴出し、胃のあたりでマグマのような灼熱がとぐろを巻いている。乱暴に歯を磨き、衣服を脱ぎ捨てた後、市販の睡眠導入剤を飲んでベッドに入った。シャワーは朝浴びればいい。

電気を消しても感情は静まらなかった。一連の会話が何度もリフレインされる。荒っぽい言動は自分らしくないと思う。だが、怒る権利くらいはあるはずだ。

閉める直前、兼介は虚脱した表情でこちらを見つめていた。今も玄関の向こうで彼が立ち尽くしているような気がしてならない。しかし、どれだけ請われようと絶対に開けないと決めた。そんなことをしたら一からやり直しだ。いや、もっと悪い状況になる。

頭の中が二年前に引き戻される。僕たちは海浜公園を歩いている。途中、巧がコーラを買い、浩平は振られた女の子の愚痴。砂浜。防波堤。たわいのない会話と笑い声。だが、兼介だけは一人で暗い海面を見つめている。僕は振り向かなくてはいけない。兼介の姿を見止めなくてはいけない。だが、どうしても首が回らない。さんざん逡巡した挙句、踵《きびす》を返す兼介の後ろ姿が目に見えるようだった。

あの夜の出来事が僕たちのその後に暗い影を落とした。あのとき誰かが気づいていたら、彼を救えたのだろうか。いや、違う。僕たちは彼の願いを叶えてやるべきだったのだ。さきほど乱暴に背中を突き飛ばしたように、防波堤から海面へ突き落とさなければいけなかったのだ。

ようやくのことでまどろんできたが、完全に眠りに落ちるところまではいかない。夢と覚醒を行き来し、さまざまなイメージが浮かんでは消える。

唐突に玄関がノックされた。幻聴ではない。ドアの向こうに立つ兼介の姿が容易に想像できた。コンコン、コンコン。もうやめてくれ。僕は恐怖に見舞われ、タオルケットを頭から被った。

しばらく間が空いた後、サムターンがゆっくりと回された。スペアキーか。緊張で体が硬直する。

「……どうしたの？　大丈夫？」

千佐季の声だった。

「えっ？」

「うわ、この部屋お酒臭い！」スーツ姿の彼女は僕を素通りして窓を開けた。強烈な日差しが差し込んでくる。もう朝なのか。

「どうして千佐季が？」僕は身を起こす。

「どうしてじゃないって。今、何時だと思ってるの」逆光で彼女がどのような表情をしているか分からない。

スマートフォンが見当たらない。千佐季が近づき、腕時計を見せてくれる。

「ご覧のとおり、朝の十時を過ぎてますけど」

「えっ？」

「何回電話したと思ってるの。心配したのよ。とりあえず病気の類《たぐい》じゃなさそうね」

ひどく混乱した。就職してから寝坊したことは一度もない。スマートフォンは脱ぎ捨てたスーツの胸ポケットに入ったままだった。衣服がクッション代わりとなりバイブレーションに気がつかなかったようだ。

「でも、どうして？　今は仕事中だろ」

「様子を見てこいって店長に言われたの。死んでたりしたら困るからって」

遅刻とは別の悪寒が背中をつたった。僕たちの関係がばれているのかもしれない。

「何があったの？」

「……正直、どこから説明したらいいか分からない」

「いいから話してみなさいよ。こんなに散らかして。外もあなたの仕業？」

外？　僕は下着姿のまま立ち上がる。玄関を開けるとスニーカーが転がっていて、目の前には直径二メートルほどの水たまりができていた。

「これ、酔っぱらってあなたが撒いたの？」と背後から千佐季が訊いてくる。

兼介。

ふふ、と無意識のうちに声が漏れた。おかしかった。なんてことだ。僕は堪えきれず吹き出す。一度声に出して笑いだすともう止まらない。腹を抱えうずくまると膝やすねに水がついた。たまらなく愉快だ。彼女が心配して何か声をかけてきたが、自分の笑い声で聞きとることができない。なんだか足先から体が硬化していくように感じられた。

連作《ベルリン警察怪異課》第五話

闇を包む時刻《とき》の色

朝松健

ものみながおおわれ、色あせようとする。
霧の日々が不安と心配を孵《か》えす。
嵐《あらし》の吹きすさんだ夜が明けると、氷の音がする。
別れが泣き、世界は死に満ちている。

ヘルマン・ヘッセ「十一月」
（高橋健二訳　新潮文庫「ヘッセ詩集」より）

1

凍てつく闇の中で靄《もや》が広がった。

靄は寒さで白く曇ったマスカード神父の息だった。周囲はまるでハルツ山の山荘にいるような寒さだ。ここが部屋の中なのが信じられない。

冷たい闇の中でマスカード神父はかじかんだ指を繰り、聖書をめくった。

「In nómine Patris, et Fílii, et Spíritus Sancti. Amen.（聖父《ちち》と聖子《こ》と聖霊の聖名《みな》によりて。アーメン）」

神父はラテン語で「詩篇」の一節を唱えて十字を切る。切り終えると同時に、落雷のような轟音を立てて左の壁に罅《ひび》が走った。

罅は文字のように見える。

最初はH、次はI、そしてL、F、E。Eで罅は動きを止めた。壁の文字は〝HILFE〟と綴られている。

HILFE《たすけて》

その一語がマスカード神父の耳に吹き込まれた。中年男の掠れ声だ。HILFE《たすけて》。神父の耳朶《じだ》に酒臭い息が吹きかかった。男の息で産毛が微かにそよぐのを体感した。男の声は悪意と冷笑と嘲《あざけ》りを含んで囁《ささや》き続ける。

「助けて、助けて、助けてよ、神父様、あたしを解放して。それから抱いて……」

そんな声を無視してマスカード神父は詩編を唱える。

「愚かなるものは心のうちに神なしといへり」

落雷そっくりな轟音が床と壁を揺るがした。ふたたび壁に鏤が文字を書きはじめる。鏤の内部から光が発せられた。光は眼に痛いほどの眩《まばゆ》さで、その色は黄緑。どろりとした膿《うみ》の色だった。

鏤が壁に輝く文字を描いた。一つではない。いくつもいくつも描き、文字は壁一面を覆っていった。

HILFE《たすけて》　HILFE《たすけて》　HILFE《たすけて》
床が波打つように大きく揺れた。閉じ切ったドアの向こうから男の笑い声が響いてきた。狂気の発作から発せられるけたたましい哄笑だった。

一切を無視してマスカードは詩編を読み続けた。

「……かれらは腐《くさ》れたり　かれらは憎むべき不義をおこなへり善をおこなふ者なし……」

寒さで耳がちぎれそうだ。聖書のページを押さえる指も先端の感覚がなくなり、今にも取り落としてしまいそうだった。

いかに十月中旬のベルリン、しかも今年は十数年ぶりの冷え込みとは言え、さらに光が遮断され火の気のない室内とは言え、この部屋の温度は異常であった。

否。異常なのはこの部屋の目下の寒さだけではなかった。ドアを開けて室内に足を踏み入れた瞬間に神父が感じた背中にナイフを押し当てられたような戦慄と不安。苦しげな呻《うめ》きが洩れる寝台に歩み寄るにつれて靴の底から這い上る——行くな、寝台の少年のほうへ行くな、行っては危ないという感覚。天井から落とされる神経に障る軋《きし》み、何人もの子供が走る音。そして、寝台の上で呻き、痙攣し、身を弓なりにして苦しむ皺だらけの顔の六歳児。——この部屋の何もかもが異常だった。

いや、異常と言えば二十世紀の、世界で最も科学と民主主義が進んだヴァイマール共和国の首都で、悪魔に取り憑かれた少年がいて、それを祓《はら》うカトリックの神父がいること自体、異常ではないか。

そう思いかけてマスカード神父は、

（こんな考えが頭を過《よぎ》るなんて、相手は相当に強力な悪魔だ。気を緩めるな）

と自らに呼びかけると、意思を喚起して「詩篇」を唱える声に力を込めた。

「……不義をおこなふものは知覺《さとり》なきか　かれらは物くふごとくわが民《たみ》をくらひ　また神をよばふことをせざるなり……」

もはや異音も、壁の罅も、床揺れも、マスカード神父の心を乱すことは出来なかった。神父は精神力のありたけを込めて悪魔祓いの仕上げに取り掛かる。

「Exsúrgat Deus, et dissipéntur inimíci ejus, et fúgiant qui odérunt eum, a fácie ejus.」（天主は立ち、その敵は散る。天主を憎む者は御前から逃げる。）

「Sicut déficit fumus, defíciant: sicut fluit cera a fácie ignis, sic péreant peccatóres a fácie Dei.」

（かまどの煙の消え入るが如く、火の前にろうの流るるが如く、天主の御前に悪人は滅ぶ。）

「Ecce Crucem Dómini, fúgite, partes advérsæ.」

（主の十字架を見よ、敵どもの群れは敗走せよ。）

「Vicit Leo de tribu Juda, radix David.」

（主、即《すなは》ちユダ族の獅子、ダヴィドの末は征服せり。）

「Fiat misericórdia tua, Dómine, super nos.」

（願わくは、主よ、御憐れみを垂れ給え。）

「Quemádmodum sperávimus in te.」

（御身により頼みし我等の上に。）

さらにマスカード神父が続く「詩篇」の聖句を唱えると、少年の身は弓なりから自然な仰向けになっていった。神父の全身からどっと緊張が抜ける。

（去った）

マスカード神父は手応えを感じた。

（悪魔は去った）

気がつくと異音が消えていた。冷気も去りつつある。溜息を洩らせば、すでに白い靄ではなかった。

「悪魔祓いは成功だ」

そう呟《つぶや》いた瞬間、何かが起こった。空気が変わったのだ。それは悪魔の気配とは異なるものだった。

（新しい悪魔か？）

と、神父は身構えた。祓おうとした悪魔が去り、代わりの悪魔が被害者の肉体を支配することが、悪魔祓いでは時として発生する。少年はそうした時の反応そっくりだったのだ。

ベッドの上で少年は眼と口を閉じていた。眠ってしまったように見えた。

（気のせいか……）

そう安堵しかけた瞬間、神父の背後から声が起こった。若い女の声であった。声は電波受信の悪いラジオから響くかのように遠く、ノイズでひずみ、大きくなったり小さくなったりを繰り返していた。だが、それでも耳を凝らし続けると、何と言っているのかだけは捉えることが出来る。

「……れた……（ノイズ）……わたしはこ（ノイズ）……た……みせしめとして（ノイズ）…にころされ……」

そこで聞こえないほど小さくなって消えた。——一息置いて、突然、女の声は明瞭に、男の名を呼んだ。

声の呼びかけた名はマスカード神父のものではない。

声は、はっきりとこう呼んだのだ。

「ヨハン・フォン・ヴィント、いまでもあなたをあいしている」

共に黒魔術カルトを追跡する親友の名を聞いて、マスカード神父は驚きに打たれ、反射的に振り返った。

凍えた暗い部屋に白い靄が浮かんでいた。靄は人の形になりかけては崩れ、また人の形に凝《こご》ろうとしていた。

何度もそれを繰り返す靄を凝視するうち、マスカード神父は人形《ひとがた》の背の高さ、体型、肩幅などから女のものだと判断した。

だが、これは何だろう。これもまた、少年に取り憑いた悪魔の為《な》せる業《わざ》なのか。

（違う）

マスカード神父は小さくかぶりを振った。悪魔ではない。悪魔はわたしの祈りで少年の肉体から去った。その証拠にこの部屋の温度は少しずつ本来のものに変わりつつあるし、すでにわが心に不安も恐れもない。ならば、これは……。

エクトプラズムという一語が神父の頭に閃《ひらめ》いた。

（これが交霊会において霊媒の鼻や口から現われる霊的半物質なるものなのか？）

マスカード神父が訝《いぶか》しむうちにも女の形の靄から発せられる声は次第に明瞭に、人間のそれと変わらぬ大きさで発せられる。

「ヨハン・フォン・ヴィント……気をつけて……気をつけて……ヨハン……死んだ女の声に惑わされないで……ヨハン……騙されな……いで……聞き逃さな……おお……ヨハ……ン……ヨハン……ヨハン……」

そこまで言うとエクトプラズムは消えた。

そして闇と冷気に鎖された部屋には、悪魔を祓われて失神する少年と、呆然としたマスカード神父、そしてセリ科の植物特有の匂いと花の香りとが入り混じった繊細な香りが残された。

2

報告書を記すヨハンの耳に同僚の会話が流れ込んでくる。

大概は自分が取り扱っている事件の話、持病の愚痴、妻や子のこと、公的文書の書き方についての質問や注意などだが、そうした日常的会話の合間に、オフィスを同じくする同僚の陰口や嘲笑も切れ切れに聞こえてきた。

そうした時、いつもヨハンは自分の耳が都市ゴミ《シュタットミル》を流す排水口になったような気がしてくる。ベルリンの街角に溜まった都市生活の塵芥を汚水の急流に乗せて呑み込むコンクリートで固めた穴。悪意も嫉妬も憎悪も軽蔑も欲望も、すべて切れ切れな言葉の泡と共に、穴は吸い込んでいくのだ。

ふと耳に入った会話も、そんな塵から生じた泡のひとつだった。

「死神の新しい相棒が決まったそうだぜ」

「誰にしても、死神の相棒とは気の毒なこった」

ヨハンの万年筆の動きが止まった。

おそらく相棒が二人も捜査中に殺されたせいなのだろう。

気がつけばヨハン・ヴィント上級刑事は厄病神《デアゴット・デス・ウングルックス》とか死神《ゼンゼンマン》という不吉な渾名で呼ばれていた。

もちろん表立ってヨハンをそう呼ぶ同僚はいない。

だが、たまたま同僚の前を通った時などに、かれらの顔に浮かぶ皮肉な薄笑いと「死神」という呼び名はヨハンにささくれのような微かな痛みを伴うものとして記憶された。

「ほっとけよ、犬にゃ吠えさせておけ、だ《ラス・ディー・ロイテ・レーデン・ウント・ディー・フンデ・バレン》」（『人の噂も七十五日』と同義）

向かい側の誰もいない席から、最初に変死した相棒クレープス刑事の濁声が聞こえたような気がした。

「ああ、気にしてないさ」

とヨハンは小声で応え、また報告書にペンを走らせはじめた。

［一九三〇年十月十五日水曜日。報告者／ヨハン・ヴィント上級刑事……遺体は女性。推定十七～二十二歳。東洋人。死因は頸部横動脈への深さ二センチ、長さ七センチに及ぶ切創《せっそう》。／帽子、衣服、靴、現場に残されたハンドバッグ内の所持品等より被害者は日本人と特定され、現在、日本帝国大使館へ確認中。遺体発見場所は通称「路地《パサージェ》」と呼ばれる抜け道——フリードリッヒ街とウン

ター・デン・リンデンの交叉する位置なり――を入って三メートルほどの地点。「路地《パサージェ》」は戦前より残された犯罪多発区域であり、市当局及びヴァイマール共和国外務省はかねてよりベルリンを訪れる外国人に注意を促していた。今回、被害者は当該地区に出没する街娼ではなく一般市民と思われることより、身元確認は早期であろうと期待される。被害者の身元の確認と並行して、遺体発見現場となった路上付近のビルの壁面にあった獣脂による外国語の落書二箇所（捜査過程で両方とも日本語と確認）とその意味は以下のとおりである。

　落書1の写真A（文字は日本語）
「混沌の中に静寂あり、闇の中に光輝あり」
（意味）「Es gibt Stille im Chaos und Glanz in der Dunkelheit」

　落書2の写真B（文字は写真Aと同じく日本語）
「闇はベーリッツの黄昏《たそがれ》より生ず」
（意味）「Dunkelheit entsteht aus der Dämmerung von Beelitz」

　……落書の格言を真似たような書き方は秘密結社・政治結社のモットーを連想させ、特に「闇の中に光輝あり」の一句は小官（ヨハン・ヴィント）が追跡捜査中の黒魔術カルト〈輝く闇《ルチェンス・テネブリス》〉の名を想起させるので、カルトとの関係も対象に加えて捜査中。また落書の〝ベーリッツの黄昏〟は実在の地名ベーリッツと見られる。こちらは後日捜査予定である。以上」


　そこでヨハンはペンを置いた。

　報告書の枚数を数え、各ページにノンブルを入れると、丁寧にクリップで綴じる。そうして立ち上がり、外套とソフト帽を手にオフィスの外に出た。

　エレベーター付近にある本部長室のドアの受口に放り込んだ。とりあえず遣るべきことは終えた。

　腕時計に眼を落とせば、まだ六時半である。一杯飲みに立ち寄るには早すぎる時間だった。

「帰宅ついでに、もう一仕事してくる」

　と、一階の受付に言い捨てて、ヨハンは市警本部ビルを出た。十月の外気は冷たく、金属の臭いがした。

　ベルリン市警庁舎前は勤務を終えた男女でごった返している。ソフト帽やハンチングやキャスケット帽を被った男、鍔《つば》無しの帽子に毛皮付きコートの女、化繊の鍔広帽子にジャージのスーツの女――街路に溢れんばかりの群衆の姿は、女の死体が見つかった「路地《パサージェ》」の落書そのままに混沌としていたが、一片の静寂もなかった。

　人々は笑いさざめき、大声で語り合い、街頭からは宣伝、店々からは賑やかな音楽が響いている。さらに総選挙の圧倒的勝利以来、大手を振って闊歩するようになった国民社会主義ドイツ労働者党《NSDAP》の軍服フェチ共も意味のない言葉を喚き散らしている。

　このベルリンの喧騒に深く、ゆっくりと身を沈めながら、ヨハンは耳を澄ませた。女性社員の品定め、売り場の上役の悪口、酒の蘊蓄《うんちく》、職場の愚痴、ヴァイマール政府への悪態、帝政時代を懐かしむ漠然とした思い……そんな群衆の意味のない会話の中を十五歩ほど進んだ時であった。不意に、すれ違った老婦人が言った。

「前を見てごらんなさい、ヨハン」

　まったく知らない老婦人の言葉に従ってヨハンは眼を進行方向に向けた。ハンチングの三人組——工場労働者のようだ——が口々に言った。

「そっちじゃない」

「もっと右のほうだ」

「赤いベレー帽にトレンチコートの、フランス女みたいな恰好をした女さ」

　男たちの会話に従ってヨハンは眼を右のほうに流した。赤いベレー帽を被り、ベージュのコートを着た女が前方やや右を歩んでいた。

　その後ろ姿を眼が捉えた瞬間、ヨハンの耳に女の声が囁いた。

「わたしに付いてきて、ヨハン」

　ヨハンが報告書に書いてなかったことがあった。

　それは「路地《パサージェ》」で女の死体を見つけた日である。こんなふうに通りすがりの群衆の声に従って眼を転じると、十三ヵ月も前に殺された女の姿を認め、女の声がヨハンに呼びかけ、そのベレー帽にトレンチコートの女を認めると同時に、十三か月前に殺された女の声が聞こえ、女の声に従ってベレー帽の女を追えば、女が消えた地点——「路地《パサージェ》」の入口すぐの位置——に死体が横たわっていたという、重要だがそれを公文書に記したら正気を疑われる一事である。

（幻影に導かれて行ってみれば、そこに無残に殺害された死体があった、などと記したところでベルリン市警の誰が信じるというんだ？）

　と、ヨハンは思った。

　ましてヨハンを導いた女の姿も、女の声も、確かに、十三か月前に〈輝く闇《ルチエンス・テネブリス》〉の祭壇に捧げられた彼の恋人のアンナだったなどということを……。

　——そして、現在である。

ヨハンの見つめる先で赤いベレーの女は右に折れた。

その先には「路地《パサージェ》」の昼なお暗き闇が凝《ここ》り、凶悪犯を強請《ゆす》るような悪党どもがたむろしている。

「待て、アンナ。そっちへ行ってはいけない」

ヨハンは幻覚とも幽霊ともつかぬ女の後ろ姿に呼びかけて、「路地《パサージェ》」に駆け寄った。すぐに追いついて、右に向き直る。女の後ろ姿はまだ「路地《パサージェ》」の入口にあった。

ヨハンは女の肩に触れようと手を伸ばした。

その手があと二センチで肩を摑もうとした時——不意に、女を押し破って、長身の男が現われた。

いや、正確には、男がベレー帽の女を紙のように破ったのではない。ヨハンの眼にだけ見える幻の女の向こうに続く「路地《パサージェ》」の黒闇闇《こくあんあん》たる空間から、夕方の街路に進み出ただけのことだった。

だが、ヨハンの眼には、女の後ろ姿を紙のように破いて——あるいは女が映された映画の銀幕をすり抜けて、眼前に出現したように見えた。

男がすり抜けると同度に、ベレー帽の女の姿は消えた。

(何をする。アンナはこないだのように俺に何かを伝えようとしていたのに!)

そう叫ぼうとした言葉が「な……」だけで宙に消えた。

男の異様な風体と、二メートル近い巨軀より発する凄まじい精気に圧倒されたのだ。

男は真新しいシルクハットを被り、左目には片眼鏡《モノクル》を掛け、身には漆黒のタキシードを纏《まと》って、裏地が真紅の黒いマントを羽織っていた。手には純白の絹手袋をはめて、さらに左に手品師が持つような短いステッキを掻い込んでいる。

まるでこれから共和国大統領のパーティーに出かけるような出で立ちであった。

現われた男はそのまま街の雑踏に進みかけた。が、何かを言い忘れたかのように、呆然と立ち尽くすヨハンのまん前まで後戻りすると、シルクハットの鍔の下からヨハンに鋭い一瞥《いちべつ》をくれた。比喩でなく、ヨハンは男がその眼から火箭《ひや》を飛ばした、と見た。それから男は低く良く通る声で言った。

「あの赤いベレーの女は君が召喚《よ》んだのか?」

ヨハンの背に冷たいものが走った。

(こいつにもアンナの亡霊が見えたのか?)

そう考えると同時に、男はうなずいた。

そして、ヨハンの内臓まで透視するような鋭い眼で凝視したまま断じた。

「そうだ。私にも霊視《み》えた。君の殺された恋人アンナ・シュトレンベルクが」

長身の男はヨハンの幻視した故人のみならず、その姓名さえも口にしたのだった。

3

「お前は何者だ、どうしてアンナのフルネームを知っている？」

ヨハンは思わず普段の口調で尋ねた。

「それについては路上でなく落ち着ける場所でご説明申し上げよう、ヨハン。……芸術家も革命家もギャングもいない静かな喫茶店《カフェ》で。いずれ、ね。だが、その前に私はあそこ《パサージェ》に戻って確認したいことがある」

「あそこに何の用だ？」

「来れば分かる。ついてきたまえ。君の職務としても損にはならぬ話だよ」

「俺の職務だと……？」

「考えてないで付いてこい、ヴィント上級刑事」

そう言うと男はマントを翻《ひるがえ》して身を返すと、「路地《パサージェ》」の闇の奥へと引き返した。

「待て。何処へ行くと、俺は訊いてるん――」

鋭く命じて追いかけようとすると、男は「路地《パサージェ》」から三メートルも行かない位置で立ち止まった。

そこはちょうど女の死体をヨハンが見つけた辺りである。警察がチョークで描いた遺体位置の描線も踏みつけて、男はビルの壁面に向き直り、芝居がかった動きで右手を向けると、手を上下させた後に、ピタリと一箇所で止めた。

（壁のその辺には格言とも引用句ともつかない日本語の落書が二行、記されていたんだ）

と、ヨハンは思った。

だが、落書の上には、いつの間にかナチ――国民社会主義ドイツ労働者党の大きなポスターが貼られている。

赤地に黒い鉤十字が描かれ「民族の意志は我らの意志」などと大仰な文句が印刷された下品なポスターだった。「まるで魔女狩り時代の貼り紙だ」と、いつかマスカード神父と見て話したのをヨハンは思い出した。

「壁のこの辺に何か書かれていただろう」

男は右手の掌を壁に向けたまま、決めつけるように言った。

「ああ、何か書いてたかもしれんな……」

ヨハンが言葉を濁した時、「路地《パサージェ》」の入口から野太い声が発せられた。

「おい、貴様ら《ヘイ ロイテ》！　そこで何をしている《ヴァス・マハト・イーア・ダ》!?」

居丈高な軍隊口調にヨハンと男は同時に振り返った。通りの喧騒を背に、軍服姿の大男が二人、仁王立ちになっている。着ているのはナチ突撃隊の制服だ。

（軍服フェチの筋肉馬鹿《ムスケルン・イディオート》め）

ヨハンは低く舌打ちをした。

と、二人のうちの一人が太い眉をひそめてこちらを覗き込んだ。割れた顎を突き出して、ゴリラそっくりな相棒に言った。

「奥のタキシードのノッポが我が党のポスターをいじってたぞ」

「なんだと。それは捨ておけん」

そう言うとゴリラに似た大男はタキシードの男に声を掛けた。

「おい。そこのノッポ！　貴様、我が党のポスターに何をしてる」

長身の男は「うるさい」と言いたげに片手を振った。

「聞こえんのか、そこのマントのノッポに言ってるんだ」

顎の割れた大男の怒声が「路地《パサージェ》」に反響した。だが、長身の男は「分かった。しつこい」と不快そうに答えると、やにわにポスターを丁寧な手つきで壁から引き剝がし始めた。

「おい、貴様――」

「な、なにをするか！」

二人は警棒を抜くと狭い路地に飛び込んできた。長身の男を殴りつけようというのだ。

何か起これば突撃隊の二人を制止しようとヨハンは身構えた。

長身の男は二人に振り返ろうともせず、こう吐き捨てた。

「私が何をしているかだと？　いくら馬鹿でも見れば分かるだろう。この醜悪なポスターを剝がして、壁面に書かれていた文字を検分しようとしているんだ」

「ポスターを剝がすだと⁉」

「近頃あちこちでポスターを剝がしたり落書きしたりする輩《やから》がいると思ったが、貴様だったか」

「やめろ、こら」

二人が口々に喚き散らし、ゴリラそっくりな男が警棒を振り上げた。そのまま力任せに長身の男の背中を殴りつけようとする。唸りを引いて警棒が振り下ろされた。

刹那の後、警棒は空中で流れを変え、長身の男の背ではなく、顎の割れた突撃隊院の顔面に炸裂した。

「Gah!」

悲鳴とも炸裂音ともつかない鈍い音がして、ビルの谷間の薄闇に漆黒の飛沫が散った。血だ、とヨハンは思った。黒く見える血の中に混じった白い物は突撃隊員の前歯らしかった。鼻骨を叩き潰され、前歯を二本折られて突撃隊員はその場に昏倒した。

「ど、どうして、こんな!?」

と驚いた突撃隊員のゴリラ面の真ん前に、純白の絹手袋で覆われた掌が突きつけられた。長身の男のものだ。男は冷たく命じた。

「この手から目を離すな。そのまま、見つめ続けろ。お前たちは〝路地《パサージェ》〟界隈を縄張りにするギャングにやられた。暗がりで後ろからやられたから、相手の人数も人相も分からない。分かったか。私たちのことは忘れろ。いいな。よし、それでは足元の仲間を担いで、急ぎ、レームの待つ突撃隊本部に帰るが良い」

そうして男がマントの中に手を引くと、突撃隊の大男は、顔面血だらけの相棒を担いでおとなしくその場から立ち去った。

それまでの様子を呆然と見守っていたヨハンの耳に、

「畜生。突撃隊の名に懸け、あのギャングどもを〝路《パサー》地《ジェ》〟から一掃してやる」

という突撃隊員の吐き捨てる声が聞こえた。どうやら突撃隊は長身の男の言葉通り、ヨハンたちのことは忘れ、この辺を縄張りとするギャングにやられたと信じ込んだようである。

ヨハンは驚きの表情を拡げて長身の男に尋ねた。

「今のは、何だ? 催眠術か?」

「催眠術ではない。動物磁気《アンマリッシャー・マグネティスムス》とエーテル体《エーテルケーパー》操作の応用だよ。催眠術ならば、術を掛けられた事実を思い出すことがしばしばある。だが、私の方法だと絶対に思い出さん。二人の記憶からは完全に我々のことは消去されたのだ」

そう説明しながら男は壁面に戻ると、剝がしかけたポスターをさらに引いた。音を立ててポスターが破れた。男は、紙が白く貼りついた壁面に眼を近づけて顔をしかめた。

「ナチの馬鹿ども、よほど丁寧にポスターを貼ったようだな。壁に書いてた文字が消えてしまっている」

それからヨハンに向き直って尋ねた。

「壁面には詩句か警句のような文章が書かれていただろう」

突撃隊への対応で、この得体の知れない男への警戒が増したヨハンは言葉を選んで答えた。

「ただの落書だ。何の意味もない」

ヨハンの言葉を聞き流して男は続けた。

「壁に書かれた文章はドイツ語ではなかった。中国語か日本語だったはずだ」

　その言葉にヨハンは狼狽してしまった。

「どうして、お前は、そんなことを知っているんだ。まさか、女を殺して、落書したのはお前ではあるまいな。何か知ってるのなら話してもらおうか。俺はベルリン州警本部の刑事だ」

　すると男は唇に薄く笑いを刻んで言った。

「君の職業は熟知している、殺人課所属だろう、ヨハン・ヴィント上級刑事」

　ハッとしたヨハンに男は畳みかけた。

「壁に記されていた日本語は？　何と書かれていたんだね？　とっくに解読しているはずだが」

「……そ、それは……」

　言い淀むヨハンの顔近くまで男は屈みこみ、その眼を覗き込んだ。

　男の灰色の双眸から不可視な力が発せられるのをヨハンは感じた。

　その力はヨハンの瞳孔から脳へ侵入する。ヨハンは自分の脳が柔らかく暖かい掌に触れられるのを体感した。

　男はヨハンの眼を凝視したまま、ゆっくり尋ねる。

「なんと書かれていた？」

　ヨハンの意思に逆らって口が動いていた。

「混沌の中に静寂あり、闇の中に光輝あり」

「それだけではなかったはずだ。もう一行の日本語は？」

　心は「答えるものか」と思っても、ヨハンの口は、はっきりと答えていた。

「闇はベーリッツの黄昏より生ず」

　男の酷薄そうな顔に薄ら笑いが拡がった。

「結構」

　男はさらに言った。

「大いに結構だ、ヴィント刑事。成程、ベーリッツか。〝ベーリッツの黄昏〟と言えば、あの別荘しか考えられん」

　何やら得心したように独りごちた男の雰囲気に危険なものを感じて、ヨハンは背広の懐に――ショルダーホルスターに収めた拳銃を引き抜こうとした。

　もとより撃つつもりはなかった。ただ拳銃で脅して、男が何者か、何を知っているのか、尋問しようと考えたのだ。

　だが、ヨハンが拳銃を抜くより早く、男はヨハンに向かって右手を向けていた。

　右手を軽く閉じかけ、すぐに大きく開いた。

　続く刹那、ヨハンの身は弾き飛ばされた。

　路地の反対側に建つビルの壁面に後頭部と背中と腰が

叩きつけられた。

ヨハンは、まな板に肉の塊を力任せに叩きつける音を聞いた。それが自分の身体が壁に激突した音だと気づいた時には、ヨハンの身は路地の地面に仰向けになっていた。

倒れたヨハンに男は言った。

「申し遅れたが、私の名はエリック・ヤン・ハヌッセン。トゥーレ騎士団の高位階にある魔術師にしてオカルト作家。同時に世界一の霊能者にしてヨーロッパ最高の占星術師でもある。また、現在は国民社会主義ドイツ労働者党の党首アドルフ・ヒトラー氏の政治演技指導および霊的指導も仰せつかっている。用があれば事務所に連絡をくれたまえ。君に対してならば、いつでも喜んで力を貸すよ。では、今日はここまでだ。アッツォウスの末裔《すえ》よ」

謎めいたことを舞台の口上めいた調子で言うと、ハヌッセンと名乗った男は気取った手つきで名刺を取り出し、軽く弾いた。

肩書の並んだ名刺が暗闇を貫いて、まだ倒れているヨハンのほうへ流れ、その胸の上に留まった。

「なかなか楽しい初対面だった。……では、今日のところはこれで失礼する、ヨハン・ヴィント上級刑事」

何人もの悪党と烈しい殴り合いをした後のような気分のままで、ヨハンはハヌッセンの足音が遠ざかるのを聞いていた。

3

一九三〇年十月十六日の金曜日のことである。

生まれて初めて行った香水店で用事を済ませ、聖ゲオルグ教会に戻ったシュテファン・マスカード神父は、客が訪ねてきている、と案内係の修道女《シュヴェスター》から教えられた。

応接室に降りたマスカード神父を待っていたのは、親友のヨハン・ヴィント上級刑事であった。

「今日午後にでも、市警本部へ伺《うかが》うつもりだったのですよ」

挨拶もそこそこにマスカード神父が言えば、ヨハンは苦笑いで唇を歪めた。

「貴方が珍しく外出。――しかも香水店へ行ってると聞かされて驚いたよ。カトリックの神父さんでも香水を買うことがあるとはね」

「いやあ、ただの調べ物です」

とマスカード神父は曖昧に答えて微笑んだ。悪魔祓いの最中に、悪魔に取り憑かれた少年の口から若い女の声が発せられてヨハン・ヴィントの名を呼んだとか、その場に残り香として漂っていたアイリスを主調にした不思議な香りが気になって、ゲラン社直営の香水店へ行ってきたということは、何故か、説明するのが憚《はばか》られたのであった。

（悪魔祓い《エクソーツィスムス》の最中に、儀式を執行する神父の心を乱すため、悪魔が良く行なう虚実入り混じった――もっともらしい虚言と断じてしまえば済むことなのだが……）

　マスカード神父の心が浮かないのは、悪魔の言葉や、悪魔祓いの最中に嗅いだ不思議な香水のことと、ヨハン・ヴィントという人物の帯びた暗い影が――あるいは黒森《シュヴァルツヴァルト》で見え隠れしたヨハンの霊的な側面が、深く関わっているように感じられたからであった。

「それで？　神父が滅多に行かない香水店で、何か、収穫はあったのかな？」

「ええ、まあ……」

　とマスカード神父は口を濁した。

　ベルリン一の香水店で知ったのは、悪魔祓いのさなかに漂った香水の銘柄は、神父が感じた通り、アイリスを主成分にしたものらしいということだった。

　それを手掛かりに店員は、神父の感じた香りに類した香水を何種か取り出し、神父に嗅がせてくれたのである。

何しろ悪魔祓いと関わる香りだ。マスカードは鮮烈にその香りを記憶していた。

　流石《さすが》ベルリン随一の香水店のことはある。やがて、店員は神父の記憶と符合する香水を見つけ出してくれたのだった。

　アイリスを主にヴァイオレットとバニラを調合した香水で、その名は「L'heure bleue《ルール・ブルー》」、すなわち「蒼の時《と》刻《き》」。

　のちに「夜間飛行」や「ミツコ」で国際的名声を築き上げることとなるゲラン社の三代目調香師にして、オーストリア＝ハンガリー帝国皇帝ヨーゼフ一世の皇后エリーザベトの専属調香師となったジャック・ゲランが一九一二年に発表した香水であった。

　マスカード神父は香水店の店員の「ルール・ブルー」に関する説明を思い出した。

「香りの詩人、香りで印象派絵画を描く者とも呼ばれるジャック・ゲランの逸品で、〝蒼の時刻《とき》〟――ルール・ブルーのテーマは〝失われた時間〟でして、もはや記憶の中にしか存在しないあの時間を、一瞬の香りに封じこめることだったとのことです」

　店員の美辞麗句を聞き流して、マスカード神父は、

「イタリアの貴婦人に、天上の香りをイメージする香水

を推薦してほしいと言われたので」

と出任せを言って、店員が出したルール・ブルーを用意したガーゼに一吹きしてもらい、ガラス容器に入れ、香りが逃げぬよう密閉して持ち帰ったのだった。

(悪魔祓いの最中に聞こえた女の声はヨハン・ヴィントの名を呼んでいた。あの声はヨハンに関わりある女のものに間違いない。そして……ルール・ブルーの香りも、声と同じように、私からヨハンに示して、何らかのメッセージなり警告を与えようとしているのだ)

それが悪魔祓いで遭遇した奇妙な現象からマスカード神父の導き出した結論だった。

「香水のことは是非とも貴方に話さなければならないのですが」

「私にだって? フランスの香水の話を?」

ヨハンは当惑と驚きの入り混じった笑いを拡げた。

「ええ、貴方に大いに関わると思われるのですが。……ただ……なにぶんにも込み入った話で……少しご不快にも思われるかもしれませんし……時間がかかりそうでしてね。もう少し、私なりに整理がついてから、お話しさせて下さい」

「そいつは構わないが。しかし、銃や死体なら兎も角、私と香水とはね」

頭を傾げたヨハンに神父は訊き返した。

「……ところで、貴方が教会に出向くなんて珍しいですね。今日は、また、どうなされました?」

神父はヨハンの様子におかしな気配を感じていた。

(どうやら教会に来る前——昨日か一昨日辺りに何かあったようだ。それも、〈輝く闇《ルチェンス・テネブリス》〉に関係したことか、ヴィント刑事につきまとう影の部分に関わる事件が)

ヨハンは背後に立つ何かが気になるかのように肩越しに何度か振り返った。

後ろには当然、面会室の壁しかない。それに安堵したか、マスカード神父に言った。

「ちょっと付き合って貰えませんか?」

マスカード神父は腕時計を確かめる。まだ晩の典礼には早すぎる時間だった。

「構いませんが。……どちらまでです?」

「ベーリッツまでなんだが」

「えっ、ベーリッツというと、ポツダムの——」

「そう。結核療養所のある所です」

「遠いですね」

「なに、車で一時間半ほどですよ。警邏車《パトロールカー》で飛ばせば、もう少し早いかと」

「しかし、ベーリッツに何をしに行くというのです」

怪訝《けげん》に訊ねたマスカード神父にヨハンは困ったような笑みを見せた。

「何と説明して良いのか……。ベーリッツで何があるか、そいつはまだ私にも分からないんだ。それをこれから確かめるために、貴方に協力してほしい。変に聞こえるだろうが、私にも五里霧中という奴でね。手探りの捜査なんだよ。詳しい経緯《いきさつ》は車の中で説明させて下さい。何より善は急げ、だ。さあ、行こう。車は外に停めているので」

神父を促すと、ヨハンは椅子から立ち上がった。

4

道路が整備された現代ならばベルリンから国道一〇〇線に乗って南下すれば五十分足らずで到着するベーリッツも、一九三〇年当時は新道、旧道、と乗り換え続け、さらに中世の名残を留めた農道を抜けなければならず、約一時間三十分の長距離ドライブだった。

二十分ほど二人は無言で、ただ車の振動に身を任せていたが、やがてヨハンがオランダ煙草を取り出しながら言った。


「昨日、奇妙な男に会ったんだが――」

「……」

マスカード神父は何も応えなかった。

ヨハンの出したオランダ煙草の箱が気になったのだ。

黒いパッケージの横にはこう印刷されている。

「Black Devil」。

名前は英語だが、間違いなくオランダ煙草の銘柄である。

しかし、マスカード神父の顔を曇らせたのは煙草の産地ではなくて、その銘柄だった。

――「黒い悪魔《ブラック・デヴィル》」。

（ヴィント刑事がオランダ煙草を愛飲しているのも、その中でも最も多く吸うのがこの銘柄なのも、とうに知っていることなのに、どうして今日に限って煙草の名が心に引っ掛かるのだろう）

と神父は自問した。

煙草に火を点けたヨハンはハンドルを操りながら神父に言った。

「どうしてベーリッツなんかに向かうのかと言えば、そもそもは私が女の死体を〝路地《パサージェ》〟で見つけたのが発端なんだが――」

煙草の匂いに紛れてアイリスを主調にした香水の香り

をかすかに感じた。

（ルール・ブルーか）

眉をひそめた神父の耳元に息が吹きかかる。神父がはっとして眼を見開けば、女の囁き声が弱々しく聞こえた。

「気をつけて……気をつけて……ヨハン……死んだ女の声に惑わされないで……」

それから女はこう続ける。

「エリックに近づいてはいけない……エリックは危険な男だと……そうヨハンに言ってあげて……」

神父は背筋に寒気が走るのに耐えながら心で女に尋ねた。

（エリックとは誰だ……）

心で問うと、一息置いてまぼろしの女ではなくヨハンが話しはじめた。

「実は教会へ行く前に路地《パサージェ》近くで奇妙な男に会いましてね。なんだかクラブのショーで手品か読心術でもやりそうな格好の――タキシードにシルクハット、マントを羽織って、ご丁寧にも手にはステッキまで持った男なんですが――」

「あの近辺にはいかがわしい店もたくさんあります。キャバレーの芸人では？」

「芸人と言うより、ありゃ、誇大妄想狂だろうな。魔術師とかナチ党党首の霊的顧問とか言ってたから。……なんといったかな、あいつ……。名刺をくれたんですよ。私が刑事と知りながら、ね。普通、こっちが刑事と知ると警戒して名刺なんか寄こさない。だから芸人じゃないな。きっと信用詐欺師の類いだ」

神父の心で、最初に聞こえた女の声が甦る。

（騙されないで……）

ヨハンは咥《くわ》え煙草で背広のポケットから名刺を出した。

「これが、そいつの名刺です」

名刺を渡されて、そこに印字された名前を読んだ瞬間、マスカード神父は厚い氷の張った湖水に突き落とされたような凄まじい寒気を覚えて凍り付いた。

名刺にはあやしげな肩書が、

作家
魔術師
占星術師
動物《オド》磁気療法師

と並び、続いて悪魔とも霊ともつかない女が「気をつけろ」と訴えた男の名前がひげ文字体で、こう印刷されていたのである。

エリック・ヤン・ハヌッセン

名刺を見つめる神父の耳許でまた女の声が囁いた。

「エリックに近づいてはいけない……エリックは危険な男だと……そうヨハンに言ってあげて……ヨハンを悪魔の呪圏《スペルバウンド》に踏み込ませないで……」

女の声は静かに遠くなり、車中に漂うオランダ煙草の煙に溶け込んでいく。その声が完全に消えてしまう直前、不意にヨハンが神父に振り返った。

「むう……」

と眉根を寄せ、独りごちる。

「気のせいかな?」

「どうしました」

「一瞬、貴方のほうから冷たい空気が流れたように感じたんだよ。で、車の窓が開いていたかと、そっちに眼をやったら、なんか白い靄みたいなのが、貴方の横に凝ってるように見えたものでね。こんなこと言ったら、また神経衰弱と疑われそうだが……」

白い靄。

マスカード神父はそっと息を呑んだ。

(私の眼にした女のエクトプラズムと同じだ。エリックからヨハンを遠ざけろという声は絶対に私の気のせいではない。あれは、ヨハンに警告しろ、と訴える女の霊だ。あの――ゲラン社の香水の香りを漂わせる――女の霊なのだ)

また香水の香りが鼻をかすめた。

アイリスを基調にしてヴァイオレットのかすかな香りをそれに加えた香水。ゲラン社の香水だ。「失われた時間」をテーマにしたというあの香水の名はなんといったっけ……。ひと息置いて、その名を思い出した。

「ルール・ブルー。蒼い時刻《とき》」

マスカード神父はそう呟いてから慌てて口を押さえた。同時にブレーキを軋ませて、警邏車が急停止した。

ヨハンが神父の横顔を見つめる。

「なんだって? いま、何と言った?」

驚愕と狼狽が入り混じったその様子に、呟いた当のマスカード神父が驚いた。

「香水店で教えてもらった香水の銘柄を思い出しただけです」

「あんた、そもそも何故、香水店なんかへ行ってたんだ?」

砕けた口調がヨハンの狼狽ぶりを語っていた。

「決して隠していた訳ではありませんので、どうぞ気を悪くしないで下さい。ことの起こりが悪魔祓いだったので、なかなか言い出せなかったのです」

と前置いてマスカード神父は話しはじめた。

少年に憑いた悪魔を祓う儀式を終えたら、少年の口を借りて若い女の声が聞こえたことに始まり、女がヨハンの名を呼び、繰り返し愛していると訴えたこと、女は霊で、ヨハンと極めて親密な関係にあったと窺えること、そしてエリックという男は危険だから近づくなと警告したこと——最後に神父はポケットから密閉容器を取り出し、香水店で受け取ったルール・ブルーを一吹きしたガーゼをヨハンに差し出した。

「女の霊が現われた時、この香水の香りがしまして。とても印象的だったので香水の銘柄を調べにゲランの店まで出かけていたのです」

ガーゼの前を軽く扇いでその香りを嗅ぐとヨハンはうなずいた。

「間違いない。ルール・ブルー。私がアンナの誕生日に贈った香水だ」

「アンナとは……?」

「アンナ・シュトレンベルク……。昔、愛した女だ」

「恋人だったのですね」

ヨハンは黙ってうなずき、煙草をもみ消した。

重い沈黙が警邏車を吹き抜けた。


やがて二本目の煙草に火を点け、ヨハンは煙草の煙と共に大きな溜息を洩らした。

「婚約していたよ。だが、それを知って奴等が……」

「奴等?」

「横首を掻き切られ、血で奴等のしるしが描かれていた。黒魔術カルトの特徴だ。〈輝く闇《ルチェンス・テネブリス》〉に間違いない。自分たちを追跡している私の婚約者と知って殺し、悪魔の紋章を現場に残して、私に警告したんだ。——最初にお前の最も大事な者を殺した。深入りしたら、次はお前だ、と。黒魔術カルトの奴等は暗黒街のギャング以上に、人間の恐怖心の煽《あお》り方を知っている。だが、私は怯まなかった。だから、今も貴方と〈輝く闇《ルチェンス・テネブリス》〉を追っている……」

「そうでしたか」

マスカード神父は静かにうなずくと、一息置いて言った。

「アンナは今も貴方を愛し、天上から見守っているようです」

「ああ」

ヨハンは眼を伏せ、ぽつりと呟いた。

「……知っている」

それからヨハンは煙草を消し、背筋を伸ばすと、きびきびした調子で言った。

「よし。昔話はこれまでだ。今度は私が、どうしてベーリッツへ行くのかについて、簡単に説明しよう。ことの起こりは貴方に似ている。アンナの霊だ。ただし貴方のような声じゃない。私にはアンナの姿が見えた。あれはアンナの好んだスタイルだ。フランス風のファッション――赤いベレー帽にトレンチコートをまとっていた。

「それが行く先に見えたので、私は驚いて思わず後を追った。

「今考えるとそんなスタイルの女は何処でも見かけるのに、あの時は追わずにいられなかった。そして……女が〝路地《パサージェ》〟に入ったので、こちらも曲がってみたら……東洋人の女が死んでいたんだ。

「女はアンナと同じように横首を掻き切られており、壁には日本語で二行、対句とも、警句とも、詩の断片ともつかない言葉が書かれていた。

「こんな言葉だ。

『混沌の中に静寂あり、闇の中に光輝あり』

『闇はベーリッツの黄昏より生ず』」

「それで、ベーリッツへ行こうと？」

「ああ。昨日会ったハヌッセンとか言う手品師だかペテン師だかは、『あの場所に他ならない』とか『別荘』とか言っていた。

「ベーリッツには、〝黄昏〟という言葉に関係した何かがある。そして、その何かは別荘に類した建物に違いないと、私は睨《にら》んでいるんだ」

二人が話す間にも、車の外ではベルリン郊外の乾いた秋風が時間をすり減らしていくようだった。

風は冬の予兆を含んで林を揺らしていた。滅多に車など通らない田舎道を何台ものもの車が警邏車を追い越していった。

フロントガラスから差し込む陽光にオレンジが濃くなったように感じて、マスカードは腕時計を見た。

「午後三時ですね。あと二時間少しで日没です」

ヨハンも腕時計に眼を落とす。うなずくと乾いた声で言った。

「新聞によると、今日の日没は午後五時十七分だそうだ。あと少しでベーリッツに着く。まだまだ時間はある。だが、夜になれば、黒魔術カルトはパワーを増すし、ベーリッツのどの辺かはすでに当たりをつけているが、現地で何が起こるか分からないな。……よし急ごう」

唇の端に力を込めてヨハンは車を発進させた。最新型の警邏車ホルヒ四〇〇のエンジンが轟然たる音をたてて田舎の秋景色を貫いた。

車が走り出してから十分もしないうちに、それまで明るかった空が急に翳《かげ》ってきた。

フロントガラスから見上げれば、東南のほうから黒雲が湧いていていた。

「三時半までにはベーリッツに着く。向こうで降られないのを祈ってくれ」

ヨハンはそう言うなり、さらにホルヒのスピードを上げた。

5

ベーリッツはベルリンから南西へ延びる線路の両側に広がり、四季折々の自然は色彩に富み、晴れた日には澄んだ空気が林や森の隅々まで照らし上げるかと思われるような明るい場所だった。

だが、それにも関わらず、ベーリッツはロマン派の詩人なら「疾病《えやみ》の杜《もり》」とでも表現しそうな死と病の影が漂っていた。

ベーリッツに漂う死の影は遠目にもそれと分かる巨大な医療施設が落としていた。ただし施設はゴシック建築の城塞でもなければフリッツ・ラングの映画のセットのごとき非人間的な未来的なビルでもなかった。

赤い屋根と柔らかいパステルカラーの窓枠、そしてくすんだ黄色に塗られた壁が特徴の、瀟洒かつ広壮な居館《レジデンツ》である。いや、その巨大さは居館《レジデンツ》というより城館《シュロス》と呼ぶのが相応しい。

それこそヴァイマール共和国が誇る医療の中枢センターだった。

一八九八年にベルリンの健康保険機構が一四〇ヘクタールもの土地を購入して、病床数六百の結核療養所を設立したのが「疾病《えやみ》の杜《もり》」の起源《おこり》である。

のち一九一四年夏に施設は健康保険機構から赤十字の管理下となり、当時一五二五床にも増えていた施設の結核患者は他に移されて、ここに第一次大戦で負傷した大量の兵士が収容されることとなったのだ。

そして戦争が終わるまで日ごと夜ごと夥《おびただ》しい傷病兵がベーリッツに運び込まれ、呻き、苦しみ、嘆きながら死んでいった。

こうしてベーリッツ治療院とその周辺の林や森には八千人近い結核患者と傷病兵の残した死と疾病《えやみ》の影が刻まれたのだった。

不意にヨハンが車を停めた。

左側には疎《まば》らな森と灌木の林が広がり、前方遙かに赤い屋根にくすんだ黄色《レグホーン》に塗られた壁の城館《シュロス》が見えた。一九二八年にそれまでの敷地に加えて二〇〇ヘクタールが買い足され、昨一九二九年に新たに一三三八床もの病床が確保されたベーリッツ療養所は遠目に見ても城館《シュロス》そのものだった。

その広大かつ巨大な診療施設まで一キロほどの場所で、ヨハンは車を停めた。

「どうして停まるのです？　このまま真っ直ぐ療養所へ行くのではないのですか？」

マスカード神父は驚いて尋ねた。

「目的地は診療所じゃない。……停車するのは、この辺でいい筈だ」

と答えてヨハンはポケットからメモを取り出し、そこに走り書きされた文字を見た。

「間違いない。神父さん、車を降りよう」

そう促し、自らもサイドドアを開いた。

そして、メモを読みながら、

「あっちのほうだろう」

と言って歩き出した。

ヨハンは灌木の茂みに入っていく。神父もヨハンの後をついて歩きだした。

どうやらヨハンは林の中へ向かうらしい。だが、行く手には何も見えはしない。

マスカード神父の胸底に幽《かす》かな不安が頭をもたげた。意味もなく、ヨハンが神経衰弱で入院していたことを思い出す。

同時に、いまこの時にも拳銃を携行していることも。

（もし殺されても、ここなら何年も発見されないだろう）

別にギャングや異常者と歩いているわけでもないのに、何故か、そんな考えが頭を過《よぎ》った。

マスカード神父に構わずヨハンは林の奥へと進みながら口を開いた。

「アンナそっくりの女を追って発見したのが首を掻き切られた日本女性の死体。その死体の近くにあったのが日本語で書かれた二行の謎の言葉、

『混沌の中に静寂あり、闇の中に光輝あり』

『闇はベーリッツの黄昏より生ず』

――なぜ日本なのか？　そう疑問を抱いて考えた私は、『ひょっとして女の死体を見つけるよう仕向けた犯人は日本に注目しろと言ってるのではないか』と閃いた。だが、日本の何に注目しろと言うのか？

「日本は先の大戦では我が国とは殆《ほとん》ど戦っていない。戦争以外に、日本が共和国と何の接点がある？　しばらく考えたら、何年か前、日本人がベルリン州警察内で話

題になっていたのを思い出した」

「やはり殺人で?」

「いや、風紀方面だ。風紀課の連中の間で、だ」

「それはどのような事件ですか」

「事件じゃない。そもそもの発端は二三年一月のフランス・ベルギー連合軍のルール占領で起こったバカみたいなインフレだ」

一九二三年一月、第一次大戦の賠償金支払い不履行を名目にフランスとベルギーの連合軍はドイツ西北のルール=ライン地区に攻め寄せ、これを占領した。

賠償金代わりに払われる約束の石炭がまったく支払われていない、というのがフランスとベルギーの口実であったが、両国の真の目的はルール地方で産出する豊富な石炭の占有にあることは明らかだった。

このルール地方占領により、ドイツの主幹産業の生産は停滞し、たちまちヴァイマール共和国はかつてないインフレーションと財政難に見舞われた。

国内で倒産と賃金未払いが相次ぎ、巷《ちまた》に失業者が溢れ、いたるところで自殺者が出た。インフレは「宇宙的」とさえ言われ、六月には遂に一米ドルは十五万四千五百マルクとなった。

七月に入ると一ポンドが七十万マルクに跳ね上がり、しかもインフレは無間地獄に陥ったように留まるところを知らなかった。

——そんななか、歓楽街で派手に金を使い、これ見よがしに遊興する一団もいた。

ベルリン在住の日本人たちである。

「あの頃、毎日、風紀課で話題になったのは、日本人連中の派手な遊びっぷりと、日本のブローカーや一部の金持ちによる土地・屋敷・美術品の買い占めだった。なんでもタクシーに二回乗るほどの日本円で娼館一軒を女込みで貸し切りに出来るというので、向こうの遊び人が歓楽街に群れ集い、そしてそこらを縄張りとするギャングに毟《むし》られて風紀課に泣きついてきたそうだ。……噂では日本大使館には風紀課の十倍の被害者が駆け込んだというが……清く貧しい警察内では、笑い話のタネだった」

「酷《ひど》い話です」

「そう、酷い話だらけの酷い年だった。ただ、その酷い時期に、日本人が、ベーリッツで何かおかしな動きをした——と、あの落書きはそれを伝えるためのものではないか? アンナが殺されたのと同じ方法で、同じ年ごろの日本女性を殺し、ベルリンで一番いかがわしい〝路地《パサージェ》〟の入口に捨てたのではないのか」

「それで何か発見は……」

「あったよ。二三年から二四年にベーリッツあたりで広い土地を買い占めたり。大きな屋敷を何軒も買い漁った日本人はいなかったかと、一日、土地家屋の登記簿や売買記録を調べまくった」

「相当あったのでは？」

「いや。そうでもなかったよ。なにしろ二三年の九月一日に東京で前代未聞の大地震が起こった。それで日本人のブローカーも大富豪も全財産を火事で失くして無一文になった。奴さんたちは大慌てでベルリンで買い漁った土地屋敷から美術品から、何もかも金に換えるとそれを抱いて、尻に帆掛けて帰国してしまった。

そうすると、二三年九月一日以降でも、なおかつベーリッツ辺りの土地や屋敷を買ったままにしている日本人に絞って、調べればいい。手間は百分の一になった」

「そして……見つけた……のですね」

「見つけた。ベーリッツ一帯での該当者はたった二人。ドイツ人と日本人の共同所有だ」

「それは……」

「ドイツ人の名はクリンゲン・メルゲルスハイム。日本人の名はユーザブロー・キザイ……日本式でキサイ・ジユサブローになるのか？」

「メルゲルスハイムか」

と、マスカード神父は口の中に飛び込んだ蛾を吐き捨てるように、その名を呟いた。

「神父さん、ご存じで？」

「結社に属さず単独で活動する魔術師です。噂ではかなり邪悪な真似をしているとか。……確かミュンヘン在住だったかと」

「日本人のほうは私が大使館に問い合わせた。騎西十三郎《キサイ・ジュサブロー》は宗教家らしい。本人が教祖のタイゲンとかいう新興宗教を運営していて、急激な宗勢拡大と教祖の破滅思想が問題視され、日本の内務省と治安当局に眼を付けられているそうだ」

「破滅思想の教祖と、邪悪な言動の魔術師の共同所有とは。……ここで……ベーリッツで何をしていたのでしょう」

マスカード神父は思わず十字を切った。

それを合図にしたかのように、不意にヨハンは足を止めた。

そして前方を指し示して言った。

「ここだ。これが教祖と魔術師の所有地だ」

マスカード神父がヨハンの示した方を眼で追えば、赤や黄に変色した林の中に、まるで四角く切り取ったかのように木も草も皆無な地面が曝《さら》け出されている。

「謎の詩句の一行目。――『混沌の中に静寂あり、闇の中に光輝あり』――その〝静寂〟とは林の中の、この、剝き出しの土地――木々の種類も様々な森林の中にたった一つ不自然に残された空白地域のことではないかな。マスカード神父、どう思います?」

「では、『闇はベーリッツの黄昏より生ず』の詩句は?」

「この空き地の近くにキサイという日本人が建てて放置したまま帰国してしまったという別荘があったそうだ」

「別荘……?」

「ああ。約三三〇平方メートルの土地に二二〇平方メートルの別荘が建っていたそうだ。別荘の名は日本語で黄《コウ》昏荘《コンソウ》。ドイツ語で言うとDie Villa der Dämmerungだ。……〝黄昏の館〟と言うような意味らしい」

「しかし、この辺りにそのような建物は見当たりませんが」

マスカード神父が訝しげに言った時、若い女の声が耳元で囁いた。

「蒼い時刻を……ルール・ブルーを嗅いでみて……とヨハンに言ってあげて……」

耳朶に息が吹きかかるのを神父は生々しく感じ、戦慄を覚えた。

女の囁きはさらに続く。

「……失われた時刻が甦ると……」

そのあまりの生々しさに、神父は、思わず声のしたほうに振り返った。

目を遣った向こうではヨハン・ヴィント刑事が驚きの表情を顔一面に張り付けて神父を見つめていた。

「今の声……聞いたか、神父さん。……今の声を……アンナの声が……」

「貴方にも聞こえたんですね、ヴィント刑事」

マスカード神父が問えば、ヨハンは何度もうなずいた。

「聞こえた。まるで私の耳元でアンナが囁いているかのように……はっきりと聞こえた」

「では……」

と、マスカード神父はポケットから密閉容器を取り出した。

「ああ、やってみるだけの価値はありそうだ」

ヨハンの言葉にマスカード神父は密閉容器の蓋を開いた。

用心深い手つきでガーゼを摘み、そっと鼻先に近づける。ルール・ブルーの香りを静かに吸い込むと、それを容器ごとヨハンに回した。

ヨハンも〝蒼い時刻《ルール・ブルー》〟の香りを吸い込んだ。

マスカード神父とヨハンは同時に眩暈《めまい》を感じた。

眼の前が暗くなる。

意識が遠ざかりそうだ。

（これが、詩句で言っていた〝闇〟か？　では、〝光輝〟は？　光は何処にある？）

遠ざかる意識の中でそう考えたマスカード神父の耳元で、アンナ・シュトレンベルクの――殺されたヨハンの婚約者の――声が、ノイズに干渉され、さらに大きくなったり小さくなったりを繰り返しながら聞こえてきた。

「……闇の中の光輝なんて……ありはしない。闇の中にあるのは……魔と邪悪だけ……あなたたちはそれを倒そうと追っていたはず……〈輝く闇《ルチエンス・テネブリス》〉を……」

アンナの声が消えるのと二人の姿が蒼く輝く闇の中に呑まれたのとは同時だったが、転移する感覚も、転移した先も、まったく異なっていた。

ヨハンは蒼い光の中を地上から天空へ向かって、下から上へ墜ちていく――かつてない感覚に叫び声をあげた。

マスカード神父は肉体がベーリッツの林にある空き地を前にしているのを感じながら、同時に意識が四個に分裂し、そのあるものは前方へ――あるものは右方へ――あるものは後方へ――あるものは左方へ滑っていくのを体感した。

（いかん……まだ生きているのに、私の意は魂を構成する幾つもの精妙体に分離していく。……このままではすぐに意識が光と同化する。……意識を集中するのだ。もっとも現実と接した精妙体に……アストラル体に……）

そう念ずるうちに神父の意識は蒼く輝く闇へと転移していった。

6

闇へ落下する感覚は唐突に終わった。代わってヨハンは秋の冷え切った空気を肌に感じ、敷居の石床の感触を靴の下に感じる。眼の前にはマホガニー材の頑丈なドアがある。不意にドアが開かれた。眩い光がヨハンの両目を貫く。前方から暖気と、秋の花の薫りと、ブランデーの香りが漂ってくる。さらに笑いさざめく男女の声も聞こえてきた。それらはヨハンを眼の前の別荘に招いているようだった。

「いらっしゃいませ」

ドアを開いた執事がヨハンに微笑んだ。ヨハンは何も答えず敷居を越えてドアの向こうへと進んだ。差し出された手にソフト帽とコートを渡した。そのまま前へ進むにつれて、暖気と音楽が静かにヨハンの身を包んでいく。

玄関ホールの前方は緩やかな階段で、赤い敷物が敷き詰められていた。何かの余興が終わったのか、眼の前を金の鎖に繋がれた驢馬《ろば》が、肩と太腿が露わな衣装の東洋女に引かれていく。その顔に見覚えがあるように感じて女にヨハンは眼を凝らした。女の横首が赤い。一瞬それが血に染まって大きく傷口を開いた切創のように感じてヨハンは身を固くした。ヨハンに横首を確かめさせまいとするかのように、女は歩を急がせるが、驢馬は歩みを早めず哄笑のような鳴き声をあげた。ヨハンがなおも女と驢馬を眼で追おうとするが、それは階段の裏に消えていった。改めてヨハンは階段に眼を凝らす。ニスの光沢がシャンデリアに映えた真新しい階段である。その手摺の前にも、中二階の踊り場にも、奥の広間から離れた男女がグラスを片手に立ち、何やら話し込んでいた。その中に前の同僚だったクレープスや、ほんの数日だけ同僚だったハンス・ハインツエの顔を見かけ、ヨハンは声を掛けようかとほんの数秒だけ迷った。だが、クレープスは手にしたグラスを一気に飲み干すと、次の酒を求めて立ち去ってしまうし、ハンスのほうは誰かに呼ばれたような様子で、駆け足で階段を上っていった。

(階段のほうにはもうそれ以上知った顔がないようだ)

ヨハンはそう考えると、料理と酒の匂いが漂ってくる奥の広間へ、また進みだした。進むにつれて談笑の声も音楽も一段と大きくなってくる。すでにパーティーは始まっているようだった。

＊

闇への落下から突然、マスカード神父は固いマットに叩きつけられた。衝撃でマットの表面が破れ、下方から金属の足が折れる音がした。

マスカード神父の顔面は綿埃《わたぼこり》の堆積にめり込んだ。まるで誰かに押し付けられたような感覚だった。

周囲に濛々《もうもう》たる埃がサウナ風呂の湯気のように立ち込め、神父は激しく咳き込んだ。

何処かから牛の声がして、干し草と家畜特有の臭いがする。鳴き声を耳にした神父の脳裏に、牛のイメージが細部まではっきりと浮かんだ。首に鈴をつけた茶色の牡牛だった。

(私は厩舎《きゅうしゃ》にいるのか?)

痛みに歪めた顔を上げて、マスカード神父は周囲の凄まじい埃に気づいた。

急いで鼻と口を押さえる。

一息置いて、埃と黴《かび》と薬品とハーブの入り混じった臭気がマスカード神父の鼻を襲った。

(確かに牛の鳴き声を聞いたように感じたが、ここは厩舎じゃない)

神父は耳を澄ませた。もう牛の声は聞こえない。

(気のせいか。……では、ここは何処だ？　まるで病院のような臭いだが、埃の溜まり具合を見れば何年も放置されているようだが)

白い光柱が床を照らしている。

廊下の五メートルほど前方に丸い天窓があり、そこから光がまっすぐ下方へ一本、まるで柱のように落とされているのだ。

身体の節々が痛かったが、神父はなんとか立ち上がった。

(ヴィント刑事は何処だろう?)

と思い、周囲を見渡した。

その時になって、神父は自分が広大な建物の廃墟にいることを知った。

見上げれば天井から剝げたペンキが、梅毒患者の瘡《かさ》のように垂れ下がっていた。壁もペンキが剝げて汚い床一面に散らばっている。

注意しながら神父は明るいほうへ向かって歩き出した。人の気配はまったくない。長い廊下がいつまでも続き、廊下の片側には大きな窓が並んでいる。

不意に廊下と反対のほうから乾いた音がした。

神父の心臓が喉元までせり上がった。

振り返れば、大きなドアが開放されて、その向こうの様子が見えた。

部屋は手術室だ。

壁のタイルが罅割れ、大きなライトと手術台、さらに手術道具の並んだワゴンが放置されている。埃だらけの床に笑気ガスの吸入器が落ちていた。今の音はどうやら自然にワゴンから吸入器が落ちた音だったらしい。

安堵した神父の右目の端で影が動いた。振り返る。そこに女が立っていた。赤いベレー帽から眩《まぶ》しいほど見事な金髪を溢れさせ、トレンチコートを着た若い女だ。

「えっ……」

と神父が驚いた瞬間、その鼻をルール・ブルーの香りがかすめた。

「貴女が……アンナ・シュトレンベルクですね。……ヴィント刑事の婚約者だった……」

アンナの霊は悲しげにうなずいて言った。

「ここは貴方の見るべき未来じゃない。それより、ヨハンを助けて。かれは半分、闇に囚われ……」

「なんですって?」

そう問い返した瞬間、マスカード神父の意識の中で白い絹手袋が閃いて、神父の意識は蒼く輝く闇の中へと落下した。

＊

パーティー会場の入口にヨハンが立つと、その場のすべての客と、ボーイやメイドが話すのを止め、一斉にヨハンに注目した。客の中に、さっき驢馬を引いていった東洋女がいるのを見つけたヨハンの心に疑問が湧いた。

(あの女は俺が「路地《パサージェ》」で見つけた日本人の女ではないのか)

そして、ヨハンは女の横首を注視する。

(間違いない。あれは死んでいた女だ。その証拠に、頸動脈が鋭い刃物で切られた痕跡《あと》があんなにはっきり残っている)

いかにも、女の横首には切創が大きな赤い口を開いていた。女が悲鳴をあげて横首を押さえた。だが、それより早く、傷口から血が噴き出した。切られた動脈からの出血は瞬間的に赤い霧となった。女の胸から上が真紅の靄に包まれた。パーティーの客たちが悲鳴を上げた。ヨハンはショルダーホルスターから拳銃を抜いて叫んだ。

「全員、その場を動くな。俺はベルリン州警察殺人課の者だ!」

と、不意に視界が蒼い光に包まれた。鼻先を香水の香りがかすめた。いつかヨハンがアンナに贈ったルール・ブルーの香りだった。

そして聞き覚えのある声が聞こえた。

「そろそろ潮時だな。ヴィント上級刑事、呪圏《スペルバウンド》から脱出しよう。これ以上いては君の命も魂も危ない」

「その声はハヌッ……」

そこまで言いかけた時、ヨハンの胸倉が純白の絹手袋をはめた手で摑まれた。

「お前は……」

ヨハン・ヴィントの視界で、タキシードの漆黒の袖口と、目に沁みるほど白いカフスが閃いて、次の刹那、ヨハンの意識は蒼く輝く闇のなかへ放り込まれていた。

7

明るいフロアで女の声がした。

「ヨハン・ヴィントさん、シュテファン・マスカードさん」

ヨハンとマスカード神父は同時に長椅子から立ち上がった。長椅子は壁を背にしていた。周囲はざわついているが誰もが声を抑えている。ヨハンと神父は肩を並べて受付カウンターに並んだ。事務員がカウンターの台に分厚い台帳を置いた。

「お待たせしました。もう二十九年も前の、しかもオーストリア兵士の記録という要望は滅多になくて、探すのに苦労しました。ベルリン州警察の御命令でなければ、すぐにお引き取り願っているところです」

「……」

ヨハンとマスカード神父は顔を見合わせた。

それに構わず事務員は紙片を挟んだページを開いて二人に指し示す。そこには人名と階級、そして傷病の名前と程度が走り書きされていた。

「こちらが第一次大戦中のオーストリア人兵士の入院記録です」

「入院記録だって？……オーストリア兵の？」

狐につままれた表情で神父が呟いた。

眉を寄せてヨハンが詰問する口調で尋ねる。

「誰がこれを私たちに差し出せと、君に言ったんだ」

「黒髪で長身の方ですよ。シルクハットを被って、タキシードにマントを羽織った、まるで高貴な方のパーティー帰りみたいな格好の……なんとなくハンガリー人っぽい容貌で……」

と言いかけてから事務員はハッとして上着のポケットを探った。

「そうそう、お二人が目を覚ましたら、こちらを渡してくれって手紙をお預かりしてました」

ヨハンは差し出された封筒を引っ手繰るように受け取ると、もどかしげに封を切った。

それを横目にマスカード神父は事務員に尋ねる。

「私たちは、いつから、あちらの長椅子にいたのでしょうか？」

事務員は困ったような笑みを見せた。

「さあ？　今言ったタキシードの紳士が『間もなく二人組が、この窓口にやって来て、あの長椅子に座ることになっている。刑事と神父の二人組だからすぐに分かる。二人は私と同じベルリン州警察の人間だから、かれらに頼んだ記録を見せて、この手紙を渡してくれ』と仰ったんです。それで、私が『困ります』と言った時には、もう紳士は消えていて、カウンターに、この手紙と米ドルで十ドル紙幣が……」

そこで事務員は口を押さえた。十ドルが賄賂《わいろ》に当たると思ったようだ。

「その十ドルは捜査協力費だ。州警本部から支給される金だから心配しなくていい」

手紙を読みながらヨハンがでまかせを言った。

安堵した事務員がカウンターから離れると、ヨハンは便箋をマスカード神父に渡した。

「これを見て下さい。今日、我々が体験した奇妙な出来事は、全て、あいつが予見したか——あるいは仕掛けたことだったらしい……」

「あいつとは？」

と訊き返した神父の手に手紙が押し付けられた。便箋からも封筒からも、ルール・ブルーの香りが漂っていた。

（蒼い時刻《とき》の香りか……）

眉をひそめてマスカード神父は便箋に眼を落とした。貴族の使うような贅沢な便箋には美しい筆記体で、あの人物の口ぶりと同じ気取った文章が、こう記されている。


この手紙を読んでいるからには、すでにお二方はこの世のものならぬ世界を覗き見、邪悪な存在に接して、それらから逃れ、懐かしの理性的世界に戻られたことであろう。

ヴィント刑事はすでにお気づきの様子だが、マスカード神父は未だ怪訝に思われていることと察せられるので、蛇足を承知でご説明しよう。刑事の体験したのは、かつてベーリッツの杜に黄昏荘《トワイライト・ヴィラ》なる別荘を建て、そこに祭儀場《テンプル》を設けて黒魔術を行なったクリンゲン・メルゲルスハイムと騎西十三郎が、アストラル界に築いた呪圏《スペルバウンド》だ。

呪圏《スペルバウンド》は、全盛期——ドイツや日本や中国やヨーロッパ各国、さらにアメリカ合衆国の黒魔術師が集った頃の黄泉荘そのままに設定しておいた。

つまりヴィント刑事が黄昏荘で会った執事や客は当時、黒魔術結社《ブラック・ロッジ》の集会に集っていた連中の影なのだ。だから、その中に刑事が見つけた死体の女がいたのも当然のことなのだ。

ちなみに女を始末して「路地《パサージェ》」に捨てたのも、死体をヴィント刑事が見つけるよう仕向けたのも、この私だ。女は、ジュサブロー・キサイなる黒魔術師が日本で興した宗派《カルト》——黒魔術結社の一員だった。すでに何人もの嬰児や幼児を残酷な方法で生贄《いけにえ》にしてきた外法《げほう》使いなので、君が気にすることはない。すでに事態はヴァイマール共和国の正邪も、この世の正邪も超越しているのだ。

さて、マスカード神父。ようやく君の話ができる。君が迷い込んだのは現在のベーリッツ治療所ではない。あれは六十年か七十年の未来のベーリッツ治療所だった。いずれ世界は再び血塗られ、炎に焼き尽くされる時代となる。その炎を点じ世界に血を流させるのは我がドイツである。これは既定の運命だ。神父が足を踏み入れた廃墟こそ、我がドイツの未来の姿に他ならない。こう書くと主に仕える神父はさぞ不快に感じられるだろう。あるいは未来は既に決まっているものではなく、人間が切り開くものだと反論するかもしれない。だが、これは宇宙意志なのだ。世界はいま一度、先の大戦を遥かに凌ぐ世界大戦を体験する。そして、それによってベルリンもドイツ国内の主要都市も、ベーリッツ治療所の未来と同じように、無残な廃墟と化すのだ。それを神父に知って頂きたかった。

同時に、すでにヴィント刑事もマスカード神父も、この世ならぬ巨大な二つの勢力の戦いに巻き込まれ、その戦いの駒として、君たちの意思に関わらず、神父と刑事はチェス盤に並べられたのを知り、それを運命として受け入れて頂きたい。

そして、今まで記した文章が、神秘主義者の戯言《たわごと》か、真の福音なのか、今後我が国で起こることをしかと見据えたのちに、結論を出し、我々と共に戦うかどうか決めてほしいと思う。

さて、そこでお二方が見るべきは、悪魔の使徒どもの築いたおぞましい呪圏《スペルバウンド》でも、六十年か七十年後の未来でもない。

ほんの九年前の過去だ。同時に明日から始まる未来だ。前置きが長すぎたようだ。事務員に命じて用意させたベーリッツ治療所が前大戦の傷病兵の医療施設だった頃の記録を見たまえ。オーストリア兵でベーリッツに収容された兵士の名前を確かめるのだ。

私が日本人の外法使いを殺した直後、壁に日本語の呪句が二行浮かび上がった。あれはキサイとメルゲルスハイムと、二人の指導で活動する〈輝く闇《ルチェンス・テネブリス》〉の黒魔術師が焼き付けたものだ。

呪句を思い出せ。

闇はベーリッツの黄昏より生ず。

Dunkelheit entsteht aus der Dämmerung von Beelitz.

混沌の中に静寂あり、闇の中に光輝あり。
Es gibt Stille im Chaos und Glanz in der Dunkelheit.

いかにも世界を覆う闇はベーリッツより生じた。そして、世界は静寂に包まれながらも混沌の坩堝《るつぼ》で煮えたぎっている。そして人々が闇を光輝と妄信する時代は間もなくやって来る。

オーストリア人傷痍兵の名簿を確認せよ。その中に君たちは黒魔術結社《ブラック・ロッジ》の傀儡《かいらい》であり同時に〝秘密の首領《シークレット・チーフ》〟である男の名を見出すだろう。

我が同胞よ
世界が行きすぎぬうちに
またお会いしよう

エリック・ヤン・ハヌッセン
White Lodge

手紙を読み終えたマスカード神父は顔を上げた。見れば、ヨハンは、事務員の示した箇所を凝視している。その顔は紙のように蒼白だった。


「どうしました?」

只ならぬヨハンの様子に驚いて神父も、オーストリア人傷病兵名簿を覗き込む。ヨハンは震える手で一人の名を人差し指で示した。

その名を読んだ神父は、

「まさか。吹けば飛ぶような弱小政党の幹部で、元政治犯ではありませんか。貴方の言う所の軍服フェチの親玉。サル山のサルにすぎない男ですよ」

と失笑した。

名簿の男が世界を血に沈め、炎で包ませるなど、最も実現性のない悪夢と思われたのだ。

「そうだな」

とヨハンも苦笑をぎこちなく拡げていった。

「まさか、あいつが我がヴァイマール共和国の主要都市を廃墟にするなんてな。……今度、ハヌッセンに会ったら言ってやろう。寝言は寝てから言えと」

そしてヨハンは名簿に記された男の名を弾いてみせた。

その男――。

アドルフ・ヒトラー伍長の名を。

◆参考文献（順不同）
「ベルリン廃墟大全」キアラン・ファーヘイ著　梅原進吾訳（青土社）
「［新装改訂版］ベルリンガイドブック」中村真人（ダイヤモンド社）
「倒錯の都市ベルリン 1918-1945」長澤均＋パピエ・コレ（大陸書房）
「ヴァイマル イン ある時代のポートレート」マンフレート・ゲルテマーカー プロイセン文化財団映像資料館編　岡田啓美・齋藤尚子・茂磯保代・渡邊芳子訳（三元社）
「ベルリン 1923-1927　虚栄と倦怠の時代」平井正著（せりか書房）
「ベルリン 1928-1933　破局と転換の時代」平井正著（せりか書房）
＊以上各書の著編訳者の皆様に感謝いたします。（作者）

怪奇幻想映画レビュー

因果が巡る物語を作り続けるアイザック・エスバン監督に注目せよ

斜線堂有紀

※このレビューには『パラドクス』『ダークレイン』『パラレル　多次元世界』『イビルアイ』のネタバレがありますが、ネタバレをしても楽しめるレビューになるよう心がけています。

アイザック・エスバン監督は素晴らしい作品を生み出す気鋭の映画監督だが、日本ではあまり知られていない。一番有名なのは、特定のシチュエーションから出られない人々の数奇な運命を描いた作品『パラドクス』だろうか。

私はアイザック・エスバン作品を愛する理由の一つに、彼がとにかく同じモチーフにこだわり、同じ構造の映画を生み出し続けていることを挙げる。彼の映画はとにかく〝因果〟というものにこだわっているのだ。彼の世界の中では自分が行ったことは必ず自分に返ってくるのであり、例外は無い。作っている作品自体が強い怪奇性を宿しているのもあって、これはもしかすると何かしらの呪術なのではないかとすら思ってしまうくらいだ。今回はストレートな幻想怪奇譚である最新作『イビルアイ』に至るまでのアイザック・エスバン作品を追いつつ、彼の不可思議な世界を纏《まと》め上げる法則について語りたい。そして、日本で更にアイザック・エスバン監督の作品が注目されることを願う。このレビューの性質上ネタバレを含むので、気になる方はここで留まってほしい。だが、アイザック・エスバン作品の良さは実際に観ることでしか味わえないので、筋に触れていても楽しめることは約束しよう。

さて、先述した『パラドクス』は、特定のシチュエーションに閉じ込められた人物がそこからの脱出を試みるという筋立ての映画である。冒頭から同じエスカレーターに乗り続けているウエディングドレス姿の老婆が映し出され、得も言われぬ不穏さを演出する。他にも登っても登っても上にたどり着けない非常階段や、進んでも終わらない高速道路など、人間が絶対に閉じ込められたくない無間地獄が満載だ。恐ろしいのは、そのループが十年以上のスパンで描かれ「生活」すら生まれるほどになってしまうことだ。この容赦の無いループ描写が、観客の心を冷静でいられなくさせる。

この過酷なループな恐怖は極めて理不尽に感じられる。しかし後半になって、この理不尽な地獄に閉じ込められた原因が他ならぬ自分達の行動であり、この理不尽が〝因果〟によるものだと明かされるのだ。この言葉自体に嘘は無いのだが、正しく結末を予想することは出来ないはずである。この結末こそが、アイザック・エスバン監督の非凡な発想力を証明している。そうして作品の全体が因果の理によって貫かれた瞬間、理不尽な恐怖が映画としてまとまるのだ。

次に触れたいのが『ダークレイン』である。これは新種のパンデミックホラーのような作品で、謎の雨により全ての人間の顔が同じおじさんの顔に変化するという怪現象を描いている。全ての人間の顔が同じものになる病、というのはなかなか無い発想である。この怪現象を巡って、バスステーションに閉じ込められた人々が疑心暗鬼に陥っていく。言ってしまえばこの映画の黒幕は異星人であるのだが、異星人が何故こんなことを起こしたのか——異星の彼らの意図が、バスステーションに閉じ込められた人達の行動と奇妙にシンクロするのである。もし閉じ込められ、雨に侵された人達があんな行動をしない人間であるならば——と、考えると、これも因果の物語なのである。

続く『パラレル　多次元世界』はもっと直接的に因果を描いた作品だ。ストーリー自体は極めてシンプルである。崖っぷちのベンチャー企業を運営している仲間達四人が、平行世界に行くことの出来る不思議な鏡を手に入れる。彼らはその鏡を使って平行世界に向かい、そこの発明品や芸術作品などを盗作することによって莫大な富を手に入れることになるのだが……。この映画は平行世界の楽しみ方が自由で明るく、観ているだけで楽しい。ああ、無限に広がる平行世界へと自由に旅が出来るなら、たしかにこんなことも出来るな、と膝を打たせてくれるのが楽しい。そして彼らは、自分たちが楽しんだ分だけの報いを受けるのだ。

こうして人間の因果応報を執拗に描き続けるのは、恐らくアイザック・エスバン監督の非凡な展開を観客にスッと受け容れさせる為だろう。理不尽に降りかかる災厄を納得させ、真正面から恐怖に対峙させるのだ。

そして満を持してアイザック・エ

スバン監督が世に送り出したのが『イビルアイ』だ。

『イビルアイ』は、ここのコーナーで扱うに相応しい素晴らしい怪奇譚である。今まで一風変わった恐怖を描き続けてきた監督は、ここでとても馴染み深く古くから描かれてきたモチーフ〃魔女〃を扱う。しかしそれは監督が今までこだわり続けた〃因果〃を軸にした、今までにない個性的な魔女だ。

主人公の少女・ナラは奇妙な病気にかかった妹のために、不気味な祖母が暮らす田舎の村にやってくる。医者ですら打つ手のない奇妙な病を何故かその村で治せる——というだけでもかなりおかしいのに、村の人間の態度は怪しく、両親も普通じゃない。おまけに、こういう物語だと最初はまともな振りをするのが定石だろうおばあちゃんは出会い頭からおかしく、これで何もなかったらそっちの方が怖いと思うようなトップギアぶりである。おかしなおばあちゃんに怯えるナラは、この村に伝わる魔女伝説を聞く。かつてこの村には魔女が存在し、三姉妹は病気の末妹を救うためにその魔女の力を借りてしまった——。

ここで勘の良いナラは、自分たちの状況と魔女伝説が極めて似通っていることに気づく。即ち、病気の妹とそれを救うために魔女の家にやってくる姉、不気味な魔女である祖母……。邪悪な魔女はやがて姉妹に牙を剥き、呪いをかける。ナラは伝説と同じ末路を辿らないように、祖母の正体を暴こうとするのだ。

閉鎖的な村を舞台にした魔女伝説、という筋立ては古典的でオーソドックスなホラーである。だが、ここにアイザック・エスバン特有の「因果」のエッセンスを加えたことで『イビルアイ』は今までに見たことのない特別な魔女ホラーへと進化を遂げているのだ。

魔女伝説はこのように続く。病気の妹を人質に取られたと気づいた姉たちは、魔女を殺すことに決める。彼女達は苦労の末に魔女を殺すが、死に際の魔女は彼女達に呪いをかける。その呪いがこの映画の因果を強める、物語をループさせる呪いなのである。呪いの詳細を知った時は、恐らくこの呪いがどういった意味なのかを正確に把握することは出来ないだろう。だが、アイザック・エスバン監督がどんな作品を作るか——彼が同じモチーフを繰り返し用いているかを知っていれば、この呪いを使って彼が何をしようとしているかがわかる。

そして後半には、当初の魔女ホラーの空気感は残しつつ、全く違った縦軸が展開される。即ち、魔女伝説と因果を掛け合わせることで、推理によってこの物語を解体することを可能にするのだ。

私が『イビルアイ』を観た時に感動したのは、それが極めて素晴らしい魔女ホラーとして成立していたからだけではなく、アイザック・エスバン監督ならここにモチーフを掛け合わせ、更に捻った物語を作ってくるだろうと映画の外側の情報まで使って観客に期待させてくれるのだ。これこそが作家性の素晴らしい使い道だろう。

巧みなことに、彼は因果応報という一貫したテーマを用いながら、自分の作品が緩やかに繋がっていることも示唆している。『ダークレイン』では『パラドクス』の一件が取り沙汰され『パラレル　多次元世界』は直接的に他の世界と繋がる術を示す。そう考えると『イビルアイ』の呪いの性質は『パラドクス』の世界の仕組みに似ている。他の映画と構造からリンクさせることによって深みを増していくのが、アイザック・エスバン監督の手法なのだ。

新たな作品を生み出す度に過去の作品にまで影響を及ぼす。それがアイザック・エスバン監督作品なのだ。この作品世界自体が、何より幻想怪奇的なのだと思う。というわけでまずは最新作『イビルアイ』から遡り、アイザック・エスバンと因果を繋ごう。

『イビルアイ』日本公開時ポスター

パラドクス（El incidente　二〇一四年メキシコ）監督・脚本：アイザック・エスバン　主演：ウンベルト・ブスト、エルナン・メンドーサ、ラウル・メンデス　配給：AMGエンタテインメント

ダークレイン（Los Parecidos　二〇一五年　メキシコ）監督・脚本：アイザック・エスバン　出演：ルイス・アルベルティ、フェルナンド・ベセリル、ウンベルト・ブスト　配給：AMGエンタテインメント

パラレル　多次元世界（Parallel　二〇一八年　カナダ）監督：アイザック・エスバン　脚本：スコット・ブラザック　出演：アムル・アミーン、マルティン・ヴァルストロム、ジョージア・キング、マーク・オブライエン　配給：日活

イビルアイ（Mal de ojo　二〇二二年メキシコ）監督・脚本：アイザック・エスバン　脚本：ジュニア・ロザリオ、エドガー・サン・フアン　出演：オフェリア・メディーナ、パオラ・ミゲル、サマンサ・カスティージョ　配給：AMGエンタテインメント

怪奇幻想短編の愉しみ

華氏九十二度

レイ・ブラッドベリ「熱気のうちで」ほか

木犀あこ

華氏九十二度。摂氏にしておよそ三十三度である。

暑さのピークが過ぎたころの気温か、わりと涼しいほうだな。と思ってしまったのは、ここ最近の「沸騰する」夏に感覚がやられているせいなのかもしれない。しかし、摂氏三十三度といえば猛暑日に迫る気温、それこそ全身が干上がってしまうような暑さである、本来であれば。

身体に異常をきたすほどの温度であれば、頭がおかしくなっても不思議ではない――とブラッドベリは考えたのであろう。「熱気のうちで」には「殺人事件というやつは、華氏九十二度のときに起こるのが一番多い」という一節がある。この気温のところに刺激感受性の頂点があり、あらゆるものがいらだちのタネになって、発作的に殺人を起こしてしまう……らしい。

作中ではこの奇妙な理論を掲げる老人二人が、傍若無人で攻撃的な女のもとへとやってくる。老人二人はもと保険の外交員で、自ら死に向かっていく人々を助けるべく活動しているのだと語った。女はあまりにも周囲の人につらく当たりすぎている、そんなことではいつか「潜在的殺人者」に殺されてしまうぞ、と。まして、今日のような酷暑の日にはそのリスクが跳ねあがるのだ。しかし女は老人たちの話をまともに取ろうとしない。老人のひとり、フォックスに対してひどい悪態をついて、追い返そうとするのだ。その悪態にふと理性を失ったフォックスは、ステッキを振り上げて女を打ち据える。そのときに寒暖計が示していた温度が、ぴったり華氏九十二度というわけだ。

この短編にはまだ続きがあるが、それにしても、華氏九十二度ぴたりのタイミングで老人が凶行に及ぶあたりが不気味である。しかも、「華氏九十二度がもっとも殺人が起きやすい」という持論を展開していたフォックス自身が狂うのだ。もう一人の老人、フォーはあくまでも傍観者で、フォックスが自縄自縛に陥《おちい》っていく様を呆然と見ているしかない。フォックスの理性を失わせたのは、抗《あらが》えない外的要因――自身の善性すら蕩《とろ》かしてしまうような猛暑そのものであったのだろう。

しかし、「暑い日には殺人事件が起きやすい」という理論は本当にあるものなのだろうか。アメリカでは犯罪発生件数が八月にピークを迎える、というデータもあるようだが、これは気温以外のさまざまな要因も関係していそうだ（冬場は路上賭博の検挙数が少なくなるなど）。気温の上昇——暑さが犯罪を引き起こす直接の要因となるかどうかは証明のしようがないのだろうが、個人の体感として、ひとつ言えることがある。「暑い」のは「腹が立つ」のだ。苛立ち、という言葉でしか表現しようのない感情が、そこにはある。

人は不思議と、寒さには腹を立てることがない。身を切るような空気、動きすら鈍らせる寒風にさらされると、「ごめんなさい」という気持ちになってしまう。縮こまっているしかないし、なんとなくみじめだ。だが暑さは腹が立つのである。外に出た瞬間に噴き出す汗、焼き殺しにかかっているんじゃないかと思える日差し。しかも今の日本には秋というものがない。九月、十月、立秋、彼岸、どこ吹く風で夏はいつまでも居座り続ける。昨年などはさすがに夏がしつこすぎて、「いつまで暑いんだよ！」と十月末まで腹を立てていたものだ。

あの感情は何なのだろう？　寒さ同様、自分自身ではどうにもできない外的要因のはずなのに、暑さに対してはめちゃくちゃ腹が立つのである。そのいらだちが他人に向けば、血を見るような事件だって起こりえるかもしれない。だからこそ酷暑のさなかには、そんな潜在的殺人者の怒りを刺激しないよう、黙って大人しく生活するべきである——のか？　でも馬鹿みたいに暑い日には外も出歩きたくないよなあ、そもそも空調の効いた部屋から一歩も動きたくないから人にも遭わないしな、と考えてしまうのは、私が引きこもり体質だからなのか、それとも幸いにして潜在的殺人者体質ではないからなのか。沸騰する暑さは、殺人者たちの悪しき衝動すら溶かしてしまうものなのかもしれない。

が、狂気はそれとわかりやすい形でやってくるものばかりではない。ぎらぎらと肌を刺す熱気が、知らない間に理性に繋がる神経を焼き切っていたのだとすれば。酷暑の小説、と聞いて誰もが思い浮かべるハーヴィ「八月の炎暑」は、そんな不気味さを見事に表現している。

鉛筆画で細々と生計を立てている画家が、ある暑い日に、一枚のスケッチを描き上げる。山のような巨体をした男が、法廷で判決を告げられたばかりの絵。男が何の罪を犯したのかは画家本人にもわかっていないようだが、男が軽くない罪を言い渡されたであろうことは、絵の様子から察することができる。満足感を抱え、散歩に出かける画家。街は暑い。どこをどう歩いたか、記憶すら曖昧《あいまい》になっていく。

そうして画家はふらふらと、何かに惹かれるように墓石掘りの男の家の庭へと入っていって、そこで奇妙なものを目撃するのだ。自分がスケッチに描いた、あの山のような巨体の男の姿。そして自分自身の名が刻まれた墓石と、そこにまた刻まれていた自分の生年月日、そして没年の日付。没年の日付はまさに、冒頭に記されていたこの手記の中の日付と合致している。

まあ……気味の悪い、偶然というやつだ。

墓石掘りの男は気のいい職人気質で、日付が変わるまではうちにいればいい、と画家を家に招き入れてやる。午後十一時、画家は男の家の机で「この手記」を書きながら、墓石掘りの男が鑿《のみ》の刃を研ぐ音を聞いているのだ。そうして、手記は唐突に終わる。この後に起こることを容易に悟らせるような、短い一文で。

とにかく暑さ、それによる熱気というものは、私たちの平々凡々とした日々を歪ませてしまうらしい。熱源のそばに置かれたプラスチック製のボウルが、ぐにゃりと溶けてしまうように。そして熱とは、外から身体を焼くものばかりではないのだ。私たちの内側から、あらゆる内臓を焙《あぶ》る熱だってある。発熱——感染症による体内の防御反応もまた、人ひとりが抱える酷暑に他ならないのだから。

都筑道夫「熱のある夜」の物語は、一本の電話から始まる。親友が危篤だから、すぐに向かえとの知らせを受けて、語り手は重い身体を起こす。風邪を引いて、ひどく熱っぽい。だが増山は美術大学の同窓生で、ずっと仲良くしていたのに——ささいなことから仲たがいをして、疎遠になってしまっていた相手だ。このままわだかまりを残したまま、死なれてはたまらない。そう考えながら、語り手は増山の家を目指す。ふらつきながら見つけた親友の家は、おかしいくらいの豪邸で、人がいる気配もしなかった。主人が危篤というのだから、家族総出で病院に行っているのではないか。なぜ知らせを受け取ったときに、そのことに思い至らなかったのだろう?

熱い身体を引きずって、語り手はまた歩き出す。歩き、倒れ、手足がばらばらになりそうな痛みに耐えて起き上がり、激しく咳き込む。こうなったら、危篤の親友どころではない。ぼやける意識の中、語り手はようやくのことでタクシーを拾い、自宅へと戻る——。

文庫にしてほんの六ページほどの場面だが、これがまた生々しい筆致で描かれているのだ。高熱を出しているときの関節の痛み、喘鳴《ぜんめい》、ふやけたような意識までもが蘇ってくる心地がする。自宅に戻った語り手はその後、増山の危篤の知らせが「勘違い」であったことを知り、眠りにつくのだが……。

　次に目覚めたとき、語り手の意識は妙に鮮明になっている。そして妻から「増山がほんとうに危篤である」知らせがあったと伝えられ、こう言い放つのだ。

「よそう。こんなときに出かけなくても、間もなくむこうであえるだろう」――と。

「八月の炎暑」の画家は、自身の死を予見した。「熱のある夜」の語り手も同様である。すさまじい熱気が歪ませるものは、私たちの理性――本来はぐちゃぐちゃで、意味をなさない塊であるはずの現実を、鮮明な物語として見せてくれる心の眼鏡――そのものなのだ。

　熱に蕩かされた人間は朦朧《もうろう》とし、つながりのある思考を失い、歪みきった世界に到達してしまう。渦巻くように歪んだ自我が見る現実は、もう今までのわたしが見る世界ではないのだ。自己の変容はすなわち、世界そのものの変容でもある。あるものは口汚い女にステッキを振り下ろす。あるものは、脳天に鑿を食らう。鑿を振り下ろしたものもまた、熱によって変容した現実をさまよっている。そして内側の熱に焼かれたものは、現在と未来、その時系列すら曖昧にした世界に沈み、目を閉じる。

　暑さは、熱は、くるいを生み出すのだ。自己の視点のくるい。世界のくるい。主観にも客観にもそのくるいが生じているならば、もはや「正気である自分」のいる場所など残されてはいない。

　昨年の夏は暑かった。この地上は、どんどん暑くなっている。外側から、内側から、私は神経を焼く熱にさらされ続けている。炎暑を経たこの自分自身が、今までどおりの世界を見ているかどうか、確かめるすべを持たずに。

「頭を冷やそう」

「そうだ。いまこそ、オレンジ・ソーダの必要なときだ」……。

【紹介作品】
レイ・ブラッドベリ「熱気のうちで」宇野利泰訳『10月はたそがれの国』創元SF文庫
W・F・ハーヴィ「八月の炎暑」宮本朋子訳『エドワード・ゴーリーが愛する12の怪談』エドワード・ゴーリー編　河出文庫
都筑道夫「熱のある夜」『都筑道夫恐怖短篇集成1　悪魔はあくまで悪魔である』ちくま文庫

生贄の門

マネル・ロウレイロ　宮﨑真紀訳　新潮社　九五〇円（税別）

〈評〉植草昌実

装画：いとうあつき

　この二〇二四年、スティーヴン・キングは作家生活五十周年を迎える。その間に発表した数々の作品は、多くのホラー作家に影響を与えていることだろう。たとえば『フィッシャーマン　漁り人の伝説』（拙訳　新紀元社）のジョン・ランガンは、キングからの影響を自ら語っている。

　スペインのホラー作家マネル・ロウレイロの、邦訳では二作目になる本書にも、著者自身が語ってはいないが、キングからの影響が感じられる。まずは登場人物の造形だ。主人公である治安警備隊（国軍所属の警察組織）捜査官のラケル・コリーナや、彼女の幼い息子フリアンをはじめ、誰もが極端さや類型を感じさせず、実在感をもって描かれている。こと、ラケルの転勤先、小村ビアスコンでの同僚、陽気な巨漢ファン・ビラノバは、キングの作品に登場しても違和感を感じることがなさそうだ。

　ラケルとファンが追うのは、村はずれの山にある古代の巨石建造物で行われた儀式めいた殺人。フリアンの難病を治療するはずだった治癒者《ヒーラー》と被害者との関連にラケルは気づくが、奇怪な事件が続発して捜査を阻む。怪異を描きながらも現実的なところもキングの作風を連想させるが、本作は捜査官が主人公なだけに、謎解きの要素も盛り込まれており、ミステリとしての興味でも読者を惹きつける。

　さらに、土着の信仰が深く関わるあたりは、アーサー・マッケンの諸作を想起させる。恥ずかしながら、評者はスペインにもケルト伝承が伝播していたことを、本書で初めて知った。さらに、風間賢二氏の解説にあるように、ラヴクラフトの作品を連想させる場面もある。

　キングのファンであれば、相似する要素や明らかなオマージュに笑みを浮かべつつ読むことだろう。古典ホラーの愛好者なら、マッケンを連想し、ラヴクラフトを思い出しながら楽しむはずだ。だが、もっとも楽しめるのは、やはり作者のオリジナリティを感じさせる部分だ。それは無駄のなく密度の高い作劇や、恐怖やサスペンスを邪魔しないほどよいユーモアや、能天気なハッピーエンドとも、凡庸なホラーにありがちな後味の悪さとも無縁な結末の付け方から見てとれる。

　本作だけでいえば、ロウレイロを「スペインのスティーヴン・キング」と呼ぶことは率直な賛辞となるだろう。次の作品の邦訳を待つ間に、不覚にも見逃していた初の邦訳作『最後の乗客』（高岡香訳　オークラ出版）を読んでおこう。

ラヴクラフト・カントリー

マット・ラフ　茂木健訳　東京創元社　一六〇〇円（税別）

〈Reader’s Review〉長尾竜之

装丁：山田英春

ブラック・ライヴズ・マター運動に後押しされるように、二〇一六年、アメリカの怪奇幻想小説界に画期的な作品が二作登場した。ひとつは、ウガンダ出身の移民の母を持つヴィクター・ラヴァルの『ブラック・トムのバラード』（藤井光訳　東宣出版）。人種差別主義者ラヴクラフトへの愛憎入り混じる思いとともに、黒人の視点でラヴクラフトの短編「レッド・フックの恐怖」を語り直した作品だ。そしてもうひとつが、白人のマット・ラフによる本書である。

舞台は一九五四年のアメリカ。緩やかにつながる九つの章で構成された物語が展開する。二〇〇年にわたりアメリカでひそかに活動しつづける秘密結社の奇怪な魔術儀式を描く第一章で、読者は作品世界に引きこまれ、強烈なポルターガイスト現象が襲ってくる幽霊屋敷の物語の第二章で迫力に圧倒され、シカゴの自然史博物館の秘密部屋に魔術で隠された書物を探す第三章に手に汗握り、謎の天文台に設けられた異星に通じるドアをくぐる第四章では驚異の旅を味わい……と、読みだしたら最後までやめられないことだろう。そして各章の主人公は、朝鮮戦争から帰還した兵士、その父、兵士の伯父、兵士とは幼馴染の娘とその姉、伯父の妻と息子。全員、黒人だ。つまり本書は、一九五四年という黒人差別が激しい時代をたくましく生き抜く黒人たちが、怪奇と驚異に満ちた出来事に堂々と向かっていく物語なのである。黒人たちにとっては超常現象より差別がもたらす敵意だらけの現実のほうがはるかに恐ろしい。だからこそ、奇怪な魔術や強烈なポルターガイスト現象を前にしても、一切ひるむことはないのだ。

本書のすべての物語の底には、差別される側に寄り添う作者の思いがある。だからこそ読み終えたとき、『ラヴクラフト・カントリー』という題名がざらりと心に残る。作者はラヴクラフトを怪奇と驚異の象徴として取りあげつつ、彼が人種差別主義者だった事実をその題名に込めた。〝ラヴクラフト・カントリー〟とは、主人公たちが怪奇と驚異の冒険を繰り広げる地であり、ラヴクラフトが抱いていたような人種的偏見を浴びせられる地でもあるのだ。

作者は二〇二三年二月に、一九五七年を舞台にした本書の続編を発表している。黒人差別をなくす公民権法制定の一九六四年までを、数冊かけて描いていくそうだ。このシリーズ、次作以降もぜひ翻訳してほしい。

『ユドルフォ城の怪奇』に続く邦訳
アン・ラドクリフ『森のロマンス』

ホラー、ミステリ双方の原点である〈ゴシック小説〉の中でも名高い『ユドルフォ城の怪奇』完訳版が、作品社から刊行されたのが二〇二一年。二百年以上昔の小説だから長いばかりで退屈では、という先入観をあっさり打ち壊したのは記憶に新しい。そして二三年秋、同社は続いてラドクリフの出世作といわれる『森のロマンス』を本邦初訳で刊行した。訳者は『ユドルフォ城…』と同じく三馬志伸氏。

パリから逃亡した夫妻が悪漢に押しつけられたのは、囚われの美少女。三人は森の僧院に身を隠すが——。

装丁：水崎真奈美（BOTANICA）

吸血鬼文学の名作、続々と新訳！

「求ム、ヴァンパイアハンター!!」の宣伝の下、光文社古典新訳文庫が三点を連続刊行。ゴーティエ『死霊の恋／化身』は、『新編　怪奇幻想の文学3　恐怖』でモーパッサンを訳した永田千奈氏の新訳。ストーカー『ドラキュラ』の新訳者・唐戸信嘉氏には著書に『ゴシックの解剖——暗黒の美学』（青土社）あり。そして『カーミラ　レ・ファニュ傑作選』は『幻想と怪奇』の読者にはお馴染み、南條竹則氏の新訳。時を同じくして丹治愛『ドラキュラ・シンドローム』（『ドラキュラの世紀末』改題）が講談社学術文庫から。吸血鬼ファンはお見逃しなく！

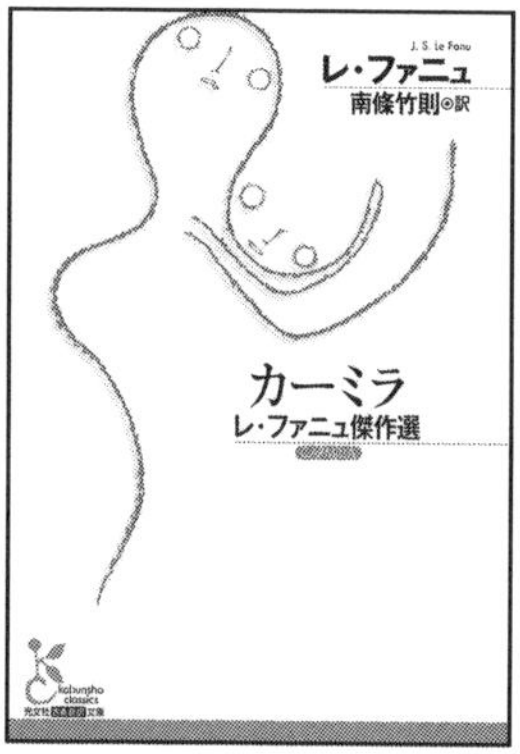

装画：望月通陽　装丁：木佐塔一郎

甦る幻の伝奇ミステリ
アクロイド『魔の聖堂』白水社から

一八世紀初頭、大火後のロンドン再建計画が進行する中、異端の建築家ダイアーは七つの教会に何を仕掛けたのか？　そして、二五〇年後に発生した連続少年殺人事件の手掛かりは何処に？　英国の首都は時間と空間の迷宮に一変する——昨年一一月、『幻想と怪奇14』巻頭の「ロンドン怪奇小説地図」に取り上げた、編集室M偏愛の英国伝奇ミステリ、ピーター・アクロイド『魔の聖堂』（矢野浩三郎訳）が同月に白水社Uブックスに。デヴィッド・ボウイも愛読した傑作を、ぜひこの機会に。

装画：W.ブレイク『獣の数字666』

本書の寄稿者（五十音順）
（括弧内の数字は掲載頁）

相川英輔《あいかわえいすけ》（204）
小説家。福岡市在住。近著は『黄金蝶を追って』、『ハンナのいない10月は』など。最近、なぜか少し目が良くなって、夜空の星がよく見えるようになりました。

朝松健《あさまつけん》（216）
伝奇ホラー作家。代表作に『妖臣蔵』（光文社）、『血と炎の京』（文藝春秋）、『一休どくろ譚異聞』（行舟文化）。伝奇と怪奇幻想小説の極北を独り歩む。連作〈ベルリン警察怪異課〉は『邪神帝国』につながる物語だが、それ以上にベルリンという都市を城に見立てた〝ゴシック・ストーリー〟である。今後の展開をお楽しみに。

伊東晶子《いとうあきこ》（16）
翻訳者。主な訳書にクレア・A・ニヴォラ『世界のまんなかの島〜わたしのオラーニ〜』（きじとら出版）、『M・P・デア怪奇短編集』（私家版）がある。翻訳同人誌「翻訳編吟」同人。

井上雅彦《いのうえまさひこ》（132）
小説家。星新一ショートショートコンテスト受賞を経てデビュー。『夜会 吸血鬼作品集』（河出書房新社）、『夢魔の幻獣辞典』（角川ホラー文庫）などホラー、幻想怪奇の分野を中心に著書多数。自ら企画監修をつとめる書き下ろしアンソロジー《異形コレクション》（光文社文庫）は、最新刊の第56巻『乗物綺談』が好調発売中。
なお、近く新紀元社から刊行される幻想怪奇短篇集『心霊遊戯』（仮題）が、自著としての最新刊となる予定。

植草昌実《うえくさまさみ》（36／174）
『ねじの回転』の映画化作品、ジャック・クレイトンの『回転』（一九六一 英）から得たひらめきを、「モード＝イヴリン」の訳文に反映させてみました。この作品の〈奇妙な味〉が伝えられれば、と願うばかりです。

渦巻栗《うずまきくり》（64）
先日、ブラックウッドの自伝『Episodes Before Thirty』を読んだのですが、「ジョーンズの狂気」に登場するような、ある種の超然とした態度や輪廻転生に関しても記述があり、とても興味深い一冊でした。そのうち訳したいと思います。

熊井ひろ美《くまいひろみ》（89）
翻訳者。主な訳書にシーバリー・クイン『グランダンの怪奇事件簿』、ルーパート・ペニー『密室殺人』（共に論創社）、コリン・ディッキー『ゴーストランド 幽霊のいるアメリカ史』（国書刊行会）がある。

斜線堂有紀《しゃせんどうゆうき》（250）
小説家。著書に『キネマ探偵カレイドミステリー』『神神化身 壱 春惜月の回想』（共にKADOKAWA）、『楽園とは探偵の不在なり』（早川書房）、『ゴールデンタイムの消費期限』（祥伝社）、『廃遊園地の殺人』（実業之日本社）、『君の地球が平らになりますように』（集英社）など多数。近著に『回樹』（早川書房）、『本の背骨が最後に残る』（光文社）がある。

髙橋まり子（8）
英米文学翻訳家。主な訳書に、ジャニータ・シエリダン『翡翠の家』『珊瑚の涙』『金の羽根の指輪』、ハル・ホワイト『ディーン牧師の事件簿』、ジェーン・K・クリーランド『出張鑑定に御用心』『落札された死』（いずれも東京創元社）などがある。本シリーズでの翻訳は『幻想と怪奇13 H・Pラヴクラフトと友人たち』所収のオーガスト・ダーレス「鏡の中の影」に続き六度目。

ひらいたかこ（表紙）

イラストレーター。装画や挿絵を多く制作。絵本や児童書の装画&挿絵も多い。『アリス、アリス、アリス！』（東京創元社）などの画集も出版。個展や原画展示の活動も続けている。東京青山のピンポイント・ギャラリーで「１００人展」（二月一二日〜三月二日）にも参加。

木《もく》犀《せい》あこ（２５４）

このところ星新一のショートショートを再読しているのですが、改めてその文の「うまさ」に舌を巻いています。癖がない文という印象を持っていましたが、グロテスクな描写がわりと執拗に書いてあったりするのも最高です。「骨」の異常さと不気味さといったら、もう。

森《もり》青《せい》花《か》（１４２）

「ＢＨ85」でファンタジーノベル大賞優秀賞受賞、作家デビュー。著書に『ＢＨ85』（新潮社）、『さよなら』（角川書店）、『ＢＨ85　青い惑星《ほし》　緑の生命《いのち》』（徳間書店）。短編に「闇鍋」「龍の壺」「銀の横綱」「うさぎがぴょん！」「ヴェンデッタ」など。趣味は、写真撮影、近所の猫観察、俳句。

ほととぎす　乳房も灰になりゆくか
初鰹　力士腕《かいな》の太くあり
ラグビーや芝生は緑　空は青

ＹＯＵＣＨＡＮ（装丁）

イラストレーター。装画を手掛けた新刊のお知らせです。中村雅楽シリーズ『等々力座殺人事件』と『楽屋の蟹』（戸板康二作・新保博久 編）、そしてアヴラム・デイヴィッドスンの傑作幻想小説『エステルハージ博士の事件簿』（池央耿 訳）の三冊が、一月から三ヶ月連続で河出文庫より発売です。いずれも爺さ……ナイスミドルを描いております。

各紹介文は、寄稿者各位によるものです。表記等は編集室で統一しております。（Ｍ）

◆今回のタイトルは、サイレント時代の名画「霊魂の不滅」（一九二一　スウェーデン）から拝借しました。この映画を知ったのは、紀田順一郎著『古典映画ロードショー』（双葉社　一九八〇）から。なお、原作となったセルマ・ラーゲルレーヴ『幻の馬車』は長編としては短く、邦訳が入手困難なので、新訳で一挙収録……とも考えたのですが、本書のほぼ半分を占めてしまうとわかり、見送りました。

◆本書では、十九世紀後半から二十世紀初頭にかけての心霊ブームを反映した中短編を揃えました。たとえばノーベル文学賞作家とパルプ・ホラーの大家を並べられるのは、テーマのみならず『幻想と怪奇』という場だからこそ、と自負しております。が、長めの作品が主になったため、企画関連のエッセイやコラムを収録する紙幅がなくなってしまいました。御寛恕のほどを。なお、巻頭の略年譜は、心霊世界探究の一助としていただけますよう。

◆かの時代の心霊ブームの背景には、社会主義や進化論などの新しい思想が世に問われ、耳目を集めたことがあります。さらに、戦争の規模が大きくなり「死」が身近になったことも、流行の理由の一つに挙げられるでしょう。アメリカでは南北戦争以降、死者との交信に癒やしを求める人たちが増えた（『朝日新聞GLOBE＋』二〇二一年一二月二四日）と聞き、またコナン・ドイルが心霊主義への関心を深めた理由に、第一次世界大戦で長男はじめ親族を多く失ったことを挙げる説も瞥見しました。今、「死」を身近に感じざるを得ない出来事が続き、百年前の人々のように、私たちも去っていった人たちの魂に思いを寄せずにいられません。そして、この世界の現状は、第一巻の巻末に記した拙文があてはまるかのようです。あらためてここに引用します。

「この怖ろしい現実を生きていくために、幻想と怪奇の物語は、私たちにとって必要なものなのです」

◆前巻での新たな試み、創作枠の拡大とコラム連載は、読者の皆様に好意をもって受け入れていただきました。御理解に感謝いたします。今後も、特集企画で海外作品を紹介し、「幻想の文学史」と「怪奇の地図」の空白を埋めていくとともに、空想を奔放に発揮した創作をお届けし、新生から五年目の『幻想と怪奇』を、さらに自由な想像力の場にしていきます。引き続き御愛読のほどをお願い申し上げます。

◆第二回『幻想と怪奇』ショートショート・コンテストを開催いたします。詳細は二〇三ページに。想像力を自由に広げた作品の御応募をお待ちしております。また、昨夏に御好評いただきました『ショートショート・カーニヴァル』の第二集を刊行いたします。ご期待ください。

（M）

次回配本　幻想と怪奇
ショートショート・カーニヴァル2
不思議な本棚（仮）

幻想と怪奇　15
霊魂の不滅　心霊小説傑作選

2024年2月20日　初版発行

企画・編集　牧原勝志（『幻想と怪奇』編集室）

発 行 人　福本皇祐
発 行 所　株式会社新紀元社
〒101-0054 東京都千代田区神田錦町1-7 錦町一丁目ビル2F
Tel.03-3219-0921　Fax.03-3219-0922
http://www.shinkigensha.co.jp/
郵便振替　00110-4-27618

協　　力　紀田順一郎　荒俣 宏
株式会社国書刊行会

題　　字　原田 治
表 紙 絵　ひらい たかこ（Pen Studio）
デ ザ イ ン　YOUCHAN（トゴルアートワークス）

組　　版　株式会社明昌堂／『幻想と怪奇』編集室

印刷・製本　中央精版印刷株式会社

ISBN978-4-7753-2132-4
Printed in Japan
定価はカバーに表示してあります。